JN035114

# 総合判例研究叢書

## 刑事訴訟法（15）



有 斐 閣

刑事訴訟法・編集委員

佐伯千仭

団藤重光

# 序

フランスにおいて、自由法学の名とともに判例の研究が異常な発達を遂げているのは、その民法典が百五十余年の齢を重ねたからだといわれている。それに比較すると、わが国の諸法典は、まだ若い。最も古いものでも、六、七十年の年月を経たに過ぎない。しかし、わが国の諸法典は、いずれも、近代的法制を全く知らなかったところに輸入されたものである。そのことを思えば、この六十年の間に極めて重要な判例の変遷があったであろうことは、容易に想像がつく。事実、わが国の諸法典は、それに関連する判例の研究でこれを補充しなければ、その正確な意味を理解し得ないようになっている。

判例が法源であるかどうかの理論については、今日なお議論の余地があろう。しかし、実際問題として、多くの条項が判例によってその具体的な意義を明かにされているばかりでなく、判例によって特殊の制度が創造されている例も、決して少くはない。判例研究の重要なことについては、何人も異議のないことであろう。

判例の創造した特殊の制度の内容を明かにするためにはもちろんのこと、判例によって明かにされた条項の意義を探るためにも、判例の総合的な研究が必要である。同一の事項についてのすべての判決を探り、取り扱われた事実の微妙な差異に注意しながら、総合的・発展的に研究するのでなければ、判例の研究は、決して終局の目的を達することはできない。そしてそれには、時間をかけた克明な努力を必要とする。

幸なことには、わが国でも、十数年来、そうした研究の必要が感じられ、優れた成果も少くないようになつた。いまや、この成果を集め、足らざるを補ない、欠けたるを充たし、全分野にわたる研究を完成すべき時期に際会している。

かようにして、われわれは、全国の学者を動員し、すでに優れた研究のできているものについては、その補訂を乞い、まだ研究の尽されていないものについては、新たに適任者にお願いして、ここに「総合判例研究叢書」を編むことにした。第一回に発表したものは、各法域に亘る重要な問題のうち、研究成果の比較的早くでき上ると予想されるものである。これに洩れた事項でさらに重要なもののあることは、われわれもよく知つている。やがて、第二回、第三回と編集を継続して、完全な総合判例法の完成を期するつもりである。ここに、編集に当つての所信を述べ、協力される諸学者に深甚の謝意を表するとともに、同学の士の援助を願う次第である。

昭和三十一年五月

編集代表

小野清一郎　宮沢俊義
末川　博　我妻　栄
中川善之助

# 凡　例

一　判例の重要なものについては、判旨、事実、上告論旨等を引用し、各件毎に一連番号を附した。

二　判例年月日、巻数、頁数等を示すには、おおむね左の略号を用いた。

大判大五・一一・八民録二二・二〇七七（大審院判決録）

（大正五年十一月八日、大審院判決、大審院民事判決録二十二輯二〇七七頁）

大判大一四・四・二三刑集四・二六二（大審院判例集）

最判昭二二・一二・一五刑集一・一・八〇（最高裁判所判例集）

（昭和二十二年十二月十五日、最高裁判所判決、最高裁判所刑事判例集一巻一号八〇頁）

大判昭二・一二・六新聞二七九一・一五（法律新聞）

大判昭三・九・二〇評論一八民法五七五（法律評論）

大判昭四・五・二二裁判例三・刑法五五（大審院裁判例）

福岡高判昭二六・一二・一四刑集四・一四・二一一四（高等裁判所判例集）

大阪高判昭二八・七・四下級民集四・七・九七一（下級裁判所民事裁判例集）

最判昭二八・二・二〇行政例集四・二・二三一（行政事件裁判例集）

名古屋高判昭二五・五・八特一〇・七〇（高等裁判所刑事判決特報）

東京高判昭三〇・一〇・二四東京高時報六・二民二四九（東京高等裁判所判決時報）

札幌高決昭二九・七・二三高裁特報一・二・七一（高等裁判所刑事裁判特報）

前橋地決昭三〇・六・三〇労民集六・四・三八九（労働関係民事裁判例集）

その他に、例えば次のような略語を用いた。

裁判所時報＝裁　時　　家庭裁判所月報＝家裁月報

判例時報＝判　時　　判例タイムズ＝判　タ

# 目次

高田卓爾

## 予断排除の原則

## 刑事裁判における自由心証

青柳文雄

# 予断排除の原則

高田卓爾

# はしがき

筆者に割り当てられたテーマは「予断排除の原則」であるが、この言葉は現行新刑訴について新しく生れたものであつて、それだけにその意味のとりように従つて、広くも狭くも解される。最も広く解すると、憲法三七条一項にいう「公平な裁判所」の理念に関係するあらゆる事項が含まれることになり、裁判官の除斥・忌避の問題も当然取り上げねばならないことになる。他方、最も狭く解すると、刑訴二五六条六項に定めるいわゆる起訴状一本主義そのものだけということになろう。しかし、一般的な用語例によると、「予断排除の原則」というのは裁判所の構成そのものに関する問題は除外して、起訴状一本主義を中心としながらこれに関係する事項を含む意味に用いられているように思われる。私も本書ではこの用語例に従つてこの範囲の事項に関する判例を取りあげることとした。そしてこのことは、編集者が「公平な裁判所」でも「起訴状一本主義」でもなく、「予断排除の原則」という名称を選定された趣旨にも合致するものと信じる。

ところで、本叢書の「執筆要項」によれば、その研究対象は、原則として、大審院および最高裁の判例であり、項目の内容上それが乏しい場合は、主として下級審の判例を研究対象とするものとなつている。しかし、前述のように本書のテーマである「予断排除の原則」は現行刑訴法について新しく問題となつたものである関係上、最高裁の判例がある事項についても、単にこうなつているということを紹介するにとどまらず、下級審においてどのように処理され、最高裁によつてどのように解決されるに至つたかをフォロウすることが、重要な意味をもつのではないかと思われる。かような観点から、本書では最高裁の判例が出される迄の下級審の判例をかなり丹念にひろい挙げて、いわば最高裁判例の背景を明らかにするよう試みた。その結果、前記の「執筆要項」に反することになつたのではないかを懸念するのであるが、筆者の意のあるところを汲んで頂いて、編集委員ならびに読者の御諒恕を乞う次第である。

# 1　公訴提起と予断排除

## 一　刑訴二五六条六項の趣旨

刑訴二五六条六項は、「起訴状には、裁判官に事件につき予断を生ぜしめる虞のある書類その他の物を添附し、又はその内容を引用してはならない」と規定する。これが起訴状一本主義といわれるものである。この規定の趣旨はもうあらためてここで云々する必要はあるまい。この点について、次のような最高裁判例がある。

【1】「刑訴二五六条が、起訴状に記載すべき要件を定めるとともに、その六項に、『起訴状には、裁判官に事件につき予断を生ぜしめる虞のある書類その他を添附し、又はその内容を引用してはならない』と定めているのは、裁判官が、あらかじめ事件についてなんらの先入的心証を抱くことなく、白紙の状態において、第一回の公判期日に臨み、その後の審理の進行に従い、証拠によつて事案の真相を明らかにし、もつて公正な判決に到達するという手続の段階を示したものであつて、直接審理主義及び公判中心主義の精神を実現するとともに裁判官の公正を訴訟手続上より確保し、よつて公平な裁判所の性格を客観的にも保障しようとする重要な目的をもつているのである」(最判昭二七・三・五刑集六・三・三五一)。

まず、簡にして要を得た判示といつてよいであろう。なお、右の判決は続いて、「すなわち、公訴犯罪事実について、裁判官に予断を生ぜしめるおそれのある事項は、起訴状に記載することは許されないのであつて、かかる事項を起訴状に記載したときは、これによつてすでに生じた違法性は、その性質上もはや治癒することができないものと解するを相当とする。」としている(但し、斎藤(悠)、谷村、沢田三裁判官の反対意見がある)。

即ち、第一に、刑訴二五六条六項は、単に書類その他の物を添附しまたはその内容を引用することのみならず、予断を生ずる虞れのある事項を起訴状に記載することも禁じておること、第二に、同項に違反したと見られる場合は必然的に公訴提起を無効とする、ということを明らかにしたものとして重要な意味をもつている。これらの点は、あらためて後に取りあげることとしよう。以下、事例をわけて検討する。

## 二　証拠じたいを起訴状に添附した場合

この種の事例は、さすがにほとんど見当らない。わずかに、次の判例がある。

【2】「本件起訴状添附の約束手形と題する八葉の紙片は、被告人に対する有価証券（約束手形）偽造行使詐欺の罪の公訴事実につき、その訴因明示の一方法として該公訴にかかる事実の一内容が記載されているにすぎない。換言すれば、一般公訴事実におけると同様、犯罪構成要件該当の被疑事実について、裁判官の判断を得べき前提として、検察官が提供した単なる仮説的主張内容それ自体が記載されているにすぎないのであつて、起訴状に右八葉の紙片が添附されているからといつて、毫も裁判官に被告事件につき予断を生ぜしむべきものがあつたということはできない」（東京高判昭二八・六・二二東京高時報三・六刑二四二）（傍点筆者。以下同じ）。

この判旨は不当であると思う。「訴因明示の一方法」という論法は、後出【3】の最高裁判例に従つたものかと推察されるが、本件における有価証券は証拠そのものであつて、右のような論法で行くならば、例えば殺人事件において、殺人に使用した兇器を添附提出しても差支えないということになろう。かような結論が認められるであろうか。尤も、この種の証拠は、供述証拠とくらべて、犯罪の実行じたいを証明するものではないという点にちがいがあるという議論も成り立つ。しかし、刑訴二五六条六項の規定の趣旨からすれば、このちがいは同項に違反するか否かを左右するものとは考えられない。いかなる証拠といえども、証拠調の段階になつてから提出すべきである。これが起訴状一本主義の趣旨とするところであることは、いうまでもない。判旨はそういうことを少しも考えていないようである。

## 三　証拠の内容を引用した場合

【3】（事実）　公職追放令違反事件の起訴状に、被告人吉田が山上銀次郎との連名でその頃「賢名なる町民各位に御報告致します」等と題する四種のビラを印刷して同町民に配付した際、被告人原田は当時被告人吉田の手裡にあつた右四種のビラ中「再町民各位の御銘鑑に訴えます」と題し町当局の該措置を弾劾する趣旨を記述したビラの原稿の末尾に「次回の公判は……御銘鑑を乞う、吉田侶章、山上銀次郎」なる文字を加筆し云々と記載し、更に、被告人原田は公職追放確定後も国府町内に於て隠然たる勢力を有し常に現国府町長川野正一の反対派である被告人吉田侶章外約十名の町会議員と親交を重ね自己の勢力の温存を図りつつあつたが云々と記載されている。

（控訴審判決）「刑事訴訟法第二五六条……第六項……は公訴事実と直接不可分の関係にない事情等を詳細に記載して起訴状一本主義の脱法を図り裁判官について予断を与えることを避けようとして居る趣旨と思はれる。……公訴事実の内容そのものについては当然に具体的に其の方法などを明示すべきものでありその記載方法が書類其の他の物の内容の引用と認められる場合であつても本条第六項の禁ずるところではなく又公訴事実と直接不可分の関係にある一連の事実は之を起訴状に記載することが許され其の記載について書類の他の内容を引用することができるものと思はれるのである。仮令以上二つの場合のような記載が其の他の事項の記載に比し更に一層裁判官に予断を生ぜしめる虞のあるものであつても同様に考へられるのである。本件起訴状には所論のような加筆文句の記載しあり其の記載は公判第一号の二同第七号のビラの内容を引用したものであることも所論の通りであるが叙上の文句を加筆したことは本件公訴事実の内容其のものであり…

…其の記載は同条第三項の必要的記載事項であつて同条第六項の禁止規定に違反するものとは考へられないのである」（高松高判昭二五・四・七特九・一九〇）。

（上告審判決）「本件起訴状に記載された、所論の各記載は、何れも公訴事実を起訴状に記載するにあたり、その訴因を明示するため犯罪構成要件にあたる事実自体若しくは、これと密接不可分の事実を記載したものであつて、被告人等の行為が罪名として記載された公職追放令第一一条若しくは第一二条にあたる以所を明にする為必要なものであるから起訴状に所論の如き記載があるからといつて、右起訴状は刑訴法第二五六条第六項に違反するものではない」（最判昭二六・四・一〇刑集五・五・八四二）。

右の事案では、証拠たるビラの内容の一部を公訴事実中に引用したことと、被告人の犯行に至るまでの情況を記載したこととが問題とされている。高松高裁も最高裁も、第一の点については訴因を明示するために許されるとし、第二の点については犯罪構成事実と不可分の関係にある事実として記載が許されるとしている。ここではさし当つて第一の点だけを問題にしたいと思うのであるが、高松高裁が、訴因を明示するための記載が「書類其の他の物の内容の引用と認められる場合」でも、そしてそれが、「一層裁判官に予断を生ぜしめる虞のあるものであつても」、公訴事実の内容を具体的に明示するに必要ならば、二五六条六項に違反しない、としていることが特筆されなければならない。換言すれば、訴因を明示せよという同条三項の要求は、六項の起訴状一本主義に優先する、というわけである。これに反し、最高裁は、単に訴因を明示するために必要な記載ならば差支えないとするに止まり、三項と六項との関係については言及するところがない。しかし、訴因の明示に必要な事項ならば常に予断を生ぜしめる虞れがない、という論理は成り立たない。理論的にはやはり高松高裁のように考えざるを得ないであろう。しかし、いずれにしても、そのような引用は、真に訴因としての体裁をとるのに必要不可欠と見られる程度にとどまらなければならぬことは、もちろんであろう。問題は、それが真に不可欠の場合であり不可欠の程度を逸脱していないか、ということになる。右の事案でも、その点は疑問があるが、次の最高裁判決では、まさにその点が問題となり、少数意見も出されることになつた。

【4】（事実）恐喝罪の起訴状には「被告人TはAと共謀の上M等から金円を不法に領得せんことを企て、被告人Tに於て、M宛『拝啓貴下がHに対し従来莫大なる数量の生糸の売買を為し本年下半期のみにても八百数十貫其の価格壱千万円に及び就中弐拾壱中の如き入手困難なるものもあり之等に関し各種脱税に対する第三者申告の対称（象?）たるのみならず近日中宇和島市に於て発行の予定なる新日本建設新聞の創刊号に所謂特種としての価値を発揮する次第なる処本件事案の重大性と業界に及ぼす影響不尠点に貴下の御迷惑を考慮し十分慎重なる態度を以て臨み度に付貴下の釈明をも参考に致し度く依つて来る一月五日迄に何分の御書面相煩度得貴意候也昭和弐拾参年拾弐月参拾壱日云々』と複写し、以て同人をして釈明しなければ脱税に対する第三者申告を為し且つ新聞紙上に掲載して刑事処分をも受けしむべく依つて同人の自由、名誉、財産に対し害を加るべきことを暗示し暗に之が揉消しのため相当額の金円を提供すべき旨の脅迫文三通を作成し、即日宇和島郵便局から内一通を書留内容証明郵便としてM宛郵送翌昭和二四年一月一日同人をして受領畏怖せしめ」たものである、との記載があり、右起訴状に記載された脅迫書翰の記載は後に第一審公判廷に証拠として提出された郵便書翰の記載と殆んど同様のものであるが、記載形式は両者異つている。

（判旨）「起訴状に記載された事実がその訴因を明示するため犯罪構成要件にあたる事実若くはこれと密接不可分の事実であつて被告人の行為が罪名として記載された罰条にあたる所以を明らかにするため必要で

あるときはその記載は刑訴二五六条六項に違反しないこと当裁判所の判例とするところである。……本件起訴状において郵便脅迫書翰の記載内容を表示するには例えば第一審判決事実認定の部においてなされているように少しでもこれを要約して摘記すべきである。しかし、起訴状には訴因を明示して公訴事実を記載すべく、訴因を明示するにはできる限り犯罪の方法をも特定して記載しなければならないことも刑訴二五六条の規定するところであり、そして起訴状における公訴事実の記載は具体的になすべく、恐喝罪においては、被告人が財物の交付を受ける意図をもつて他人に対し害を加えるべきことの通告をした事実は犯罪構成事実に属するから、具体的にこれを記載しなければならないことというまでもない。本件公訴事実によればいわゆる郵便脅迫文書は加害の通告の主要な方法であるとみられるのに、その趣旨は婉曲暗示的であつて、被告人の右書状郵送が財産的利得の意図からの加害の通告に当るか或は単に平穏な社交的質問書に過ぎないかは主としてその書翰の記載内容の解釈によつて判定されるという微妙な関係のあることを窺うことができる。かような関係があつて、起訴状に脅迫文書の内容を具体的に真実に適合するように要約摘示しても相当詳細にわたるのでなければその文書の趣旨が判明し難いような場合には、起訴状に脅迫文書の全文とほとんど同様の記載をしたとしても、それは要約摘示と大差なく、被告人の防禦に実質的な不利益を生ずる虞もなく、刑訴二五六条六項に従い『裁判官に事件につき予断を生ぜしめる虞のある書類その他の物の内容を引用し』たものとして起訴を無効ならしめるものと解すべきではない」(最判昭三三・五・二〇刑集一二・七・一三九八)(青柳文雄・判例評論一五号二〇頁)。

(小林裁判官の少数意見)「私は、……多数意見の見解に全く賛同できない。その理由として三つの点を挙げたい。

その一として本件起訴状の記載は、刑訴二五六条六項の規定に明らかに違反する。すなわち本件起訴状には、……内容証明郵便の内容をそのまま引用している(しかも差出の年月日、差出人の住所氏名、受取人の住所氏名を原本の体裁のとおり記載し、差出人名下に「印」受取人名下に「殿」まで加えている。)かかる引用は、右同条六項の『……又はその内容を引用してはならない』という規定の文言そのものに違反すること明白である。

その第二としてかかる引用をすることが、多数意見の説示するように必要であるかどうかの点からいっても全く理由がない。本件起訴の罪名は恐喝であり、引用の内容証明郵便はその手段である。それで公訴事実としては、右書面の関係部分は、被害者宛判示年月日附の内容証明郵便をもつて判示のような趣旨を記載した書面を郵送し、それが何月何日被害者に到達し、同人をして受領畏怖せしめ……云々と記載すれば足りるのであつて、起訴状のように正確な引用をする必要は少しもない。また多数意見は、第三小法廷の判例を引用しているが、同判例の要点は『起訴状に記載された事実が、その訴因を明示するため……被告人の行為が罪名として記載された罰条にあたる所以を明らかにするため必要であるときは、その記載は刑訴二五六条六項に違反しない』というのである。本件起訴状が、右内容証明郵便の内容をそのまま原本の写のように引用していることをもつて、多数意見はなおかつ右判例のいう『必要』に当ると解するのであろうか。その趣旨を理解することができない。のみならず、刑訴二五六条六項の趣旨については当裁判所大法廷は明らかな判例を示している（昭和二五年（あ）第一〇八九号同二七年三月五日判決、集六巻三号三五一頁以下……註、【1】の判例）。多数意見は右大法廷判例を挙げていない。しかもこの判例に徴すれば、本件起訴状のような引用の是認できないことは明かである。

その三として、本件起訴状における内容証明郵便の内容引用は、引用という観念を越え、むしろ原本の写に近いものである。このような引用がなお許されるとすれば、刑訴二九二条の『証拠調は第二九一条の手続が終つた後これを行う』という規定は無意義に帰するおそれがある。この点においても本件起訴状の記載は違法であると考える。」

前述の見地からすれば、本件で問題とされている引用のしかたが、訴因を明示するに必要不可欠というべきものであるかどうかが論点となる。私は、もつと抽象的な形で文書の内容を示すことが可能であり、訴因の明示という点からいってもそれで足りると考える。そのいみで小林裁判官の少数意見が正しいと考える。なお、青柳教授もこの点は同意見のようであるが、多数意見が違法としなかったのは、既に【1】において、予断を生ぜしめる事項を起訴状に記載したときは、その違法は治癒されない、としたため、本件の場合にもし違法とすれば原判決を破棄して公訴棄却を言い渡さなければならなくなるが、具体的に見てそうする必要もなさそうなのであえて原判決を維持する態度に出たのではないか、と評される。本件がそういう気持のあらわれであったか否かは何ともいえないが、一般論としては、たしかにそういうことは考えられる。しかし、他面において、このような最高裁判例によって、本件の場合のような記載が大手を振って許されることになるという効果も考えて貰わねばならない。最高裁は、いわゆる一罰百戒ということも考慮する必要があるのではあるまいか。

**四**　被告人の悪経歴・悪性行を記載した場合

刑訴二五六条六項が直接に禁止しているのは、書類その他の物の添附およびそれらの内容の引用であるが、予断排除の趣旨からいえば、正確にはそれにあてはまらなくても、無用に裁判官に予断・偏見を与える虞れのある事項を起訴状に記載することも禁止される、と解すべきである。既に見たように、最高裁は【1】の判例においてこのことを認めているのであるし、学説においても異論がないといってよい。旧刑訴法においては、公訴提起は本質的に刑事手続の主体が検察官から裁判所に引きつがれるという性格のものであったため、起訴状には検察官の手元に集められた証拠によってなるべく詳しく事実を記載することが原則とされ、構成要件的事実を中心としてそれを取りまく各種の事実、即ち被告人の経歴・家族関係、犯罪の遠因・近因・動機、そして犯罪後の行動に至るまで詳細をきわめることが少なくなかつた。そういう事実は当該犯罪の個性を描き出すという点で無意味ということはいえない。しかし、訴因の明示という点から必ずしも不可欠とはいえないし、他方、ともすれば一種の暗示を裁判官に与えかねない。そこで、どの程度の記載をするのが適当か、または法律上許されるかが問題となつてくる。その第一として、被告人の悪経歴・悪性行の問題をとりあげよう。

（一）　前科またはこれに準じる経歴（以下、前科等という）のあることを記載した場合　まず、公訴事実と一応無関係と考えられる前科等を記載する場合はどうか。

(1)　違法とするもの

【5】「起訴状に被告人の前科を記載することは、裁判所をして予断偏見を生ぜしめる虞のある事項であつて、かかる事項は記載を許されないものと解すべき……」（東京高判昭二四・七・二二判タ一六・二二）。

これは極めて簡単であつて、判例研究の対象としては、余り適当ではない。ただ、時期的に見て、既にこういう判例があつたという意味で引用した。

【6】「本件起訴状には冒頭に『被告人Sは曩に傷害罪で一回、殺人、同未遂罪で一回と二回処罰を受け、同Tは曩に傷害罪、銃砲等所持禁止令違反に依つて処罰を受け更に現在傷害罪に依つて仙台地方裁判所古川支部に起訴され、その公判に繫属中のものであるが』……と記載している。しかるに、刑事訴訟法第二五六条第六項には『……』と規定しているのであるから、前科の事実は、それが常習累犯窃盗のように法律上犯罪構成要件となつているか、又は事実上犯罪事実の内容を為す場合でない限り裁判官に事件につき予断を生ぜしめる虞あるものとして起訴状にこれを記載してはならないものと解する。本件においては被告人等にそ

れぞれ前示前科があるという事実は法律上犯罪構成要件を為すものでもなく、又本件犯罪事実の内容を為すものでもないから、これを起訴状に引用することは、刑事訴訟法第二五六条第六項に違反するものといわなければならない。しかるに同条項にいわゆる起訴状一本主義は新刑事訴訟法の根幹を為す重要な原則であり、これを単なる訓示規定と解することはできない。これを厳格な効力規定と解するのでなければ、その精神は貫徹せられない。しかるに右の起訴状の瑕疵は性質上事後にこれを払拭するに由ないものであるから、かかる瑕疵ある起訴状は無効というべきである」（仙台高判昭二五・三・七特一三・一七八）。

かなり詳細な判示であり、私も大いに共感を覚える。特に、前科の記載が許されるのは、法律上犯罪構成要件となっている場合と、事実上犯罪事実の内容をなす場合とに限られる、としたのは、後の最高裁の判例（【12】）の先駆をなすものとして、大きな価値を認めるべきであろう。尤も、それらの場合以外に何故に前科の記載が許されないかについては明瞭でない、という憾みがある。

【7】（事実）恐喝罪の起訴状冒頭に、「被告人は昭和二三年八月賭博罪により罰金五百円、同年十月賭博罪並恐喝罪で懲役三年但し五年間執行猶予の判決を受け現に刑執行猶予中のものであるが」と表示してある。

（判旨）「前科の事実は、それが常習累犯窃盗のように法律上犯罪構成要件となっているか、又は事実上犯罪事実の内容をなす場合でない限り、裁判官に事件につき予断を生ぜしめる虞あるものとして起訴状にこれを記載してはならないものと解する本件において前記起訴状冒頭に記載した前科のある事実は法律上犯罪構成要件をなすものでもなく、又本件犯罪事実の内容をなすものでもないからこれを起訴状に引用することは刑事訴訟法第二五六条末項に違反するものといわねばならない。しかして同条項にいわゆる起訴状一本主義は新刑事訴訟法の根幹をなす重要な原則であり、これを単なる訓示規定と解することはできない。これを厳格な効力規定と解するのでなければ、その精神は貫徹せられない。しかるに右の起訴状の瑕疵は性質上事後にこれを払拭するに由ないものであるから、かかる瑕疵ある起訴状は無効というべきである」（仙台高判昭二五・五・三判タ一〇・五九）。

これは前の判例と全く同趣旨である。ただ、事件が恐喝罪であるだけに、そういう前科を背景として恐喝をしたという場合だとすれば、後述の判例（【19】以下）との関係で必ずしも違法というにあたらないであろう。

以上の三例は起訴の無効を認めたのであったが、違法でも起訴の無効を認めないものがある。

【8】「本件起訴状中公訴事実の冒頭に『被告人Kは……詐欺業務上横領により起訴猶予処分を受けたものであるが云々』との記載があることは所論の通りであって、右は刑事訴訟法第二五六条第六項の規定に違反するわけであるが、同条違反の場合公訴提起の手続を無効ならしめるか否かは各場合々々における違反の程度を勘案して決せらるべきものと解せられるところ、本件における上記程度の違反は未だ公訴提起の手続を無効ならしめるほど著大なものとは認め難い」（福岡高判昭二四・八・二四特一・一二〇）。

この判例で注目されるのは、違法を認めつつも、起訴を無効ならしめるか否かは「各場合々々における違反の程度を勘案して」決定すべきだ、としている点である。六項違反の場合の一般論としてならば理解できなくはないが、起訴猶予処分を受けたという事実を記載した場合だけについての問題としては、右の判示は些か理解しがたい。あるいは公訴事実との関係——全然別種のものかまたは同種のものか——によるという趣旨なのであろうか。

(2)　違法でないとするもの

【9】「起訴状に前科調書を添附し或は起訴状中に前科の事実を記載したとて、これらは単に被告人の人格の不良性に関するものであってもとより犯罪事実の証拠とはなり得ないものであり、且厳格な証拠法上の制

限に従ひ事実の認定をなすべきことが要求されている新刑事訴訟法の下においては仮令これらの事実を予め裁判官が知つたとしても犯罪事実の認定に何等の影響を及ぼすものではないから、被告人Sに対する起訴状中『性行不良』或は前科の点が記載されていることは論旨指摘のとおりであるけれどもこれを以て刑事訴訟法第二五六条に違背するものとは考えられない」(東京高判昭二五・四・一一特一〇・一六)。

犯罪事実を立証する上で証拠となりえない事項ならば、起訴状に記載しても差支えないという趣旨のようであるが、事実の認定は証拠から自動的に出てくるものではない。証拠を評価するに当つての影響を無視している点に根本的な疑問がある。

【10】「被告人両名は本年七月二九日……窃盗罪に依りTは懲役一年六月Uは同じく四年の刑の言渡を受け目下控訴中のものであるが」と記載された起訴状につき、

「右のような記載事実自体起訴された公訴事実の存在の証拠となるものではなく、専門家の裁判官の職業意識から云つても、該記載事実を不足な証拠の補充として用いそれによつて心証を左右されるようなことは殆んど考えられないのだから、かような記載のある起訴状を直に違法な無効のものと論じ去るべきものではない」(福岡高判昭二五・五・二〇特七・七〇)。

この判例は、前述の疑問に答えてはいる。しかし「専門家の裁判官の職業意識」というものがそれほど不死身なものかどうか。それが根拠の薄弱な思いあがりでなければ幸いであるが、一般人は必ずしもそうは考えていないことを反省する必要があろう。

次の判例についても、同じ批判があてはまる。

【11】「我国の裁判は陪審裁判ではなく熟練した職業裁判官の裁判であるから起訴状に前科の事実が記載されていたとしても之により直ちに事件につき予断を生ぜしめる虞があると認めることは出来ない」(仙台高判昭二六・

五・二五特二二・四九)。

(3) 最高裁は、同種の前科を記載するのは違法であるとの見解をとった。

【12】 (検察官の上告趣意) 「起訴状に前科を記載するも右前科が起訴状記載の犯行の累犯加重の原由たるべき前科なる以上之を以て直ちに裁判官に予断を抱かしむる虞ある事項の記載なりと断ずるは本条 (註、二五六条) 立法の趣旨を誤解した見解と謂はなければならない。之を本件に付按ずるに被告人は昭和二〇年一二月一四日石巻区裁判所に於て昭和二二年三月一七日山形地方裁判所に於て孰れも詐欺罪により夫々懲役一年の言渡を受け其の執行を終つたものであり右前科は孰れも本件犯行に対し累犯加重の原由たるものであり検察官は裁判官の適正なる法令の適用を促す意味に於て起訴状の記載要件となつて居る罰条の摘示を為すと同じ趣旨の下に之を起訴状に記載したものであるから之を以て起訴状に裁判官に事件に付予断を生ぜしむる虞のある事項を引用したものとなし本件公訴を棄却したのは明らかに当を得ざるものと謂はなければならない。」

(判旨) 「公訴犯罪事実について、裁判官に予断を生ぜしめるおそれのある事項は、起訴状に記載することは許されないのであつて、かかる事項を起訴状に記載したときは、これによつてすでに生じた違法性は、その性質上もはや治癒することができないものと解するを相当とする。本件起訴状によれば、詐欺罪の公訴事実について、その冒頭に、『被告人は詐欺罪により既に二度処罰を受けたものであるが』と記載しているのであるが、このように詐欺の公訴について、詐欺の前科を記載することは、両者の関係からいつて、公訴犯罪事実につき、裁判官に予断を生ぜしめるおそれのある事項にあたると解しなければならない。所論は、本件被告人の前科は、公訴による犯罪に対し、累犯加重の原由たる場合であつて、検察官は、裁判官の適正な法令の適用を促す意味において、起訴状の記載要件となつている罰条の摘示をなすと同じ趣旨の下に、これを記載したものであると主張するが、前科が、累犯加重の原由たる事実である場合は、量刑に関係のある事項でもあるから、正規の手続に従い（刑訴二九六条参照）、証拠調の段階においてこれを明らかにすれば足りるのであつて、特にこれを起訴状に記載しなければ、論旨のいう目的を達することができないという理由はなく、従つて、これを罰条の摘示と同じ趣旨と解することはできない。もつとも被告人の前科であつても、それが、公訴犯罪事実の構成要件となつている場合（例えば常習累犯窃盗）又は公訴犯罪事実の内容となつている場合（例えば前科の事実を手段方法として恐喝）等は、公訴犯罪事実を示すのに必要であつて、これを一般の前科と同様に解することはできないからこれを記載することはもとより適法である」（最判昭二七・三・五刑集六・三・三五一）（但し、沢田、斎藤、谷村の三裁判官の少数意見がある）。

即ち、最高裁は、前科の記載一般ではなく、公訴事実たる詐欺と同種の前科の記載は予断を生ぜしめる虞れのある事項として許されない、としているのである（しかも、累犯加重原由たる前科の場合でも記載を許さぬ、としていることも注目すべきである）。この考え方は後述の同種事実の証拠の許否の問題（【129】【130】を参照）と関連するものとして注目される。次の下級審判例は、右の最高裁判例に従い、しかもこの点につき更に詳しく判示している。

【13】（事実）事案は放火罪であるが、起訴状の公訴事実として、「被告人は、B、Dの長女として生れ、……戦後食糧難の時期に自宅から食べものを持ち出したり、近隣の店舗より食糧品を無断で持ち去ることがあつたため、父より痛く制裁をうけ、これがため父親を畏怖するようになり、十三才の頃には家出して、両親のある身に拘らず、戦災孤児と偽つて自ら保護施設に収容を求める等して爾来、施設の生活を続けてきた。昭和三十二年十二月頃、父母の愛情を求めるようになつて一旦帰宅したが、当時既に母DがCとの折合が悪く新宿区……に間借りをして別居していた上、BやCとの折合いも悪かつたので、翌三十三年二月、父Bの家に火を放ち、そのため懲役三年の刑を受けたこともあり、昭和三十六年四月五日右刑を終えた後は、鮨屋等に勤めたものの永続きせず、十日余りで……母の許に帰つたが、母達の生活は夜具も殆んど無き極貧の生活であつたところ云々」と記載されている。

（判旨）「一、公訴事実には(1)冒頭から「母の手一つで育てられたが」迄に被告人の生立ちを、(2)「戦後食糧難云々以下施設の生活を続けて来た」迄に被告人の悪性行を、(3)「昭和三十二年十二月頃……、以下Bや兄Cとの折合いも悪かつたので」迄に被告人の家庭環境を、(4)「翌三十三年二月以下……右刑を終えた後は」迄に被告人の前科を、そして(5)それ以下に本件公訴事実の直接の動機、態様および結果を順次記載してある。……

二、しかしながら右公訴事実のうち(1)乃至(4)の記載就中(2)、(4)の記載は起訴状の記載として果して適法のものであろうか、刑事訴訟法第二百五十六条の法意に照すとき頗る疑問である。同条……の趣旨とするところは、刑事訴訟法が旧刑事訴訟法と異り起訴状一本主義の原則を採用し、起訴の段階において、何等の先入的心証を裁判官にいだかせることなく、白紙の出発点から公判審理を進め、公判中心主義並びに直接審理主義に則つて、事案の真相を公明に判断するにあることは、最高裁判所が夙に判示しているところであり（最判昭和二七年三月五日刑集六巻三五一頁参照）、これに刑事訴訟法が検察官の冒頭陳述の手続を規定していることにかんがみると、起訴状に公訴事実として記載しうる事項は限定されており、裁判官に予断をいだかせる虞のある事項はその記載が起訴状の記載として不可欠な事項を除いては記載してはならないものと解するのが相当である。そうとすれば、被告人の悪性格（前科、悪性行、悪経歴等）の記載は、それが当該公訴犯罪事実の構成要件となるか或いは事実上当該構成要件の必要的内容をなすかの如き場合でない限り、その記載は同条第六項の許さない違法のものであつて云々。

三、そこで本件起訴状の効力について考按するに、前掲公訴事実のうち、(2)、(4)の記載は本件公訴事実の構成要件となる事実でないことは勿論、動機原因関係としても精々遠因に過ぎないのであつて公訴犯罪事実と密接不可分の関係ある事実でもない。しかしてこれ等の記載、殊に(4)記載の前科に関連する部分には、本件公訴犯罪事実と、犯行の原因関係において、又その態様において、尠からず共通するもののあることが推量されるのみならず、この記載は記載自体によつてこれと同旨の確定判決―証拠資料―の存在が推測され、見方によつては確定判決を引用したと同じ効果をもつ記載でもある。かかる記載は、刑事訴訟法の所期するところに反し、公訴提起において、裁判官をして、被告人に同種の犯行の反覆性等のあること—間接事実としての—について、予断と偏見をいだかせる大きい危険性を内包しているものといつても過言ではあるまい。そうとすれば、右記載はまさに刑事訴訟法第二百五十六条第六項に違背し、その起訴は無効のものといわねばならない。検察官は本件公訴事実のうち右部分を削除することによつて前記違法性は治癒される旨主張するが、かかる事項を一旦起訴状に記載した場合、これによつてすでに生じた違法性は、その性質上もはや治癒することはできないものと解するのが相当であつて、このことはこれまた最高裁判所が前掲判決で判示しているところである。これ蓋し、起訴状の記載事項についての予断、偏見の虞の有無は、事の性質上、判断以前の心理的、主観的問題であり、且つ刑事訴訟法第二百五十六条第六項が憲法第三十七条に基く厳格な効力規定であることにかんがみると、削除によつてはその違背—起訴状乃至起訴状添付書類という形式によつて一旦具現された心証形成の危険性—はこれを補正し得ないと解するのが相当であるからである」（東京地判昭三六・六・三〇下級刑集三・五—六・五九八）。

前記の最高裁判例は、同種の前科の記載は許されないとし、逆に、傍論としてではあるが、前科の記載が許される場合を挙げている。そうすると、この両者の中間の場合、即ち異種の前科で公訴事実と関係のないときについては問題を残したということになる。この残された問題について、最高裁判例後のものとして、次の判例がある。【14】は、不可欠な動機の中に出てくる事項であるとの理由で、また、【15】は、公訴事実と密接な関係にある事項であるとの理由で、いずれも前科の記載は違法でないとしている。

【14】「本件起訴状をみるに、その公訴事実中に論旨に指摘するような詐欺罪についての前科の記載がある

ことは所論のとおりであるけれども、しかし本件の公訴犯罪事実は尊属殺人及び死体遺棄にかかるものであつて、右の前科は尊属殺人罪の公訴事実として事実上欠くべからざる動機を記載するに当りその過程において示されたものに過ぎないものであることが明らかであるから、何等裁判官に事件につき予断を生ぜしめる虞はないものである……」（広島高判昭三一・二・二七高裁特報三・五・一八〇）。

【15】「起訴状中公訴事実欄には『昭和三三年一月七日岡山地方裁判所において、登録証明書の切替手続をしないで、その有効期間である昭和二七年一〇月二八日をこえ本邦に在留した事実により懲役四月に処せられ、同月二二日これが確定し、同年三月二八日刑の執行を受け終り山口刑務所を出所し』との記載があり、これが訴因そのものの内容をなすものでないことは明らかであるが、一面、被告人に対する本件外国人登録違反被告事件が右前科の刑の執行終了に引き続く新なる切替交付申請手続をなさない状態について起訴されたものであり、起訴状中公訴事実欄の右記載部分も、唯単に、漫然記載されたのではなく、一に本件犯行の始期を具体的に表示せんがため記載されたものであることは、右記載自体に徴しても明らかであつて、右記載が稍々詳細に過ぎ、いわゆる余事記載であるとの譏は免れないとはいうものの本件違反事実と密接な関係のある右記載部分を捉え、直ちに、これを以て裁判官に事件につき予断を生ぜしめる虞のあるものと解するのは相当でない」（松江地判昭三五・一一・八下級刑集二・一一・一一九）。

なお、以上とやや趣を異にするが、追起訴状に、既に起訴されている同種犯罪事実を重ねて記載したという場合について、次の判例がある。違法でないとする判旨結論は認めてよいであろう。

【16】（事実）被告人は既に詐欺罪により起訴されていたところ、追起訴され、その起訴状には「被告人は以前より売買に藉口し繊維、雑貨類の所謂取込詐欺を計画実行していたが、昭和……頃より名古屋市……に繊維、雑貨、金属製品及電機器具の販売を目的とする株式会社I商店を設立し、代表取締役として引続き同一方法で多数の商品を詐取しようと企てた」旨記載されていた。そしてこの取込詐欺がさきに起訴された

詐欺罪の内容をなすものである。

（判旨）「本件において前記起訴状の冒頭事実の記載が、それ自体として抽象的にこれをみるならば、裁判官に対し、被告人がいわゆる取込詐欺の常習者である旨の予断を生ぜしめるおそれがあり、しかもかかる記載が本件において必要不可欠のものであつたとは認められないのであるから、前記起訴状の冒頭事実、特にその前段の記載が、起訴状公訴事実の記載として妥当を欠くものであることはとうてい否定できない。然しながら、起訴状の公訴事実の記載として右二五六条により禁止されるいわゆる余事記載に該るかどうかということは、これを抽象画一的に決すべきではなく、それが裁判における予断の排除を目的とするものである以上、その予断の内容も当該訴訟の発展段階に応じて異るものであることは当然であろう。すなわち、第一回の起訴状と、それ以後のいわゆる追起訴状における場合とでは、自らその禁止される予断の内容に事実上異るもののあることは明らかである。追起訴の事実についても、予断を排除されることは当然であるが、既に第一回の起訴事実について審理が行われている如き場合にあつては、その既に行われた審理の経過に徴し裁判官としては浮動のものではあつても、既に一種の心証を形成しているばかりでなく、既にその段階において各般の証拠も提出されていることでもあるから、追起訴状の公訴事実の記載として、既にその追起訴当時迄に裁判官に明らかにされた事項を引用したとしても、ただそのことだけで、追起訴状記載の公訴事実について裁判官に予断を生ぜしめるおそれがあるものとはいえないであろう」（名古屋高判昭三七・六・二七下級刑集四・五＝六・三九九）。

（二）常習累犯の場合の前科の記載　この種の場合に、前科を記載することが許されることについては、既述のように最高裁の判例で明言されている【12】。この判例に対しては、学説上も特に異論はないようである。ただ、例えば盗犯等防止法三条に規定する常習累犯強窃盗において、その規定の文言からみて、所定の前科のあることがどのような性質をもつ要件か必ずしも明らかでない。一種の処罰条件類似の刑罰加重事由と考えられないでもないが、恐らく常習性と同様、身分的構成要件と解するのが正しいであろう。いずれにしても、訴因として記載すべき事項に含まれる。

【17】「本件起訴状の記載に明らかなように、公訴事実が、盗犯等の防止及処分に関する法律第三条所定の常習累犯窃盗の犯罪事実を内容とするものである以上、起訴状にこれが犯罪の構成要素に属する所論窃盗の罪の三回に亘る受刑終了の前科を記載したことは理の当然とするところであつて、毫も非議さるべきではない。所論において、右前科を起訴状に記載するときは、裁判官をして被告人等が窃盗の常習者であつて本件窃盗の所為も当然被告人等において犯したものであるとの予断を生ぜしむる虞があり、斯かる記載は、法の当然禁止するところ……という趣旨の主張をしているけれども、起訴状記載の公訴事実は、刑罰権を確定すべき裁判官の判断の前提として提供された単なる一応の仮説であつて、裁判官は、これが仮説に対する適法な証拠(公判廷に顕出された)なき限り、絶対に、その実体的判断を拘束されるものではない。されば、所論前科の存在を証すべき書類その他の物を起訴状に添附してあるわけでもない本件において、これが前科の事実はこれを推認し得べくもなく、従つて、起訴状に単に所論前科の記載があるだけのことによつて、被告人等が本件窃盗の所為に出でたことを予断すべき何等のよすがもない」(東京高判昭二八・一〇・一九東京高時報四・五刑一三六)。

この判旨の前半は最高裁判例に従つたものとして特に問題はないが、後半はなくもがなの感がある。のみならず、後半の趣旨によると、前科を記載することは常習累犯の場合に限らず、常に許されるという結論になるように思われる。そうなると却て最高裁判例に反することになり、結論的にも妥当でない。

常習犯の場合でも、前科の記載が許されるか。次の判例は、これを肯定する。

【18】「本件公訴事実（註、暴力行為等処罰法違反）は原判決（第三の(七)）掲記の如く『被告人は昭和二八年九月二二日確定の傷害暴行罪及び昭和二九年七月一七日確定の傷害罪の前科を有する者であるが、別表記載の通り昭和二九年八月一七日頃より同年一〇月五日頃に至る迄の間三回に亘り常習としてA外一名に対し暴行を加えたものである』というのであり、右前科の記載は常習性の具体的説明としてなされたものであることと明白であり、右前科自体は前記常習性内容に必要的なものではないが之と密接な関係のあることも通常であり、この程度の前科の表示を以て直ちに前記刑訴第二五六条第六項の規定に違背したものとは云い得ない」（名古屋高判昭三〇・八・三〇高裁特報二・一六一一七・八九二）。

判旨は、積極的に肯定するのにやや躊躇を示している。しかし、必要的でないならば、記載することとは違法とすべきではあるまいか。

(三)　前科等を利用した犯罪の場合　そのほとんどが恐喝事件に関するもので、この場合に前科等の記載の許されることは、これまた最高裁の認めるところである（【12】）。しかし、右の最高裁判例以前において、既に同趣旨の高裁判例が出されている。

【19】（事実）恐喝被告事件の起訴状冒頭に「被告人は賭博前科二犯あり行橋町並にその近郊に於て誰知らぬ者もない不良輩で酒癖が悪く被告人の姿を見るとこれを避けて通るという所謂町の不良青年仲間の親分格として横暴の限りを尽しているが」と記載されている。

（判旨）「被告人が恐喝の手段として、一般人を恐れさせるに足るような自己の性格、経歴、素行等に関する事実を相手方に告知し、若しくは、相手方がそのような事実を知つて恐れているのに乗じて、金品その他財産上の利益の供与を求める方法によつて、恐喝の罪を犯した場合、起訴状に当該恐喝事実の犯罪を記載するに当り、被告人の性格、経歴、素行等に関する事実を掲記することは、罪となるべき事実を表示するために、まことに已むを得ないところであつて正当であり、少しも右規定の趣旨に反するものではないというべきである。本件起訴状記載にかかる被告人の性格、経歴、素行等に関する記載は、その言辞やや穏当を欠くうらみなしとしないのであるが、その趣旨とするところは、犯罪事実を明確にしようとする意図に出たものであつて何ら他意のないものであること、その公訴事実記載の全般からこれを確認するに難くないのであるから、本件起訴状の記載に、所論のような違法があるということはできない」(福岡高判昭二四・一二・七特二・四四)。

【20】「罪となるべき事実と関係がないのに拘らず単に被告人の悪性を中傷強調する目的を以て被告人の性格経歴素行等に関する事実を記載した場合は右規定(註、二五六条六項)の趣旨に反すること勿論であるが罪となるべき事実を表示するためこれが説明の範囲において記載される場合は右規定の趣旨に反するものではない。本件起訴状公訴事実第一冒頭において『被告人Yは性質粗暴にして傷害罪により懲役に処せられ保釈中であり近隣の者から嫌悪畏怖せられているものであるが』と記載したるはその言辞やや穏当を欠くうらみなしとしないのであるが右は以下記載の犯罪事実を表示するための措辞であることは第一㈠の事実中『被告人はA方に於て平素自己の性行を知悉している同人に対し「今晩酒を飲むから焼酎を一本貸してくれ」と申向けその要求に応じなければ同人の身体に危害を加えるかも知れぬ旨を暗示して同人を畏怖させ云々』の記載と照し合わして明らかである即ち前記被告人の経歴素行等は右恐喝の手段として用いられたる事実を表示したに過ぎないものであることは公訴事実記載の全般から之を認め得る云々」(広島高判昭二五・七・三特一一・一一五)。

【21】不当勢威の利用による恐喝事件の起訴状の公訴事実冒頭に「被告人は……所謂本庄事件に連座し恐喝等被告事件で懲役六年の判決を宣告され現に控訴保釈中の者で、その前歴を知る本庄町の町民からは畏怖の念を以てみられていたものであるが」と記載した場合について、

「本件第一乃至第三の事実が恐喝の罪を構成するために必要な手段である害悪の通知は被告人の前掲のような性行、前歴、身分等による勢威を利用したことが不可欠の要件となつておること明白である。故に本件に於て起訴状に前掲のような記載をすることは必要にして、且つ、かくすることによつて十分なものとなるこ

と亦明白であるから本件起訴状の記載は妥当であると認められる。蓋し起訴状には裁判官をして予断偏見を抱かしめ又は抱かしむる虞のある記載をしてはならないことは洵に所論の通りであるが、他方起訴状記載事項としては、法律によつて要求されておる形式的主張及び法律用語の記載だけでは不充分であつて、起訴に係る犯罪の実質を示すに足る実質的情況をも記載することを要するものと解するのが相当であるからである」（東京高判昭二五・一二・五特一五・四六）。

要するに、犯罪実行の方法を明示するのに必要であり、その意味で犯罪構成事実そのものに属する、というのである。そして、この考え方は次の最高裁の判例で確認されたのである。

【22】（上告趣意）「本件起訴状の冒頭に『被告人は傷害、詐欺、窃盗、恐喝等の前科五犯を重ね、剰え昭和二十四年十二月八日大牟田支部に於て、私文書偽造行使詐欺罪により懲役一年六月に処せられ乍ら、病気加療に名を藉り未だに其の執行を免れているものであるが、一定の生業を有せず、ヒロポン中毒者にして無為徒食し、不良の徒輩と交友諸所を徘徊し、近隣者より嫌悪せられ居るところ』とあるのは、刑訴第二五六条第六項の規定に違反し、裁判官に事件につき予断を生ぜしめる虞のある事項を記載したものと認めねばなりません。右のような被告人の前科、素行、性格等に関する事実の記載は、恐喝暴行という本件罪となるべき事実を表示するため已むを得ないという程度を超えて居り、又単に妥当を欠くという程度ではなく、殊更に被告人の悪性を強調したものであつて、裁判官に事件につき予断を生ぜしめる虞が充分といわねばなりません」。

（判旨）「刑訴二五六条六項によれば、起訴状には事件につき予断を生ぜしめる虞のあるものを引用してはならないのであるから、起訴状を作成する場合にはこの点につき慎重に考慮しなければならぬことはいうまでもない。そして、一般の犯罪事実を起訴状に記載するに当り、犯罪事実と何ら関係がないのに拘らず被告人の悪性を強調する趣旨で被告人に前科数犯あることを掲げるごときは、前記規定の趣旨から避くべきであることも論がないところである。しかし、本件で起訴された恐喝罪の公訴事実のように、一般人を恐れさせるような被告人の経歴、素行、性格等に関する事実を相手方が知っているのに乗じて恐喝の罪を犯した場合には、これら経歴等に関する事実を相手方が知っていたことは恐喝の手段方法を明らかならしめるに必要な事実である。そして、起訴状に記載すべき公訴事実は訴因を明示しなければならないのであり、訴因を明示するにはできる限り日時、場所、方法を以て罪となるべき事実を特定してこれをしなければならないことも亦前記刑訴二五六条三項の規定するところであるから、本件起訴状に所論のような被告人の経歴、素行、性格等に関し近隣に知られていた事実の記載があるからとて違法であるということはできない」(最判昭二六・一二・一八刑集五・一三・二五二七)。

従って、【12】の判例は、ここで述べられた趣旨を、傍論として再確認した、ということになる。

更に、同趣旨のものとして、

【23】(事実) 恐喝罪の起訴状に「被告人は賭博恐喝等の前科数犯あり、その乾分数と無為徒食し常に粗暴なる言動ある為世人の嫌忌畏怖し居るに乗じ」との記載がある。

(判旨)「本件起訴状における所論記載は本件恐喝罪の要件たる事実であるから、これを起訴状に記載したことは違法ではない」(最判昭二七・四・八判タ二〇・六二)。

以上のような考え方そのものは学説上も特に異論はないようであるし、正当としてよいと思われる。ただ注意しなければならないのは、本来多分に予断を生ぜしめる危険のある事項であるから、真に犯罪実行の方法を示すために必要不可欠と見るべき範囲のものに限られねばならないことと、聊かでも被告人の悪性格を誇張する性質のものは排除しなければならないということ、である。そういう点からすると、恐喝のための勢威利用ということと余り関係のない前科は記載すべきではないし、また、関係のある前科でもそれが数個ある場合に一つ一つ列挙して記載するのではなく、「何々など前科何犯」というような記載方法をとることにより余り強い印象を与えぬよう配慮すべきであろう。例えば【22】の場合、「病気加療に名を藉り云々」の記載は、少なくとも病気療養のため法律上の手続を経て執行の停止を受けているのならば、検察官の一方的・主観的な評価を述べているものであって甚だ不適当というべきである。恐喝の場合ならばどんな書き方をしてもよいという観念が支配することは、十分警戒しなければならない。

なお、前科以外の悪経歴のあることを利用して同じく恐喝を行った場合について、次の判例がある。

【24】「起訴状記載の公訴事実中には夫々『U及びN検事を擁し……寄居地方に於て虎の如く畏怖せられている被告人T云々』との記載があることは所論のとおりである。もとよりその必要がないに拘らず起訴状に前記のような被告人の前歴性格等についての記載をするのは妥当ではないし、その記載が殊更裁判官に事件について予断を生ぜしめる虞があると認められるときは、このような公訴提起は不適法といわなければならないことも所論のとおりである。従つて起訴状を作成するに当つては慎重に考慮するを要し、一般の犯罪事実を起訴する場合に於て、犯罪事実と何等関係のないに拘らず、被告人の悪性を強調する趣旨で被告人の素行経歴等を掲げることは厳に避けるべきである。しかし所論の……起訴状はいずれも恐喝罪の公訴事実を掲げているもので、一般人を恐れさせるような被告人の前歴、性格を記載したのもこれら被告人の前歴、性格を相手方が知つているに乗じて恐喝の罪を犯したものとして恐喝の手段方法を明らかにする必要上為されたことを認めるに足る。……本件のように被告人の前歴等不当な勢威を利用することにより恐喝の罪を犯したときにその犯罪の手段方法を実質的に明白ならしめるため、これら前歴、性格について記載するのも已むを得ないところである。従つて所論のような記載が起訴状に存することから直ちに公訴提起の方式が規定に

反し無効というのは当らない……」（東京高判昭二七・七・二三特三四・一二五）。

【25】「被告人に対する本件起訴状をみると、その公訴事実（註、恐喝罪）の冒頭に『被告人はA組の下で……組等の勢威を利用して粗暴のふるまい多く、栃木市民就中遊技場経営者等より蛇蝎の如く嫌忌畏怖されてゐるものであるが』と記載されていることは、まことに所論の通りである。……犯罪事実とは何等直接の関係がないのに、ただ被告人の悪性を中傷強調する目的で被告人の性格、経歴及び素行等に関する事実を記載することは、刑事訴訟法第二百五十六条末項の規定の趣旨に鑑み、もとより許されないところである。けれども本件公訴事実は、被告人が一般人を恐れさせるに足るような自己の性格、経歴及び素行等に関する事実を相手方が知り、恐れをなしているのに乗じて金員を喝取したというのであるから、被告人の性格、経歴、素行等に関する事項は恐喝手段そのものの内容をなしている事柄であって、その記載は本件公訴事実の訴因を確定するために必要欠くべからざるものであるといわなければならない。尤も……『蛇蝎の如く嫌忌畏怖されていた』旨の記載があって、措辞やや妥当を欠くものがないでもないが右は要するところ、被告人が栃木市内の一般人殊に遊技場経営者等から、非常に嫌われ且つ恐れられていた状態を表現するための修飾語に過ぎないことは、同起訴状の全文を通読すれば容易に了解し得られるから、本件起訴状に右の記載があるからといって、本件公訴提起の手続が違法であるということはできない」（東京高判昭二九・二・一七東京高時報五・一刑三四）。

同じく、強要罪に関するものとして、

【26】「本件起訴状の冒頭に『被告人は渋谷附近の不良の首領株であって附近の者に恐れられていた者であるが』なる記載の存することは論旨の指摘する如くであるが本件で起訴された強要罪のように一般人を恐れさせるような被告人の経歴、素行、性格等を相手方が知っていたことは強要の手段方法を明らかならしめるに必要な事実であり、起訴状に記載された犯罪事実となんら関係がないのに拘わらず被告人の悪性を強調する趣旨で記載されたものとは明らかに異るのであるから前叙の如き被告人の悪性格の記載は刑事訴訟法第

二五六条末項に違反するところはない」（東京高判昭二九・二・九 東京高時報五・一刑二九）。

（四）前科等以外の悪性行の記載　この種の事実でも、恐喝の手段として利用した場合は、記載が許される（【24】【25】）。そういう関係がない場合はどうであろうか。

【27】「右㈠の殺人罪の訴因として記載された事実の内容を仔細に検討すると、『かねて短気粗暴な被告人Fは』との記載事項は、いわゆる被告人の悪性格の記載ではあるが、それが刑事訴訟法第二五六条第六項にいわゆる予断事項に該当するかどうかは相対的に、当該訴因として明示された具体的事実との関連において判断されるべきものであるところ、右の記載事項は被告人が酒宴の席で相手方の言つた言辞に憤慨して喧嘩をはじめ作業用ナイフで相手方の身体を十九箇所も突き刺して死亡させたとの事実が、傷害致死罪ではなく、殺人罪に該当する事実を具体的に明確にするため、犯罪構成要件に該当する事実の外、被告人がたんに酒宴の席上、偶発的に行われた喧嘩位のことで単純に且つ直ちに殺意を生じて殺害行為に及んだ動機乃至理由ことに犯罪成立の過程を説明するのに必要なものとして記載されたものと解されるばかりでなく、仮りに、右の事項が記載されなかつたとしても、酒宴の席上偶発的に行われた喧嘩位のことで、他に何等首肯すべき動機もないのに、単純、即時に、殺意を生じ、しかも作業用ナイフで相手の身体を十九箇所も突き刺して死亡させ殺害の目的を遂げたとの訴因記載の事実自体、既にその行為者のなんと短気でありなんと粗暴であるかを潜在的に表現していることが看取されるので、本件殺人罪の訴因記載の事実中、たまたま、被告人が喧嘩のため殺意を生じて殺害行為に及んだ犯意成立の過程の説明として『かねて短気粗暴な被告人Fは』との記載があるからといつて、これを以て公訴犯罪事実につき、裁判官に予断を生ぜしめるおそれのある事項を起訴状に記載したものと解するのは、失当であるといわねばならない」（福岡高判昭二九・九・二一刑集七・九・一四四〇）。

【28】「被告人に対する……強盗殺人、窃盗被告事件起訴状記載の公訴事実中には、冒頭に被告人Kは（中

略）定職なく素行の修まらなかつたものであるが云々の記載の存することが認められる……。しかし右冒頭記載の部分はその全文を通読すれば、被告人が右起訴状記載の公訴事実である強盗殺人、窃盗の各事実の共犯者であるとする原審相被告人Nと互に相識るに至つた径路として右両名がいずれも定職なく素行の修まらなかつたものであるが、偶々X方に同宿した際相識るに至つたものであることを記載したものであることが認められ、本件における強盗殺人というような重大犯罪が共犯者によつて行なわれたものであるとする場合に共犯者が互に相識るに至つた径路を公訴事実中に記載することは事実関係を明らかにするため相当である。ただその記載のうち被告人等が定職なく素行の修まらなかつたものであるとの記載は訴因を明確にするため必要ではなく、適当でもないのであるが、かような記載事実自体は公訴事実の存在を推断させるに足る事実ともいい難いのであるから、裁判官に事件につき予断を抱かせる程度のものであるとは認められないのである」（東京高判昭三二・四・四　東京高時報八・四刑八三）。

【27】は必要な記載であるとし、【28】は一種の余事記載としている。余事記載も二五六条六項の趣旨から禁止されるとの見解（平場四〇一頁）によればもちろんのこと、余事記載でも予断を生ぜしめる種類のものであれば禁止されると解しなければならない。【28】は、「公訴事実の存在を推断させるに足る事実」ではないから違法でないとするのであるが、「推断させるに足る事実」でなくても、「推断に手助けするような事実」も禁止されると解すべきである。この意味で、その判旨は甚だ疑問である。

## 五　起訴事実の動機と見られる事項の記載

既に述べたように、旧刑訴法のもとでは、起訴事実の動機たる事項を詳細に記述するのがむしろ原則のようになつていた。しかし、そのために被告人の悪経歴を叙述することになつたり、また、いかにも被告人の犯行を予想させるような事実を長々と記載することになれば、予断の虞れが問題とならざるを得ない。他方、犯罪の動機は犯罪事実に対し一種の間接事実と考えられる場合が多く、そうなるとこれも犯罪事実に準ずるものとして記載を認めるべきだといえる。その間のどこに線を引くべきかは、かなり微妙な問題である。この問題について学説上見解を明らかにしているものは案外に少なく、「犯罪の直接の動機は、公訴事実と直接不可分の関係にあるものとして、これを記載することが許されるが、これに反し犯罪の遠因、被告人の性格等は、事件について裁判官に予断を生ぜしめる虞ある事項として、これを記載することができないものと解する」（宮下一五二頁）というのが見られるにとどまる。私もさし当ってこの見解に同調しているのであるが（高田三九八頁）、これも一応の抽象的なもので、具体的にどの範囲のものを密接不可分と見るかは、必ずしも自明的ではない。また、直接の動機でもどの程度に詳細に記載してよいかも問題であろう。判例も、右の「密接不可分」の規準をとるものが多く見られる。

【29】（事実）放火罪の公訴事実として「昭和二五年九月頃より相当の借財を生じ然も自己が養子である事から養母或は妻に之を打あけることも出来ず一人その返済方法に苦慮して居た際、同部落のNより義理のある借金の請求を受けるに及んで益々支払に窮し偶々当時被告人所有の右納屋及作業場に火災保険が附けてあるを奇貨とし之に放火して保険金を受け一時の急場をしのごうと考え」と記載されている。

（判旨）「放火、殺人等の事件においては被告人の経歴、身分、犯行の動機等を明らかにしなくては事件の全体を具体的に把握することができず、ひいては、刑の量定の上にも少なからざる不便を生ずることが明らかであるから、これらの事件について起訴を行う場合には、その起訴状に犯罪構成要件に該当する事実のみならず、これと直接不可分の関係があると認められる被告人の経歴、身分、犯行の動機等をも相当具体的に記載することが許されるものと解すべきである。ところで、本件放火の動機に関する所論起訴状の各記載は事件の全体を明らかにするため必要なものであり、決して所論のようなその程度を超えた裁判所に予断を抱かしめる虞のある不当なものということができない……」（東京高判昭二七・四・二一特二九・一四六）。

【30】「本件起訴状中公訴事実の冒頭に犯罪の動機に関する記載の存することは所論の通りであるが、本件のような住宅放火罪の公訴事実においては、犯罪の構成要件に該当する事実のみならず犯罪の動機につき相当程度の記載をなすことにより、之を一層具体的に、且明確ならしめる場合のあり得ることは洵に明らかであつて、本件起訴状中前記動機に関する記載も亦、その住宅放火罪の具体的事実を明確にし特定するに役立つ程度のものであり、裁判所に予断を抱かしめる虞ある不当のものとは認めるに足りないから、右起訴状の記載が刑事訴訟法第二五六条第六項の趣意に反する違法のものなりとは解し難い」（東京高判昭二七・六・二〇特三四・七三）。

以上の判例は、必ずしも〝直接の〟動機に限っていない。これは、問題となつた動機が直接的のものであつたからであろうか。

次の判例は、「直接の動機」ということを明言している。

【31】「刑事訴訟法第二百五十六条第六項の法意は、罪となるべき事実と直接不可分の関係にない事情等を詳細に記載して、起訴状一本主義の脱法をはかり、裁判官に事件についての予断を抱かしめることを避けようとする趣旨である。従て、罪となるべき事実と直接不可分の関係にある事情の事実は勿論、犯罪の動機に付ても、直接の動機は罪となるべき事実と直接不可分の関係にあるものとして、起訴状にこれを記載することは、必ずしも同条項の趣旨に反しないものと解する。蓋し、訴因を明示するためには、罪となるべき事実を特定しなければならないところ、犯罪によつては、犯罪構成要件のみを記載しただけでは、これを明確ならしめることは困難で、これを明確ならしめるためには、犯罪の事情は勿論、動機も相当程度記載することは必要であるからである」（仙台高判昭二七・六・二八特二二・一三九）。

強盗殺人事件において、贓物の分配の記載が動機と結びつくという意味で必要と認めた判例がある。

【32】（事実）　強盗殺人事件の公訴事実冒頭に「被告人川井春雄は……川井留子と入夫婚姻したものにして留子の実姉川井ゐまへ及其夫庄司の本家を相続し常に右庄司一家と不和の間柄にありたるもの、被告人松下今朝敏は……右被告人川井春雄方に同居し右川井庄司一家と不和の間柄にありたるもの、被告人伊藤重男は……実母の死後実父及実兄夫妻と不和の間柄にあり常に家出勝ちにして小遣銭に窮しおりたるものなるところ右川井庄司が勤勉の精農家にして相当の蓄財をなしおる事を知り被告人川井、同松下の両名は右庄司に対する宿怨を霽すと共に被告人伊藤と共に右庄司一家を殺害して同人所有の金品を強奪して之を分配せん事を企て」と記載し、犯行後の贓物の分配について「被告人等は右贓物の分配に付協議し被告人伊藤は腕時計一個を被告人松下は鎖付懐中時計一個及シャツ一枚、ズボン二枚、国防色上衣一枚白木綿生地三点を取得し其余は被告人川井が之を取得し」と記載している。

（判旨）　「本件のような普通考えられない兇悪犯罪に関する公訴事実については、その訴因を明確ならしめるために犯罪の主観的要件ともいうべき犯意形成の要素たる間接的直接的原因を本件起訴状にある程度に記載することは、寧ろ当然の措置というべく又所論贓物の分配に関する記載は本件の如き数名の共同謀議による犯罪が所期の目的を達したことを明らかにするため必要な事項として記載したものと解するを相当とする。換言すれば本件起訴状に存する所論の各記載は、いずれも公訴事実を起訴状に記載するにあたりその訴因を明示するために犯罪構成要件にあたる事実自体と密接な関係を有する事実を記載したものと解すべく、……右起訴状が刑事訴訟法第二五六条第六項に違反する無効のものであると非難することはできない」（東京高判昭三〇・一二・一九東京高時報六・一二刑四五二）。

〝公訴犯罪事実と密接不可分〟という考え方は、最高裁の判例でも採られている。

【33】（上告趣意）　「起訴状に示された第一の公訴事実の……第一段階においては被告人の業務を示し、

第二段階においては、『同会社は漸次営業不振に陥つて昭和二十四年五、六月頃には約三百万円の負債を生じ多数の債権者より厳重なる督促を受けその支払に追はれ新に商品の仕入をなすもこれが転売により受領したる代金を以て直ちに支払に充当するに非ざれば到底他に捻出の方法なく従つて殆ど取引を終止してゐたところ』と本件犯行前後頃の被告人の取締役社長として勤務する会社の業態を示し、次いで第三段階として『たまたま同年五月下旬S鉄道株式会社より信号用ケーブル線八千米の註文を受け代金全額を前払により受領したるも他の支払に費消したる後これが納品に窮し』と犯行の動機を記載したる後、第四段階として始めて犯罪構成要件の記載に入り……代金支払の能力がないに拘らず確実に支払うが如く装つて先日附小切手を振出し、価格十三万円のケーブル線を騙取した旨を記載している。右の……第二段階の会社の業態に関する部分は訴因を示すに何等必要な記載でなく、……犯罪事実を明かならしめるに必要な事実では決してない。言わば本件起訴事実の遠因を記載したものであつて、その内容は被告人の主宰する会社の営業不振の状態を殊更強張し、被告人が本件の如き罪を犯し易い環境にあつたことを強く印象附けんとしたものであつて、例えば被告人の前科を記載し、素行不良等の事実を強張したのと同様、裁判官をして被告人の犯罪の成否につき予断を抱かしむる虞ある記載というべきである」。

（判旨）「本件起訴状は第一の詐欺の公訴事実を記載するにあたり、被告人がK製作所に対し本件註文品の代金を約定通り支払う見込並に能力のなかつた事実を示しているが、起訴状はこの事実を単に抽象的に記述することを以て足れりとせず、所論のように、被告人の『会社は漸次営業不振に陥つて……従つて殆ど取引を終止していた』という状態にあつたことを記載している。そうしてこの記載は、被告人が『既に転売先たるS鉄道株式会社より受領したる前渡金を費消し当時他に入金予定皆無』であつたという記載と相俟つて、被告人に支払の見込並に能力のなかつた事実を一層明らかに具体的に裏づけるものである。してみれば所論の記載は本件公訴犯罪事実の内容をなすかまたは少くともそれと密接不可分の関係にあるものと認められる。かような記載は刑訴第二五六条第六項に違反せず、従つて公訴手続を無効とする理由とならないこと明らかである」（最判昭三一・三・一三刑集一〇・三・三四五）。

他方、犯罪事実の記述上不可欠と見られない遠因を記載しても、違法とするにあたらぬという判例もある。

【34】（事実）詐欺罪の公訴事実冒頭に「被告人は遊興を好み金銭に窮し昭和二二年一一月頃から同二三年一月頃迄の間諸菓子の斡旋により利益を得んとしたるも却つて損害を受け一層自棄的に遊興を重ね之が損害補塡と遊興費に当てるため多額の金員を得んと企て」との記載がある。

（判旨）「起訴状の記載自体についても犯罪構成要件及び之と直接関連ある犯罪事実の記述上不可欠と目される如き事実を除き、審判に先立ち裁判官に不当の印象を与える虞あるが如き事実の記載も亦以上に準じ許されないものと認めるべきである。然しながら偶々起訴状に一見前記に副わない記載があつたとしても常に裁判官をして予断を抱かしめるものとはいえないし却つて裁判官に予断を生ぜしめる虞ある事実の記載ではないと認めて然るべき場合が多々あり得ることを認めなければならない。而して之の点からいえば本件起訴状の前記記載の如きは概して犯罪の動機の記述として為されたものであつて、犯罪の構成要件に鑑みるときは、その犯罪の遠因に関する部分の如きは之を記載することを省略した方が可であつたと認められるが、之を記載すればとて必しも前記法条の趣旨にもとり起訴手続の無効を来すものとは認められない」（東京高判昭二六・六・一三特二一・一〇八）。

何らかの意味で金が欲しくなければ金銭詐欺をする者はいない。それがどういう動機によつたかは一般に情状の問題であつて、特殊な形態の詐欺の場合以外は詐欺の事実とはもともと関係のない事柄というべきである。特に「遊興費を稼ぐため」という動機は、無用に被告人の行状不良を示すものであり、かような記載は違法というべきであろう。

恐喝罪に関する次の判例についても、同じような問題があると思う。

【35】（控訴趣意）「本件起訴状にはその冒頭において、『被告人は京都市左京区……M旅館ことT・Nの異母弟であるが、同人が被告人に対しかねてより冷酷な態度をとると称してひそかに怨恨の情を抱いておつたところ、昭和二十三年六月頃同人が同二十二年頃より被告人と許婚の間柄にあつたY・Tを女中として使用し、爾来同女と情交関係のあることを知つたため益々右怨恨を強めるに到つたが、昭和二十五年一月頃親族知己などの仲裁にて同人が右Y・Tとの関係を清算し、同女と被告人との結婚を斡旋すると共に、同年二月中旬被告人及び妻Tの為にその生活資金として現金四万円を交付し、互に和解し、従来あつた相互のわだかまりを解消し、その際被告人及び妻Tより爾後金銭上の迷惑をかけない旨誓約したにかかわらずその後生計が意の如くならないため、同人より金品を喝取することを企て云々』と記載されているが、これは単純なる犯罪の動機の記載ではなく、裁判官に起訴状記載第一ないし第七事実につき予断を生ぜしめる虞のある検乙第四号証（誓約書）の内容を引用した無効のものである云々」。

（判旨）「記録を精査すると、右起訴状の冒頭記載事実は所論の如き検乙第四号証の内容を引用したものではなく、本件恐喝罪の動機犯情等を記載したものに過ぎないものであつて、恐喝罪の如くその動機犯情等に多様性のある犯罪事実を摘示するに当つては、これ等の事情を示すため、起訴状に右の程度の記載をなしたとしても、これを以つて直ちに違法とは言えない」（大阪高判昭二八・四・二　七刑集六・四・五二七）。

恐喝罪の動機として、右のようないきさつを記載することが必要だとは到底いい得ない。しかも、単なる客観的事実ではなく、被告人の生活歴に対する消極的評価を多分に含んでいる事項の記載は禁止さるべきであろう。

【36】（事実）建造物損壊の公訴事実として、犯罪の直接動機として不法建築物である起訴状記載の掛下に関する被告人等とY夫妻との間の撤去交渉不成立の経緯のみならず、更に本件の遠因であるY等の右掛下

建築の事情、その敷地である土地家屋の買受関係その他にまで詳細に記載されている。

（判旨）「本件起訴状の公訴事実を通覧するにこの種の犯罪につきこの程度に事件の経緯概要を記述したからと言つて裁判官に対し事件につき予断を抱かしむる記載であると認める訳にはいかない」（仙台高判昭二六・四・二三特二二・三三）。

この判例では、必要な記載であるかどうかは問題とされていない。直接の動機たる前段の事実はともかく、遠因に関する後段の事情が公訴事実の明示のため必要ということはできないのではないか。旧刑訴時代の起訴状の書き方から抜け切れていないようである。

次に、〃公訴事実を具体的に明確ならしめるために必要〃という理由を掲げるものがある。

【37】（事実）傷害事件の起訴状に「被告人はHと共に生命保険の外交員をして居る中、同人との共同地盤に当る名古屋市東区石町附近一帯に於て同人が単独で保険外交をし成績を挙げていることを快く思はず同人に対し再三之を思ひ止らせようとしたが、同人にその気持の無い為め之を憤慨していたところ」と記載されている。

（判旨）「公訴事実は、刑事訴訟法第二五六条に定むる通り、犯罪の日時、場所、犯行の方法手段等を記載して犯罪事実を特定し、よつて訴因を明確にすることが必要であつて、犯罪事実及び情状に関し、裁判所に予断を抱かしむる虞れのある事項を記載することを禁止されているが、本件のような暴行傷害に関する公訴事実については、犯罪の構成要件に該当する事実のみを記載しただけでは、これを具体的に明確ならしめることは困難であつて、これを明確ならしめるには、犯罪の動機も相当程度に記載することが必要である。而して起訴状記載の動機の点は、本件傷害罪についての具体的事実を明確にするため必要な程度のものであつて、予断を抱かしめる虞のある不当なものでないことが明らかである」（名古屋高判昭二五・一二・二八刑集三・四・七七八）（山崎清・刑評一二巻三〇〇頁）。

被害者と不和の関係にあつたことの記載は許されるとしても、右のような事情を具体的に記載することが果して「必要」といえるか、かなり疑問である。もっと抽象的な方法で記載できると思われる。なお、山崎氏は、動機は訴因として記載の必要な事項ではないが、本件の場合の動機の記載は、起訴を無効とする程に予断の可能性を存するものといえないから、判旨結論を支持してよい、とする。

文書偽造罪においては、「行使の目的」が要件となっているが、この「目的」の具体的内容を説明するのに行為の動機を記載するのは相当だ、とする次の判例がある。

【38】「起訴状には裁判官に事件につき予断を生ぜしめる虞のある書類その他の物を添附し、又はその内容を引用してはならないのであるから、たとえ事実の具体性を明確にする事項であっても、その記載がこの禁止に牴触するがごときものであってならないことは、もとより、いう迄もない。そうして、或る事項の記載がこの禁止に牴触するかどうかは、われわれの良識に訴えて決するの外はない。さて、本件起訴状には各被告人につき所論のごとき冒頭記載があり、就中被告人Eについては『自動車売買業者の間に無登録の外国製乗用車が売買せられその登録を得ることに奔走しているのを奇貨として』、『これを販売して利を得んことを企て』、『用紙数十枚を作り』等の文言を用いた記載があるが、これらはすべて本件自動車登録証及び自動車検査証の偽造を敢行するまでの経緯もしくは事情を明らかにすると共に、かたがた本件公文書偽造罪の成立に必要な行為動機としての、行使の目的の内容の具体的特殊性を説明したものと認むべきであって、訴因を明示して記載さるべき公訴事実の指摘としてむしろ相当な措置であったと解すべきである」(東京高判昭二七・一一・一特三七・八三)。

公職選挙法違反事件につき、単なる動機ではなく、構成要件的事実に含まれると見るべきだとする判例がある。

【39】「選挙運動とは、特定の議員選挙につき特定の立候補者若しくは立候補の意思（不確定の意思を含む、以下同じ）ある者の当選を図るため、投票を得又は得しめるにつき直接又は間接に必要かつ有利な諸般

の行為をなすことをいうのである。従つて、特定の議員選挙の行わるべきことが確定し若しくは予想されていることと、右選挙に当選を期待される特定の者が立候補し若しくは立候補の意思を有することは、いわば選挙運動の概念要素をなすものであつて、特定の選挙を目標としない、若しくは立候補の意思をも有しない者のためにする選挙運動なるものを想定することは観念の矛盾であるというべきである。されば、本件起訴状の訴因第一の冒頭に、前文を受けて『近く施行される同選挙に立候補することを予て決意して居たところ』と記載したのは、選挙運動の概念要素従つて立候補届出前の選挙運動の犯罪構成要件に属する事項を具体的事実に当て嵌めて明示したまでのことであつて、所論のように犯罪構成要件に含まれない、裁判官に事件につき予断を生ぜしめる虞のある事項を引用したものということはできない」（仙台高判昭三〇・三・九刑集八・二・一四四）。

## 六　公訴事実以外の犯罪（余罪）を推測させる事項の記載

【40】「本件起訴状には、犯罪一覧表と題する書面が添附せられており、右犯罪一覧表記載の内容は本件公訴事実に引用されており、その訴因をなしているのであるが、その末尾に『前記以外に未届のものがあるものと推測せられる』との記載あり。……刑事訴訟法第二五六条第六項……の趣旨はただにかような書類その他の物を添附し又は引用することを禁ずるに止まらず起訴状に起訴事実及びその犯情に直接関係のない事であつて裁判官に事実の認定及び量刑につき予断を抱かしめるおそれのある事柄を記載すること自体をも禁止したものであると解するを相当とする。しかるに前記犯罪一覧表……の記載は、被告人が起訴に係る公訴事実の外にも、罪を犯しているものと推測せられるとの意味であることは明白であるが、犯罪の数の多いということは、実体法上不利益であるばかりでなく、刑事訴訟法第八九条が被告人において常習として長期三年以上の懲役又は禁錮にあたる罪を犯したものであるときは、いわゆる権利保釈の権利を認めないと規定しているように、手続法の上でも不利益な取扱を受けるおそれがあるのであつて前記附記は正しく起訴事実又はその犯情に直接関係のない事柄であつて而も裁判官に事件につき予断を懐かしめる虞あるものというべく

本件公訴提起の手続は、刑事訴訟法第二五六条第六項の規定に違反した無効のものである」（広島高判昭二四・一〇・一二刑集二・三・三六六）。

【41】　「本件起訴状を見ると、所論のように、その末尾に『追而被告人に対しては余罪捜査中で追起訴の見込につき申添える』」との記載があるがかような事項は前記法令に定められた起訴状の記載事項ではなく又本件の起訴或は起訴事実と何等関係のないことであるから、起訴状にかような記載をしたことは、まさに原審検察官の失当な措置といわざるを得ない。しかしこの記載が裁判官に起訴事実について予断を生ぜしめる虞あるかどうかと考えてみると、必しもこれを肯定することはできない、けだし被告人が起訴事実以外にも何等かの犯罪の嫌疑を受け検察官が捜査中であるという事実は被告人の一般的行状に関して好ましくない印象を生ぜしめる虞はあるが、裁判官がかような被告人の一般的行状について、好ましくない印象を受けたとしても、このことより直ちに特定の起訴事実について予断を抱くとは考えられないことであるし又、被告人が他の何等かの犯罪について嫌疑を受けているという事実はそのこと自体、直接にも間接にも当該起訴事実の存在を推定せしめるに足りる事実ではないからたとえ裁判官がかような記載を読んでも、このことより本来の起訴事実について有罪の予断を抱く虞はないからである」（東京高判昭二六・五・三〇刑集四・一三・一七六四）。

二件とも同じような事案であるが、結論は相反している。尤も、【40】では単なる余罪の推測であり、【41】では捜査中で追起訴の見込というかなり確実な余罪の場合であるというちがいがあり、この点が結論を異ならしめたという見方もできよう。しかし、根拠が薄弱であるかどうかは双方の判旨じたいは問題としていないし、問題は「事件につき予断を生ぜしめる虞」があるかどうかであつて、【41】のいうように必ず「予断を抱く」かどうかではない。事実、「被告人の一般的行状に関して好ましくない印象を生ぜしめる虞はある」ことを認めているのであるから、それ以上の論議は要らないというべきである。

次に、家庭裁判所から送致された事件について、起訴状に添附された送致決定に、起訴事実以外の犯罪事実が記載されていたという事例が二つある。これは特定の裁判所で同じ頃に生じたもので、ほかに例のないところから見ると、一時的な軽率な取扱いから生じたもののようである。これを違法とした判旨は正当であろう。

【42】「右送致決定中の罪となるべき事実として本件傷害並びに傷害致死の事実の外恐喝の事実も掲記せられているところ刑事訴訟法第二五六条第六項に……とあるのは裁判官に予断を抱かせないで公平に審理裁判をなさしめようとする趣旨であるから被告事件の成否に関するものだけでなく情状に関する書類等をも添附してはならないものと解せられるところ右送致決定中の恐喝事実の内容を検討すると裁判官をして被告人に対して悪意の推定を抱かしむるに足るものであつて起訴状にこのような書類を添附することは前掲の立法の趣旨に反するものといわなければならない。しかして右の起訴状一本主義はその立法の趣旨に照し厳格な効力規定と解すべきであるから前記の書類を添附した起訴状は同条項の精神に反するものとして無効といわなければならない」（福岡高宮崎支判昭二七・一〇・一七特一九・一八一）。

【43】「起訴状には少年である被告人に対する鹿児島家庭裁判所の送致決定が添附してあり該決定にはその罪となるべき事実として本件公訴事実に相当する事実（註、殺人）の外同人の詐欺事犯に関する事実をも認定してあることが認められる。およそ刑事訴訟法第二百五十六条第六項において起訴状には……と規定した趣旨は裁判官をして虚心淡懐いわゆる白紙の状態を以つて審理に臨ましめ審判につき公平を保たせるにあると解すべきところ、前掲のような公訴事実と内容の異にする被告人の別個の犯罪事実を認定した送致決定を起訴状に添付するときは事件の審理に先だち裁判官をして被告人の悪性を推測せしめ、ひいては公訴事実

に関しても被告人に不利益な予断を生ぜしめる虞があるものと考えられるのであり同条は起訴の方式に関する効力規定と考えられるのでその方式は厳格に履践しなければならない。従つて本件公訴はその手続が規定に反し無効というべく……」（福岡高宮崎支判昭二八・一一・二一特二六・九六）。

## 七　単なる余事記載とされる場合

ここに「単なる余事記載」とは、公訴事実を明示するために必要なものではないが、さりとて裁判官に予断を生ぜしめる虞れがあるとも考えられない事項を記載すること、である。これについては、刑訴二五六条六項が一切の余事記載を禁止していると解するものもあるが（平場四〇一頁）、それはむしろ同条二項ないし三項によつて禁じられるものと見るべきであろう（平野一三〇頁、小野等五〇六頁）。そうとすれば、この場合には二五六条六項違反という問題は生じない。

以下に、余事記載と認めたと思われる判例を若干掲げる。但し、これらをすべて余事記載と考えることが正当かどうか、疑問があるものもある（特に【45】の場合）。また、いずれも二五六条六項違反を否定したことはともかくとして、前述のようになお同条二項、三項との関係を問題とすべきだと思われるのに、この点について全く触れていないのは、その点について意識していないためであろうか。

【44】「本件起訴状の末尾に『追而本件は犬山区検に移送した記録第五四八〇を参照されたい』との記載のあることは所論の通りであるが斯る記載内容自体は、裁判官に本件被告事件につき予断を生ぜしむる虞があるとはいわれない。蓋し『犬山区検に移送した記録等五四八〇』が如何なる内容のものか全く不明であるから斯る附記は実に無意味なものといわざるを得ない。故に起訴状として斯る附記が無いに如くはないけれども、之れあるが故に刑事訴訟法第二五六条第六項に違反する無効の起訴状なりとする所論は採用出来ない」

（名古屋高判昭二五・二・二特四・五二）。

【45】「本件起訴状中公訴事実の冒頭に『且被告人三名は孰れも麻薬中毒患者にして』との記載のあることは所論のとおりである。そして、被告人に対する訴因が塩酸ヂアセチルモルヒネ（ヘロイン）の譲渡及び所持すなわち麻薬取締法第四条第三号違反の点である……から、右の記載事項は起訴にかかる犯罪の構成要件には属しないことがらであつて、この点は起訴状としてはいわば無用の記載であると見なければならない。論旨は右のごとき記載は刑事訴訟法第二五六条第六項の規定に違反するものであると主張をする。しかしながら……同項中『又はその内容を引用してはならない』とあるは、その前段に規定された『裁判官に事件につき予断を生ぜしめる虞のある書類その他の物』の添附を（と？）同等又はこれに近い効果を生ずる程度の引用を禁ずる趣旨のものであると解するのを相当とする。しかるに、本件起訴状の右の記載は、無用のことであり、新刑事訴訟法の精神からいえばむしろ不適当だということはできても、いまだ前記条項に違反する程度のものであるというには足りない……」（東京高判昭二六・七・一六特二一・一三四）。

【46】「本件起訴状の公訴事実の記載として引用してある起訴状添附のN詐欺罪一覧表には1乃至9の事実が記載せられ、且つ最下段の備考欄に1については遊興、2については現金は費消オーバーは売却、3乃至6及び9については売却、7及び8については費消と記載されていることは所論のとおりである。所論は右備考欄の前記のような記載は裁判官に事件につき予断を生ぜしめる虞がある……と主張するけれども、所論の一欄表の備考欄の各記載の程度では未だこれを以つて刑事訴訟法第二五六条第六項にいわゆる裁判官に事件につき、予断を生ぜしめる虞のある書類その他のものを添附し、又はその内容を引用したものに該当するとは認められない」（東京高判昭二六・九・二八特二四・九二）。

【47】「起訴状（註、公訴事実は、建造物侵入、暴力行為等処罰に関する法律違反等）の冒頭に『被告人は日本共産党郡山地区委員長なるところ』との記載があること……は単に被告人の職業乃至は社会的地位を指称したに過ぎないものと解される。決して共産党員たるが故に直に非合法的行為を敢てする者だとか暴力

的煽動分子だとか謂う心理的推断を惹起せしめる文言ではない。それ故起訴状に斯様な記載があるからと謂つてそれを『事件につき裁判官に予断を生ぜしめる虞のある事項を引用した』と曰うのは当らない」(仙台高判昭二七・三・一一特二二・一〇九)。

## 八　公訴提起の方式・手続に関するその他の問題

兄弟の同種犯罪を同一起訴状によつて起訴することは、それだけで予断の問題を生じることはないであろう。この意味で、次の判例はもとより正当である。

【48】「検察官が公訴を提起するに当つては、同種の犯罪につき同一の起訴状に依つてすると、別個の起訴状によつて為すとは、任意に決し得るのであるから、たとい被告人等が兄弟の関係にあるとするも、これを別個の起訴状に依らなければならない理由はないのみならず、検察官が被告人等を同時に起訴したことを以て、ただちに裁判官に予断を生ぜしめる虞があるとは到底考えられない……」(仙台高判昭二五・七・三一特一二・一五七)。

## 九　略式手続に関して生ずる起訴状一本主義の問題

略式手続は書面審理であり、略式命令請求と同時に所要の証拠が裁判所に提出される(刑訴規二八九)のであるから、ここではじめから起訴状一本主義は行われない。このことはともかくとして、略式命令をすることが不可能または不相当のときは通常の手続に移行するし(刑訴四六三)、また、略式命令がなされてこれに対し正式裁判の請求があつたときにも、通常の手続による審判が行われる(刑訴四六八)。これら通常の手続による審判ということになれば、――反対の趣旨の規定がない限り――やはり起訴状一本主義が維持されなければならない。このように、既に起訴状一本主義をとらない略式手続が開始されたということ、更にそれに基く略式命令が発せられたということと、それに続く手続において起訴状一本主義が維持されねばならぬということとの間に何らのギャップも生じないか。判例では、次のような点が問題とされている。

（一）　起訴状（略式命令請求書）に科刑意見が記載されていること　略式手続そのものに関し、科刑意見の記載は起訴状一本主義に反するかについて、

【49】　「刑事訴訟法が刑罰法令の適正な適用実現にある以上検察官が法律の適用について略式命令請求書に意見を記載することは当然の責務であると言わねばならない。（刑事訴訟法第二百九十三条第一項参照）しかして、刑罰法令は刑罰の種類及び分量を抽象的に規定しているにすぎないのであるから公判手続を省略して略式手続でその具体的な適用実現を請求する検察官は刑罰の種類及び分量に関する意見をも右請求書に記載するのが当然であつて、かかる意見即ち科刑意見が法律の適用についての意見である。裁判所は毫も右略式命令の請求に拘束せられないし、（刑事訴訟法第四百六十三条）被告人も自由に正式裁判の請求をすることができるのである。（同法第四百六十五条）しかも正式裁判においては略式命令をした裁判官は当該事件の裁判から除斥せられるのである。（同法第二十条）されば右科刑意見の附記は正当であつて少しの違法もない。刑事訴訟法第二百五十六条第六項に違反する余地もない」（大阪高判昭二八・六・二二特二八・四〇）。

この判例は、略式手続そのものにおいて科刑意見の記載が違法か否かを問題としているのか、それとも正式の手続に移つた場合に起訴状（つまり略式命令請求書）に右の意見の記載がそのままになつているのが違法かどうかを問題にしているのか、実ははつきりしない。しかし判文を読んで見ると、少なくとも前者をも取りあげているように思われる。そうだとすれば、前述のように、略式手続そのものにおいては、既に起訴状一本主義は採用されていないのであるから、このことを第一に打ち出す

べきである。ただ、求刑意見を記載することは法令で要求されていないので、強いて問題とすれば問題となるともいえよう。しかし、通常の手続において刑訴二九三条一項によっていわゆる求刑を行うかわりに――書面審理であるため――起訴にあたって意見を記載したものであるから（判旨はそういう趣旨であろう。この点は次の【50】ではっきりと述べられている）、かつて行われた求刑違憲論（これは、最判昭二四・三・一七刑集三・三・三一八により否定された）でも採らない限り、違法という結論は出てこないであろう。

それでは、正式の手続との関連において、求刑意見が記載されたままの起訴状は適法か。

【50】「所論起訴状は、本被告事件につき公訴を提起し、略式命令を請求したものであるから、かような場合においては、検察官は、刑事訴訟規則第二八九条により、略式命令の請求と同時に、略式命令をするに必要があると思料する書類及び証拠物を差出さなければならないことになつているところからみれば、それと同時に、検察官が、同起訴状において科刑意見を表示することは何等妨げとなるものでないといわざるを得ない。しかも、刑事訴訟法第二五六条第六項によれば、……とあるから、同法条第四項の規定の趣旨に照らし合わせてみても、検察官の求刑意見の表示まで禁止する趣意でないことは自ら諒解し得られるところである。もつとも、公訴を提起し、公判を請求する場合においては、事実及び証拠調の完了後検察官において意見を述べる機会があるため、起訴状に求刑意見の表示されることは殆んど絶無にして、本件は、たまたま略式手続から正式裁判手続に移行した事案にかかるため、所論のような求刑意見が起訴状に表示されたに過ぎないのであり、よしんば、その表示があつたとしても、前説示するところにより、その記載は起訴状を無効にするものではない……」（福岡高宮崎支判昭二六・四・六特一九・一四一）。

この判例も、略式手続としての問題と、正式手続としての問題とを、はっきり区別して論じていないきらいがある。前者の問題として違法でないということは、必ずしも後者の問題としても違法でないとの結論を導かない。若し、通常の場合に起訴状に求刑意見を記載したとすればどうだろうか。起訴状一本主義には反しないとしても、少なくとも余事記載として削除が命ぜらるべきであろう。そうだとすれば、略式から正式の手続に移った場合は、求刑意見は削除しておくことが要求されて然るべきではなかろうか。

### (二) 略式命令書の添附

【51】「被告人等に対する本件は、検察官から原裁判所に対し……略式命令の請求があり、原裁判所は……被告人等に対する略式命令を発付し……被告人等はいずれも……原裁判所に正式裁判を請求した……ものであることを認めることができる。しこうして記録中に検察官の科刑意見書、略式命令書が編綴されていることは所論の通りであるが、これらの書類は所論のように検察官から書証として提出されたものでないことは記録上明らかであり、右検察官の科刑意見は検察官が成規の手続に従い略式命令を請求する以上、公判手続を経ないこととなり、科刑についての意見を述べる機会がないため公判手続における意見陳述に代えてこれを起訴状に添附して略式命令を請求したものであるからこれを起訴状に添附して置くことは当然であるし、略式命令書も亦これを編綴することにより、被告人等の正式裁判請求前の手続が適法になされたか否か、正式裁判をする裁判官の除斥事由の有無について記録上直ちに調査することができるのであつて、これらの書類はいずれも手続の経過に伴い当然存在を推断される書類であるから、これを裁判官に事件について予断を生ぜしめる虞ある書類ということはできないのである。すなわちこれらの書類は……正式裁判の請求のあつた後検察官に返還することを要する書類ではなく、これら科刑意見書及び略式命令書は正式裁判請求後においては記録中に編綴することを禁じた規定はないのである」(東京高判昭二九・六・二一刑集七・七・一〇六三)。

正式裁判の手続に移行した場合に、略式命令書を記録中に編綴することを禁じた規定はたしかに存しない。しかし、それは問題ではなく、そういうやり方が起訴状一本主義に反するか否かが問題である。判旨のいうように、正式裁判請求が適法であるかどうかをたしかめるため、略式命令がいつ発せられたかを知ることは必要であろう。しかし、その内容を知る必要はない。また、除斥事由の有無は、自分が審理した事件かどうかは本人が知つている筈であるから、略式命令書を見る必要はない。このように考えると、略式命令書を添附しておく必要はなさそうに思われる。この点、判旨が必要であるかの如く言つているのは、理解しがたい。他方において、その添附が裁判官に予断を生ぜしめる虞れがあるかという点では、必ずしも絶無とはいえないのではないか。少なくとも、そういうやり方はやめたほうがよいと思う。

## (三)　略式手続を開始した裁判官が正式審理を行うこと

【52】（事実）本件は、はじめ佐倉簡易裁判所に略式命令の請求があつたが、同裁判所裁判官Tは略式命令は相当でないと認め、通常の手続に従つて審判することとして、関係記録を検察官に返還した上、公判審理を進めた。しかし、第三回公判期日において本件は千葉地方裁判所において審判するのが相当であると認めてこれを同裁判所佐倉支部に移送したのであるが、右支部裁判官を兼ねていたT裁判官は今度は同支部裁判官として公判審理に当り、判決を終つた。

（控訴趣意）「地方裁判所乙号支部及びその管轄下にある簡易裁判所は概ね一人の裁判官が裁判を担当されて居るが、裁判官が一人であるから、略式手続の請求を受けた裁判官が、公判手続の審理をしても差支ないと云う理論は成立たない。何となれば、刑事訴訟法第二五六条第六項に於て、……その他の物の添付を禁じて居り、起訴後も第一回公判期日までは、斯様な書類を提出することが出来ないのは、この規定の趣旨から云つても当然である。然るに略式手続請求があつた際、裁判官は当然検察官提出の証拠書類を見られる訳であつて、その結果略式命令が不相当であると思料されるのであるから、その事件の全貌について既に知悉されて居る訳である。その裁判官が公判に於て審理されることは明らかに、憲法第三七条第一項に規定する公平な裁判の理念に背馳することであつて、起訴状一本主義の新法の精神を滅却するものである。」

（判旨）「憲法第三七条第一項にいわゆる公平な裁判所の裁判とは、その組織、構成において偏頗でない裁判を指すものであり、個々の事件について担当裁判官に不公平な裁判をするおそれがあると思われるときは訴訟関係人はその裁判官を職務の執行から排除するため忌避の申立てをすることができるものであつて、たまたま被告人に不利益な裁判がなされたからといつて、この一事によつてただちにその裁判が憲法第三七条第一項に違反しているとすることはできない。そしてT裁判官は法律上佐倉簡易裁判所又は千葉地方裁判所佐倉支部の裁判官としての職務の執行から除斥されるべき事由はなく、且つ佐倉のように一人の裁判官が簡易裁判所の裁判官と地方裁判所支部の裁判官とを兼任している裁判所においては本件のような経過で簡易裁判所及び地方裁判所支部を通じて同一の裁判官が事件の審理及び裁判をすることも訴訟上やむを得ないところであつて、この一事をもつてただちに右審判を違法であるとすることもできないし、又記録を精査しても被告人及び弁護人からこれを理由としてT裁判官に対して忌避の申立てをした事跡も認められず、なお前記審判の経過に徴すれば同裁判官が予断を抱いて本件の審判に当つたとは認められず、又記録を精査しても同裁判官が不公平な裁判をするおそれがあつたと認めるに足りる証左もない」（東京高判昭三八・二・二一刑集一六・一・八一）。

これは、たしかに問題である。しかも、判旨は控訴趣意にまともに答えていない。裁判官が一人しかいないなどということは問題にならないし、その他の点も見当はずれである。問題は、通常の手続に移行するにあたり、書類・証拠物を検察官に返還する（刑訴規二九三）ことによって起訴状一本主義の趣旨が保持されるかどうか、ということでなければならない。私は、そういう効果を認めることはできないと考える。右の刑訴規則二九三条は、別の裁判官が審理に当ることを前提にしてのみ意味があるというべきである。更に進んでいえば、略式命令の可否を審理した裁判官は、刑訴二〇条七号によって正式裁判の審理について除斥されると解することも不可能でないように思われる（この点につき、萱野保之・実務Ⅶ一六六四頁）。

## 二　第一回公判までの手続と予断排除

いわゆる起訴状一本主義は、裁判官をして白紙の状態で公判の審理に臨ませるためのものであるから、単に公訴提起の時だけの問題ではなく、少なくとも公判審理の開始されるまでは同じ状態が要求される。この点から、第一回公判までは、裁判所のする手続に制約が加えられるのは当然である。法律ないし規則で禁止されているのは、証拠調および証拠調の請求（刑訴規一八八但）、準備手続（刑訴規一九四Ⅰ但）、被告人の勾留に関する処分（二八〇）であるが、事の性質上それらに限られるわけではない。判例にあらわれたのは、次のような事案である。

### （一）第一回公判前に、被害始末書が裁判所に提出された場合

【53】「この規定（註、刑訴二五六条六項）の趣旨とするところは、裁判官に予断を抱かしめないで、公平な審理裁判を為さしめようとするに在るのであるから、公訴提起の後においても第一回公判期日までは尚裁判官に予断を生ぜしめる虞のある書類その他の物を裁判所に提出し、又はその内容を知らしめてはならないものと解すべきである。ところで、原審第一回公判調書の記載を閲すると、裁判官は被告人等に対する人定質問の後、検察官事務取扱検察事務官の起訴状の朗読が終るや、直ちに右検察事務官に対し『起訴状には時価五千二百円相当とあり、被害始末書の記載は、被害額約四千円とあるが、この点はどうか』と釈明を求

めており、その始末書は同公判期日において、後に右検察事務官から提出された被害者N作成の被害始末書（記録三十二丁）であることが認められる。従って右公判調書の記載を以てすると、原裁判所は第一回公判期日までに右被害始末書を閲読していたものと推断するの外はない。果して然りとすれば、これは前叙予断防止の規定の趣旨に反し、結局訴訟手続に法令の違反あるに帰し、その違反が判決に影響を及ぼすことは明らかである……」（札幌高判昭二六・九・三刑集四・八・一〇四四）。

珍らしい事例であるが、違法として原判決を破棄したことは当然である。

（二）　第一回公判期日前に、逮捕状・勾留状が送付された場合　身柄拘束中の者を起訴したときは、検察官は、すみやかに逮捕状・勾留状を受訴裁判所の裁判官に差し出すべきである（刑訴規一六七Ⅰ）。これは、いうまでもなく、第一回公判期日までは勾留に関する処分は受訴裁判所ではなく、裁判官がなすべしとする刑訴二八〇条と対応するものである。この場合、直接に受訴裁判所に差し出したとすればどうか。逮捕状や勾留状を見ることが特に裁判官に予断を生ぜしめる虞れがあるといえないとも解されるが、受任裁判官が逮捕状等を裁判所に提出するのは第一回公判期日が開かれたのちとされていること（刑訴規一六七Ⅲ）と対照すると、必ずしもそうともいえない。次の判例は、規則違反でも予断排除の原則には反しないとしている。

【54】「被告人を勾留したときは、勾留処分をしたその裁判官が第一回公判期日が開かれたときは、速やかに逮捕状、勾留状及び勾留に関する処分の書類を裁判所に送付しなければならないことは所論の通りで、検察官が直接裁判所に送付すべきものではない。本件についてこれを見るに、勾留状と逮捕状とが起訴状に添付されて差し出されたことを認むることができず、記録編綴の順序を誤つたものと認むるのが相当であり、

かつ逮捕状及び勾留状だけが第一回公判期日前に裁判所に差し出されていたとしても、右の書類だけでは、裁判所に対し、事件の予断を抱かしむる虞はないので、仮りに逮捕状及び勾留状の提出方法について、瑕疵があつたとしても、これは判決に影響を及ぼすものではないから論旨は、採用することができない」(名古屋高判昭二五・四・一二特八・一二八)。

【55】「本件起訴状の直ぐ次に勾留状及び逮捕状及び逮捕状請求書が編綴されていることはまことに所論のとおりである。所論は『右のように勾留状、逮捕状及び逮捕状請求書を起訴状に添付するのは刑事訴訟法第二五六条第六項、刑事訴訟規則第一六七条第一項、第三項に違反するものである』と主張する。そこで、……叙上の諸規定(註、刑訴規則一六七条一項・三項、同一八七条一項)を比較対照して考えてみると、起訴状に勾留状や逮捕状もしくは逮捕状請求書を添付することは刑事訴訟法第二五六条第六項所定の予断排除の原則に違反するのではないかとの疑が存しないでもないが、さらに仔細に検討すると、叙上のような書面は、被告人が逮捕され、現に勾留されている事実を示すにとどまり、その事件や犯情そのものに関係のある特段の記載は存在しないものであるから、それらの書面は必ずしも裁判官に事件につき予断を生ぜしめる虞のある書面であるということはできないのみならず、一定の場合には勾留処分をした裁判官がその事件につき審判をすることさえ許されている点などからみると、叙上の書面を誤つて起訴状に添付しても、それは予断排除の原則に反するものではないと解するのを相当とする。要するに、……本件起訴手続はやや妥当を欠く憾はあるけれども、未だ以て刑事訴訟法第二五六条第六項に違反するものとは即断し難い……」(東京高判昭三一・七・一〇東京高時報七・七刑二八一)。

(三) 第一回公判前にする公務所等への照会　裁判所は、当事者の請求または職権で、公務所等に照会して必要事項の報告を求めることができるのであるが(刑訴二七九)、第一回公判前にこの種の照会をして、被告人の前科の有無などについて回答を得るときは、前科を起訴状に記載するのと同じ結果を生じうる。学説も多くこの点を指摘する。ただ、右のような手続は疑問があるとするにとどまるもの

（青柳四四四頁、小野等五五一頁）と、違法とするもの（岸二二三七頁、山田鷹之助・実務Ⅵ一二〇二頁、高田四三七頁）とがある。

【56】「第一審の裁判所が第一回公判期日前に被告人の本籍地を管轄する区役所から前記のような趣旨の回答書（註、同区役所からの身上調書には、被告人の本籍、氏名、生年月日、被告人の妻及び長男長女の氏名が記載され、その出生地欄や住所欄にはいずれも不明と書入れ、又前科欄には「民刑事項通知ニ接セズ」との記載がある）の送付を求めることは聊か穏当を欠く憾がないとはいえないけれども、原審がかかる書面による回答を求めた趣旨は要するに、原裁判所が人定質問その他の方法によつて被告人を特定する必要上、その資料とするにあつたものと考えるのが相当であつて原裁判所がその第一回公判期日前においてあらかじめ前記の回答書を見ることは、その書面の記載が前記のとおりである以上、毫も事件について裁判官に予断を生ぜしめることにはならないものと解すべきである」（東京高判昭二七・一・一九特二九・一）。

本件の場合は、回答書に記載されているのは被告人の同一性を確かめるに足る事項や家族についての記載のみで、前科については記載がないのであるから、結局違法とするには足らない。

【57】「原審における第一回公判期日以前において、原裁判所が……被告人の本籍地役場にあてて発した照会に対し、……該回答書には、被告人が……窃盗罪により懲役二年（五年間執行猶予）に処せられ……た旨の記載があることは、いずれも所論のとおりである。而して、新刑事訴訟法の建前としては、第一審裁判所の裁判官はいわゆる起訴状一本主義に従い、第一回公判期日までは、あらかじめ、事件について、なんらの先入的心証を抱くことなく、全く白紙の状態において、審理に臨むべきものであることも亦、所論のとおりであり、且つ最高裁判所が詐欺の起訴状の記載事項につき示した判例（註、前出【12】）の趣旨を類推するときは、窃盗を公訴事実とする本件において、前示のような被告人に窃盗の前科がある旨を記載した書面は、所論のように公訴事実につき、裁判官に予断を生ぜしめる虞のある書類にあたるものというべきである

から、原裁判所が、第一回公判期日以前において、このような書面を徴したことは、前示起訴状一本主義を採用した刑事訴訟法の精神に照らし違法であるといわなければならない。しかしながら、原審第一回公判調書中被告人の供述記載によれば、被告人は、原審公廷において、公訴事実を自白していることが認められるのであつて、この事実と、原判決書の記載、並びに、原判決が証拠として挙示する各書面中の記載をそう合するときは、原審の訴訟手続における前示の違法は本件の判決に影響を及ぼさなかつたことが窺われるのであるから、これだけでは、未だ、原判決を破棄すべき理由とするに足りない」（東京高判昭二八・三・一六東京高時報三・四刑一三九）。

つまり、法令違反は認めるが、破棄事由とするに足りないというのである。しかし、公判廷で自白したから判決に影響がない、というのはどういうものだろうか。少なくとも、一たん生じた違法性は治癒されないとする最高裁判例（【1】）に違反することになりそうである。

（四）　起訴状謄本送達不能の証明資料の提出　　検察官は、起訴状謄本の送達が不能のときは、証明すべき資料を提出しなければならないが、この場合にも、裁判官に事件につき予断を生ぜしめる虞れのある書類その他の物を提出してはならないものとされている（刑訴規一六六）。

これについて、次の判例がある。

【58】（事実）　公訴提起後、検察官が起訴状謄本送達の不能の疎明資料として提出した被告人の妻の供述調書に「本年一〇月一日の衆議院議員総選挙に、私どもの選挙区から立候補したMさんのため、夫は熱心に運動していたようであり、また、先日はその選挙のことかで警察の人の家宅捜索を受けましたので、あるいはさようなことを調べを受けるのを避けるため家を離れているのではないかとの不吉な感じがフトしないわけではありません云々」と記載されている。

（控訴審判決）　「記録によると、右供述調書が同年一一月一三日原審に提出され、その第六項に所論のような供述記載のあることは所論のとおりであるが右は被告人の妻Tが被告人の自宅におらないことを供述しているに過ぎないのであつて、右供述調書が所論のように裁判官に事件につき予断を生ぜしめる虞のある書類とは認めることができない。原審検察官が右起訴状謄本の送達不能に帰したことの通知を受けたのは昭和二七年一一月二六日午後二時三〇分であることは所論のとおりであるからその証明資料はその後でも事足りたのであるとの所論も一理ないわけではないが、検察官は被告人に対する時効の進行を停止する目的もあつて、起訴したのであり、刑事訴訟規則第一六七条の規定は起訴状謄本の送達手続を採る以前に証明資料の提出を禁じたのではなく、検察官は同条により公訴提起後速やかに証明資料を裁判所に差し出さなければならないのであるから、あらかじめ起訴状謄本の送達不能が判明している場合にはその送達手続をなす以前においても証明資料を提出し得るものと解すべきである」(仙台高秋田支判昭二八・一二・二二特三五・一〇二)。

(上告審判決)「所論にかかる、被告人の妻Tの検察官に対する供述調書の供述は、被告人が近頃自宅に不在であることについての若干の事情を述べているに過ぎないものであつて、かかる調書が、所論のように裁判官に事件につき予断を生じさせる虞のある書類に当るものということはできない。されば検察官が被告人に対する公訴提起後、起訴状謄本の送達不能の証明資料としてかかる調書を提出しても、刑訴二五六条六項に違反するものでないことは明らかである」(最判昭三〇・三・二五刑集九・三・五一九)。

(五)　その他の問題　極めて特殊な場合であるが、政治的に問題となつた事件で、公訴提起後、検察責任者が国会において事件に関する証言をし、これが公表されたため、予断排除との関係が問題とされた事例がある。

【59】(弁護人の公訴棄却申立の要旨)「東京地方検察庁検事正は公訴提起後の昭和二十七年一月二十三日参議院決算委員長に宛て本件に関する報告書を提出し、又同検事正及び係検事は同年二月及び三月三回に亘り右委員会において証言し、これらは委員会会議録並に議事録によつて公表され裁判官が自由に見聞しう

る状況におかれたのであるが、右は公訴機関が裁判官に対し事件につき予断を生ぜしめる虞のある行為をしたものであつて、憲法第三十七条の公平な裁判の要請に違反する。」

（判旨）「本件について弁護人の所論のような捜査機関の見解を表明した報告書ないし証言が委員会議事録等に公表されたからといつて、直ちに裁判官に予断を抱かせる性質のものとすることのできないことは、日常の新聞紙上に報道される犯罪記事や捜査当局の発表の場合と同様であつて、これをもつて裁判の公平を害するとする所論の当らないことは明らかである」（東京地判昭三一・七・二三判時八六・三）。

どのような事項が公表されたのかは不明であるが、一般の報道記事などの同程度のものだとすれば、判旨のいうように予断排除の原則に反するとも言えまい。ただ国会における証言、その公表ということになると、その意義が一般の報道記事と全く同じだとも言い切れないところがあり、この点から、この事案のような国会の介入は好ましくないということはいえよう。

55

## 三 冒頭手続における被告人に対する質問と予断排除

### 一 序説

刑訴二九一条二項は、公判におけるいわゆる冒頭手続の段階で、裁判長が被告人・弁護人に対し「被告事件について陳述する機会を与えなければならない」と規定し、他方、三一一条二項は「被告人が任意に供述をする場合には、裁判長は、何時でも必要とする事項につき被告人の供述を求めることができる」と規定する。裁判長はこの三一一条二項によつて、冒頭手続において事件に関するどのような事柄についても被告人に供述を求めることができるのだろうか。それとも、事件の実体に関する供述を求めることは、証拠調の段階に先立って実体審理を進めることとなるので予断排除の観点から禁止さるべきものであろうか。また、刑訴三〇一条によれば、自白調書のたぐいは犯罪事実に関する他の証拠が取り調べられた後でなければその取調を請求することができないことになっているが、冒頭手続の段階で被告人の自白を求めることは――それが任意にされるとしても――この規定の趣旨と矛盾することにならないのか。こういった問題が提起される。なお、三一一条三項は、陪席裁判官、検察官、弁護人、共同被告人も同様に被告人の供述を求めることができるものとしているが、これについても右と同様の問題が起るのである。事柄は同じであるが、便宜上、裁判長の場合と検察官等の場合とに分けて判例を眺めてみよう。

## 二 裁判長の質問

(一) 初期の高裁判例には、少数であるが、何らの制限なく被告人の供述を求めてよいとするものがある。

【60】「刑事訴訟法第三百十一条第二項に依れば『被告人が任意に供述する場合には裁判長は何時でも必要とする事項につき被告人の供述を求めることができる』のであるから、原審裁判官が証拠調に入る前に被告人を詳細に尋問したのは違法であると謂う論旨は理由がない」(名古屋高判昭二四・一二・二七特三・一三二)。

【61】「被告人の供述を求めることは、証拠調ではないと解すべきであるから検察官の冒頭陳述、証拠調の範囲、順序及び方法の決定とは関係なく、また、被告人の供述が自白であつても、それは、同法三〇一条の制限を受けないので、犯罪事実に関する他の証拠が取り調べられた後である必要はない。それで、被告人の供述を求めるのは、同法第二九一条の手続後であれば、公判手続の如何なる段階であつても差支ないので

ある。……原審は同法第二九一条所定の手続を履践した後、被告人の供述を求めていることは明らかであるから、前説示したところにより、原審の訴訟手続には何等の違法も存在しない」（福岡高宮崎支判昭二五・五・一七特九・一二五）。

これらの事案ではどの程度の供述が求められたかは明らかでないが、問題の所在が全然意識されていないといえる。これを裏からいえば、旧刑訴流の職権主義的な頭で事を考えている見本ということになろうか。なお、注意すべきは、【61】が、被告人の供述を求めることは証拠調ではないことを理由としている点である。たしかに、現行法は被告人尋問という制度を認めていない。しかし、被告人の供述が証拠になるという意味では、被告人も証拠方法の一種と見られるのであり（高田七八頁）、その供述を求めることは、やはり証拠調と解するのが正しいと思われる。のみならず、証拠調ではないから、公判手続の冒頭において被告人に事件について無制限に供述を求めてよいとすれば、被告人尋問を事実上復活させることになろう。

多数の判例も、明言すると否とに拘らず、被告人尋問の制度を復活するような結果を来たすことを警戒しているのであり、この観点から、裁判長の質問を何らかの規準で規制しようとしている。

（二）　まず、争点を明らかにするという意味で被告人の供述を求めることは許される、とする判例がある。

【62】　「被告人及び弁護人に対し被告事件について陳述する機会を与える……場合に於て被告人又は弁護人の公訴事実に対する総括的陳述の後裁判長が刑事訴訟法第三百十一条第二項に基き被告人の供述を求めることは進んで事実審理を為す上に於て争点を明かにする為めに当然為し得るところであつて被告人の供述を求めることは証拠調ではないから此のことはもとより刑事訴訟法第二百九十二条に違反するものでもない」

（名古屋高判昭二四・一一・一九特三・五八）。

【63】「法第二九一条の手続が終つた直後、裁判官が被告人の供述を求め争点となる部分を明らかにすることは、毫も、新刑事訴訟法が当事者主義を前進させる趣旨において、旧刑訴法第二二八条を削除し、被告人訊問の制度を全面的に廃止したことと、矛盾するものではなく、寧ろ新法による訴訟手続の進行上、望ましいこととされているのである。それは原審裁判官の執つた、訴訟手続は極めて、適切妥当であつてこれを以て判決に影響を及ぼすべき違法の訴訟手続があるとする控訴趣意第二点は全く、その理由がない」（福岡高判昭二四・一一・二八特一・三〇四）。

【64】「裁判長から被告人に対し……被告事件について陳述する機会を与える……際被告人に対する質問については被告人訊問の制度を廃した新刑事訴訟法の趣旨に反しないような運用をすべきであることは勿論であるが、公訴事実に対する認否を質して争点の整理をするようなことは当然許されるのであつて、しかもその際の被告人の被告事件についての陳述が証拠能力を有することは当然であるといわねばならぬ」（広島高岡山支判昭二五・六・二二特一一・一二五）。

事件の争点を明らかにする――公訴事実のうち被告人が争う部分とそうでない部分とをはっきりさせる――限りで供述を求めうるという考え方は、原則的に支持してよいと思われるが、そのためならば犯罪事実の詳細な点についてまで質問し供述を求めることも許されるのかどうか。この点は判旨だけではっきりしない。

この問題に関する最初の最高裁判例として次のものがある。

【65】（上告趣意）「第一審公判調書を閲するに検事は起訴状に基き訴因を述べたる後被告人及弁護人に対し事実に付陳述することありや否や法定の手続を履践したること明かなるも、其の後引続き判事は被告人

に対し本件窃盗の事実の訊問を為してある。而して其の後に証拠調を為したる旨の記載ありて恰も被告人訊問を為したる後証拠調を為したる如く旧刑事訴訟法の手続を為したのである。然れども新法は旧法とは全然趣を異にし被告人訊問なるものを規定せず被告人も場合に依り事件に付証人扱を為したるが如し、故に斯る訊問を為すことは事件に付予断を抱き偏頗の裁判に流るるを防ぐ精神なるに拘らず、第一審公判に於ては旧穀を脱せず訴訟手続を誤りたるもので憲法第三十一条に所謂『何人も法律の定める手続によらなければ……刑罰を科せられない』との精神に反する」。

（判旨）「論旨のように裁判所が被告人に質問をなした後に証拠調をしていることは記録上明らかであるが、証拠調前にかかる質問をすることは被告人を訴訟当事者としてではなく、証拠方法として取扱つたという公式論者のそしりを免れないだけで、裁判所がその裁量に基き必要であると思料して質問し、被告人がこれに対し任意に供述をした以上必ずしも違法であるということはできない」（最決昭二五・一一・三〇刑集四・一一・二四三八）。

この判例も、具体的にどの程度の供述を求めたのか判明しないが、後出の大法廷判決【82】と照らしあわせて見ると、どんな事項でも差支えないとの趣旨ではなく、やはり争点整理上の必要という限度を考えているものと思われる。尤も、「公式論者のそしり云々」というのは無用のことであるのみならず、いかにも挑戦的で最高裁判所としてこういういい方は慎しむべきであろう。

（三）　犯罪事実等の詳細について供述を求めた場合はどうか。この場合でも、争点整理の目的と見られる限り毫も差支えないとする次の判例がある。

【66】　「原審裁判所は……被告事件について陳述する機会を与え、これに次いで比較的詳細に被告人を尋問していること弁護人の言う通りである。しかし更に詳しくその尋問の内容に立入し原審裁判所が何故にかような尋問をするに到つたかについて調査するに、被告人はまず……公訴事実の一部を否認しその一部を自

認する陳述をしたので原審裁判所は本件公訴事実中否認する部分と自認する部分を明確にするため被告人が何故その一部を否認しその一部を自認するかを尋問しているのである。……もとより被告人の訴訟当事者たるの地位にかんがみ証拠調に先だち予断をもつて被告人の自白を求めるごとき疑ある程度の尋問は厳に戒心しなければならない。……公訴事実について争ある場合にはむしろ証拠調に先だち適宜裁判長において被告人の供述を求め争点を整理することはその後の公判手続を都合よく進行せしめ訴訟当事者をして立証又は反証を容易ならしめもつて適正迅速な裁判を得るゆえんなのである。本件についても被告人は公訴事実を一部否認したので原審裁判所は争点を整理するため所論の尋問をなしたことが明らかであり、且つ原判決は被告人の否認した部分について有罪の判決をしていないのであるから原審裁判所が予断をもつて尋問したという非難も当らない」（大阪高判昭二六・二・二六特二三・三七）。

しかし、大多数の判例は、多かれ少かれ消極的な判断を加えている。ただ、手続として妥当を欠くが違法とはいえないとするものと、違法とするものとがある。学説としても、「被告人の経歴、犯罪事実の存否、犯行の動機などについて質問するのは違法」（平野一七九頁。高田四四六頁、団藤・警研二三巻六号五七頁）とするものと、「妥当ではないが、必ずしも違法でない」（小野等五七八頁。江里口・実務VI一二四六頁も同旨）とするものとがある。

(1)　妥当ではないが、違法とする程ではないとする判例

【67】　「惟うに新刑事訴訟法が起訴状一本主義を採用してゐること（同法第二五六条末項）公判審理の順序として起訴状朗読に始まり黙秘権及供述拒否権の告知、冒頭陳述を経て証拠調をするという順序を定めて居ること（同法第二九一条第二九二条）全体として英米法的当事者主義を基調として居ること等より観れば裁判官は細心且周到な注意を以て法廷に臨み些さかでも偏見乃至予断を懐いてゐるのではないかと疑はれるような態度は絶対に慎しむべきことであるから、裁判官が証拠調手続前被告人の冒頭陳述の段階において犯

罪事実の内容に立ち入つて被告人に詳細な質問をすることは新刑事訴訟法の精神に合しないものと言わねばならない。然し乍ら証拠調前に犯罪内容に立入つて尋問することを絶対禁止した法条なく、却つて被告人が任意に供述する場合には裁判官は審理の経過中時期の如何を問わず又発問の内容の如何を問わずその必要と思料する事項について尋問することを許されて居り、（同法第三一一条第二項）一面被告人には黙秘権や供述拒否権が認められて居つて自己に不利益なことは供述を拒むことが出来るのであるから右段階において多少立入つた供述を聴いても被告人の保護には別に欠くるところはないのである。以上の諸点を綜合して考えると本件における様に裁判官が冒頭陳述の段階において被告人等に対し経歴、家族関係、収入、犯行の動機、状況等について問を発し、被告人の詳細な任意供述の行はれてゐることは新刑事訴訟法の精神に照し妥当でなく、斯ることは之を避けることが望ましいのであるが未だ之を以て違法の手続と迄は言い得ないものであると考える」（広島高判昭二四・六・二五刑集二・三・三三七）。

「多少立入つた供述を聴いても……」と言つているところから見ると、程度問題と見ているように思われるのであるが、しかし、「被告人の詳細な任意供述」が行われても違法でないとしているところからすれば、そうでもないようである。結論はともかく、理由不明確というべきであろう。

これに反し、次の諸判例は、その当否は別として、一応の理由を掲げている。

【68】「刑事訴訟法第二九六条第三〇一条等の規定の趣旨からみれば裁判官が証拠調に当り予め被告人の従来の供述の内容を知るとか、他の証拠の内容を知るとかいうことのないいわゆる白紙の状態で審理に臨むべきであることは、刑事訴訟法の一応の原則と解せられるのであつて、裁判所が証拠調に先達ち被告人に対し犯罪事実の内容、動機等の詳細の質問をなすことは、右の原則に合致していないものと解せられる。しかしながら右の原則はどこまでも貫ぬかれているとはいいえないのであつて、或る場合には勾留裁判官がその被

告人の公判審理をなすことも認められており、また裁判官の更迭による公判手続の更新の行われる場合とか差戻後の審理の際には右の原則が適用ないことが明らかであり、これ等の場合と比較対照してみれば、前記の証拠調前の被告人に対する質問は望ましいものとはいい得ないとするも、訴訟手続に反する違法なものであるとまでは解し難い」（仙台高判昭二六・三・一三特二二・一四）。

【69】「凡そ賍物犯を断ずるに当つて賍物犯人と窃盗本犯との相互関係や前科の有無等の事柄は事案に重要な関係をもつものであり、従つてかゝる事項について立証段階前に被告人を尋問することは被告事件に対し予断を抱かしめる虞があり、適当の措置と謂得ない。然し本件においては同条（註、刑訴二九一条）二項の手続を為したところ被告人及び弁護人等は公訴事実間違ありませんと陳述し公訴事実を全面的に認めているのである。既に被告人及び弁護人が公訴事実を認めた以上は、仮令検察官の証拠調請求に先きだち前記事項について被告人尋問が行はれたとしても、それが本件事案に対する予断を抱かしめる虞ありとは思はれない。従つてこの点に関する原審の措置は必ずしも妥当とはいえないが、判決に影響を及ぼすべき程度のものではない」（東京高判昭二六・一二・一二特二五・九一）。

【70】「原審は刑事訴訟法第二百九十一条の冒頭手続終了後可成り長きに亘つて公訴事実の内容につき具体的な事項について質問をなし被告人がこれに答えていること洵に所論の指摘するとおりである。そして、一般に裁判長は何時にても被告人が任意に供述をすれば、必要とする事項についてその供述を求め、又その陳述について釈明を求めることができるのであるが、冒頭手続の場合においてはその範囲は、自ら冒頭手続の本質にかんがみ、被告人に対し審理の冒頭において陳述の機会を十分に与えることによつて一般的な防禦をなさしめ、且つ公訴事実に対する認否を質して被告人の陳述が不明確であるようなときには、その点を明らかにしもつて当該事件の争点を明らかにする趣旨においてでなければならないこと勿論であつて、かりそめにも、裁判所に予断偏見を懐かせる虞のある程度に亘ることは不適法であるといわなければならない。……本件においては起訴にかかる各犯罪事実がいずれも複雑錯綜しており原審相被告人Mと被告人の各供述が

冒頭手続において既に対立しその利害相反するものがあり、又その陳述においても相互に対立不明確なものが随所に散見していた関係上原審裁判長はこの被告人両名の陳述を明確にしその争点を整理する意味において所論の指摘するとおりの質問をしたものと認められる。……このような方法による質問は、ややともすると裁判所が予断偏見をもつものと誤解され、延いては裁判の公正を疑われる原因ともなるものであり刑事訴訟法の精神に照し妥当な方法とはいい得ない場合があるのであるから、努めてこれを避けるのが相当であるけれども、本件においては前に述べたような事情が存し又これによつて裁判所が予断偏見を持ち特に判決において被告人の不利益に影響を及ぼした事蹟を窺うことができないから直ちにこの訴訟手続が違法であるということはできない……」（東京高判昭三一・八・二〇東京時報七・八刑三四四）。

【68】は、証拠調の段階に入る前に証拠に接することを禁じるのは一応の原則にとどまり、例外を認めないものではない、ということを理由としている。しかし、例外があるから原則に違反しても違法でないという論理は成立しない。【69】は被告人が公訴事実を認めたことを理由とするが、逆にそういう場合は争点整理の必要はないわけでなる。それにも拘らず公訴事実について問いただすことは、まさに一種の証拠調をしたことになる。これを違法でないというのは、公訴事実を認める旨の陳述を自白と考えることに根本的な原因があるのではあるまいか。【70】は、相被告人間の陳述にくいちがいがあるのを整理するためというので、一応是認できそうである。しかし、それも程度問題であろう。

次の判例は、この問題に対する考え方を詳細に展開しており、私としてもほぼ同感である。ただ、妥当を欠くにすぎないというのか、違法であるが判決に影響がないというのか、はっきりしないところがある。

【71】「法第三百一条が被告人の自白調書は犯罪事実に関する他の証拠が取り調べられた後でなければ其の取調の請求を許されない旨を規定し被告人の自白調書を証拠調の発端に登場させることにより裁判官に対し事件に関する予断を生ぜしめる危険の防止を顧慮する法の精神に鑑みれば名を被告事件の陳述に藉り証拠調の手続に先行して犯罪事実の詳細な内容に亘り剰すところなく質問を展開して被告人の供述を求め特にその自白を追求するような訊問方法はたとい同尋問に対する被告人の供述が任意に為されたものとしても裁判官において証拠調の手続を無視又は之を軽視して其の事前に被告人の供述のみによつて事件に対する或る種の牢固たる予断を形成せしめるおそれなしとしないのであり、かかる審問方式は一般に違法であり少なくとも適切妥当を欠くものと云わざるを得ない。……原審裁判官は……被告人に対し被告事件について陳述することの有無を尋ね被告人がその通りであり何も争うことがないと述べた後事件の具体的内容に関する詳細な質問を展開して被告人の供述を求め事件に対する完全詳密な自白の体系を築きあげた上証拠調に進行したことが認められるので原審審理の方法は前後（述？）の理由により妥当を欠くことは明である。しかしながら本件において原審が右審問方法を採つたことの為め裁判官に特に被告人に不利益な予断が発生し判決の結果に影響を及ぼした事蹟の認めうるものがないのであるから原判決には判決に影響ある訴訟手続の違法と目すべき欠陥がないことに帰着〔する〕」（名古屋高金沢支判昭二五・三・二〇特八・四六）。

(2) 争点整理上必要と見られる事項以外は違法とする判例　違法とした場合には、それが判決に影響を及ぼすか否かが問題となる。

（イ） 犯罪事実そのものに関する質問ではないから、違法ではあるが判決に影響を及ぼさないとするものとして、

【72】「所論被告人の前科に関する原審裁判官の質問は、本件起訴状記載の公訴事実が常習累犯窃盗の所

為であることに鑑み、公訴事実の認否に関する釈明権の行使として、一応適法の措置であると認め得ないことはないけれども、原審裁判官の、所論其の余の事項に関する質問、すなわち、被告人に対し、旅行をした理由、家族、収入、財産、学歴等について行つた質問は、明らかに刑事訴訟法第三百一条其の他の規定に違背する不当違法の措置であることを肯定せざるを得ない。然しながら……叙上の違法と認められる質問の対象となつている事項は、事の性質より直ちに判断し得る如くいずれも原審認定の事実と直接関連のない事項に限られて居り、……其の他記録によつて認め得る諸般の状況より判断すれば、原審裁判官の前記の尋問は、これによつて原審裁判官をして、本被告事件につき、予断を生ぜしめる虞のないものであつたことを肯認するに足るのみならず、また原審認定の事実は、原審公判廷に於ける被告人の供述全部を、証拠中より除外しても、原判決挙示の其の余の証拠によつて、なお優にこれを認定し得ることが明かであるから、前記訴訟手続に関する法令の違背は本件に於ては、判決に影響を及ぼしたものでないと認めることが出来る」（名古屋高金沢支判昭二五・一〇・一八特一五・一二〇）。

【73】「検察官の起訴状朗読後被告人の所謂冒頭陳述に際し又は証拠調に入る前に於て為す裁判官の質問は公訴事実に対する認否を質し争点を明かならしむる限度に止むべきことは所論の通りであつて、原審公判調書に依れば原審は証拠調に入る前に右の限度を越えて被告人の前科、経歴、家庭の状況等について問を発し被告人の供述を求めていることが明かであるから、原審の斯る措置は新刑事訴訟法の精神に反する違法の手続であると謂わなければならない。然し本件に於ては記録全体を通じ原審が右により予断を抱いたものとも認め難くまた特に不公正な審理や判断をしたとも思われないから、此の違法は判決に影響を及ぼさないものと解するのを相当とする」（仙台高判昭二五・一一・一四特一四・一九〇）。

【74】「刑事訴訟法においては、起訴の始めから、裁判所をして被告事件につき予断又は偏見を抱かしめないように仕組まれていること、及び原審第一回公判調書の記載によれば、原審裁判官が、証拠調に入るに先だち、被告人に対し、前科、学歴、収入、生活程度、扶養家族等を尋ねた後『被告人が本件行為をした覚

えはないと犯行を否認しているにも拘らず、起訴されたについては何か被告に疑われる点があつたのではないか』との問を発していることは、いずれも、所論指摘のとおりであつて、右各発問事項特に前科の点、及び疑われる点等については、この段階において尋ねることが適切妥当でないことは勿論であるが、しかしこの程度の問を発したからといつて必ずしも被告事件について、偏見又は予断を抱くものとは断じ難く、従つて原審裁判官の右措置を目し、原判決破棄の理由とすべき判決に影響を及ぼすことの明らかな訴訟手続の法令違反であるとは認められない……」(東京高判昭二六・一・三一特二一・一六)。

【75】「刑訴第二九一条所定の手続を経た後直ちに被告人を尋問するのは刑訴第二九二条の趣旨に違反するものであるが、この尋問が単に被告人の前歴等に対して為されているに過ぎず、犯罪の動機、実行行為実行後の行動等については、いさゝかもなされていない以上判決に毫も影響なきものとするを相当とす」(東京高判昭二六・八・一〇東京高時報一・四刑七)。

犯罪事実に関する事項とそれ以外の事項とで差異を認めることは、是認してよいと思う。その意味で、以上の判旨に賛成すべきか。

(ロ)　犯罪事実についての質問でも、具体的に判決に影響がないとするものとして、

【76】「原審裁判長は被告人が被告事件について陳述したのに引続いて被告人に対し起訴事実に関する動機及事実、行為の詳細並その後の状況等について詳細に順次問を発し、もつて被告人に詳細な事実を陳述させていることは所論の通りであつてそれは刑訴法第二九一条二項に云う被告事件についての陳述に関連する争点の整理と云う程度を超えておるものと云わなければならない。しかして証拠調前の段階において被告人に斯様な陳述を求めることは刑訴法第三一一条二項の規定があるとは云え新刑訴が被告人訊問の制度を廃し第二九一条、第二九二条に公判審理の順序を規定し、かつ証拠調の段階においても、検察官のする冒頭陳述には、裁判所に事件について偏見又は予断を生ぜしめる虞ある事項の陳述を禁じ又証拠調請求にも自白に関

するものは、他の証拠が取調べられた後でなければならない等（第二九六条但書第三〇一条）の規定を設け只管偏見や予断を生ぜさせないよう深甚な配慮をしていることの趣旨に鑑み違法と云わねばならない（高等裁判所判例集二巻二一九頁参照）。しかして記録を調査するに、右陳述がその後の審理における訴訟関係人の証拠調請求に対する取捨及証拠調における尋問並その他事実調べの経過又適法に調べられた証拠の取捨判断及びそれによる事実の認定……等に影響を及ぼしておる形跡は認められないばかりでなく叙上審理の経過判断等と仮りに右陳述が最後になされたものとして審査をしてみても審理の経過や証拠の判断及認定が異なる経過を辿り異なる判断に達するものとは思われない等のことから本件においては右訴訟手続における法令の違反が判決に影響を及ぼすことが明らかであることは認められない……」（高松高判昭二五・一二・九特一四・二三一）。

（八）違法でかつ判決に影響ありとする高裁判例は、かなり多い。

まず、最も初期のものとして、

【77】「右機会を与えるのは（註、刑訴二九一条二項により被告事件について陳述する機会を与えること）主として被告人の利益のためであつて、例えば被告人をして忌避の申立、管轄違に関する申立、正当防衛のような違法性阻却事由の主張などをなさしめるためである。尤もこの機会に裁判長が被告人に対し公訴事実に対する認否を質して争点の整理をすることや、また被告人をして自発的に被告事件について争点を明らかにし或は弁明させても法律の精神に反することはない。しかし被告人尋問の制度を廃止した新法の下では当事者の立証に入る前に裁判長が前述の限度をこえ被告人の前歴犯罪の動機犯罪の実行後の行動等について自ら問を設けて被告人に質問し、被告人の陳述を求めるが如きは新法の精神に反する。殊に裁判所において右のような質問をすると被告人は詳細に自白することもあるが、自白を促す因となるような質問をすることは刑事訴訟法第三〇一条が自白はとかく裁判所に予断偏見を懐かせる虞れがあることを考慮して自白に関する証拠は他の証拠を取り調べた後にはじめてその取調を請求することができるとする趣旨に反する。同法第三

一一条第二項は裁判長は何時でも必要とする事項について被告人の供述を求めることができると規定しているが、これは証拠調終了後又はその途中において必要に応じ随時これをすることができるという趣旨で被告人のいわゆる冒頭陳述の際、裁判長は被告人に対し何でも質問ができるという趣旨ではない。この事は同条が証拠調に関する規定の最後に規定してあることや第二九二条の規定から窺われる。記録を検討すると原審裁判長は窃盗の公訴事実につき検察官の起訴状朗読後その立証に入るに先だち、被告人の家族関係、前歴、犯行の動機、犯罪の実行、犯罪後の被告人の行動等について自ら問を設け被告人の陳述を求めていることは所論の通りで単に争点の整理や被告人の自発的陳述を為さしめたのに止まらないで旧法における被告人の訊問と殆んど大差ない審理方法であることが窺われるのである。これは前述のように刑事訴訟法が被告人訊問の制度を廃止し第二九一条第二項第二九二条第三〇一条の規定を設けた精神に反する審理方法で違法である。而して右違法は判決に影響があるものと解するのが相当であるから原判決は破棄を免かれない」（東京高判昭二四・一〇・二九刑集二・二・二一八）（栗本一夫・判タ四・三三）。

栗本氏は、本件が運用として行き過ぎであることを認めつつも、仮に違法であるとしても、職業裁判官によるわが国において、判決に影響を及ぼすこと明らかであるとはいいえないとして、判旨に反対する。この〝職業裁判官理論〟は、この問題に限らず、しばしばもち出される理論である。そして、一見合理性をもつかの如く受けとられ易いが、一向に実証されない理論であることも疑いない。果して充分合理性があるか否か、反省して見る必要があるのではあるまいか。

以下、判決に影響ありとするものを、若干列挙する。その理由とするところは、いずれもほぼ同じである。

【78】「同法（註、刑訴法）第二百九十一条の告知があつた後証拠調に入るに先立ち被告人が自ら進んで

任意に被告事件の内容につき陳述するのは、右規定の趣旨に反するものではないが被告人が任意に陳述しようとしないのに裁判官が公訴事実の内容につき逐一具体的に詳細に亘つて訊問して被告人の供述を求むることは、新法下に於ては許されないところである。翻つて原審公判調書を査閲すると検事の起訴状の朗読が行われ裁判長はこの事項を告知し被告人及弁護人に被告事件につき陳述の機会を与えたところ被告人に於て全然覚えがない旨公訴事実を争うたに拘らず、裁判長は、引続いて被告人に対し犯行直前の行動、被害者と邂逅するに至つた経緯、被害者を自転車に乗せて犯行現場に赴いたことと現場に於ける加害の模様、傷害の程度、被害品目等の点に至るまで詳細な訊問を為し、又検事は、裁判長の右訊問に引続き被告人に対し、犯行前後の行動につき重ねて訊問し警察の取調の際の供述と公判廷に於ける右陳述との差異につき質し更に転じて警察に於てなされた被告人供述の任意性に迄、追及している。かくの如くして起訴状に示された公訴事実の全般に亘り、殆んど余すところなき迄に仔細に被告人をして、供述せしめたのである。かかる訊問は公訴事実につき認否を確むる争点整理の範囲を逸脱しておることは勿論、旧法下に行われた被告人訊問と毫も異るところはなく前記新法の規定の精神に背馳する違法な取調と言わざるを得ない。而して公判廷に於けるこの違法訊問に基いた被告人の供述が原判決の証拠となつておることは、その掲げた証拠の標目に照らして疑ないのである。従つて右公判手続の違法は、明かに原判決に影響を及ぼすもの……」（東京高判昭二四・一二・二六特一〇・四）。

【79】（事実）　贓物牙保事件において、第一審裁判官は、証拠調に入る前に、被告人が売買の周旋をした物品が贓物であることを知らなかつた旨の陳述をしたのに続いて「警察や検察庁では本件についてどう述べたか」との質問を発し、以下、

答「警察では盗み出した品であると思うと述べました。検察庁では左様なことを知つて世話をしたことになりました。」

問「それはどうしてか。」

答「裁判所で云えばよいと思つたからであります。」

問「結局それでは警察や検察庁では任意に述べた訳かね。」
答「左様であります。」
問「警察や検察庁ではどういうことで盗んだ品物であることを知つたと述べたのか、その時の事情は。」
答「事情は述べて居りません。」
という問答がなされた。

（判旨）「検察官の起訴状朗読の後……被告人が自ら進んで陳述するものである以上、それが公訴事実の総括的な認否であると、或は更に進んで犯罪事実に関する詳細な陳述であると、乃至は単なる情状に関する点であるとを問わず、之を許してはならないと云うことは云えないのであるけれども、現行刑事訴訟法が当事者主義を強調し、被告人訊問の制度を廃したこと、所謂起訴状一本主義を採用して裁判官は起訴事実につき予断を抱くことのないように手続が組立てられて居ること、右第二百九十一条の手続が終つた後証拠調を行うべきものとされて居ること（同法第二百九十二条）、被告人の自白の供述を内容とする証拠は犯罪事実に関する他の証拠が取り調べられた後でなければその取調を請求することが出来ないとされて居ること（同法第三百一条）などを考え合わせると、証拠調に入る前には被告人が進んで陳述する場合であつてもそれは、どこ迄も公訴事実に対する認否を質して、争点を整理する範囲において之を許すのが相当であつて、この限度を超え、被告人の陳述自体により犯罪事実の認定や犯情の軽重の判断が出来る程に詳しく質問をすることは現行刑事訴訟法の精神に反するものであつて妥当ではない。……被告人Tに対する原審裁判官の前記質問の中には……との問答がなされて居るのである。被告人が警察や検察庁で取り調べられるときに述べたとは通常供述調書に作成されて捜査官の手に在り、それは所謂伝聞証拠の一として、その証拠能力や、その証拠としての提出の時期について刑事訴訟法上制限があり、又勿論それが公判廷において適法な手続を経て適法な証拠としてその証拠調請求が採用される迄は、その内容について裁判官は知つてはならないものである。然るに証拠調前に前記のような質問がされるならばそれは証拠調に入る前に、未だ証拠調の請求があるかどうか、証拠調ができるかどうかさえも分らぬ前に、被告人の警察や検察庁における供述の調書につき証拠調をするのと全く変らぬことになる。事玆に至つては最早単に刑事訴訟法の運用に妥当を欠いたというに止まるものではなくそれは明らかに公判における各種手続の順序及び証拠の制限、証拠調の手続を定めた刑事訴訟法や刑事訴訟規則の規定に反した違法の手続であり、而も之によつて其の後になされる証拠調の採否に影響することがある点において実質的に重大な意味を持つのである。……従つて訴訟手続における前記法令の違反は本件判決に影響を及ぼすことが明らかな場合であると云わねばならない」(広島高判昭二五・三・三特八・一〇)。

【80】「被告事件について陳述する機会を……利用すると、否とは固より被告人及び弁護人の任意である。又此の機会に裁判長から被告人に対し、公訴事実に対する認否を質して争点を明らかにすることも亦許さるべきことである。併し乍ら、訴訟に於ける当事者主義を強調し、被告人訊問を廃止した新法の下では、当事者の立証に入る前に、裁判長が前述の限度を超え、被告人の前歴、犯罪の動機、態様犯罪後の行動等について自ら、問を設けて被告人に質問し、その陳述を求める如きは、新法の精神に反する。殊にかかる質問に対しては、被告人は詳細に事実を自白することがあり得るのであるが、その自白は又、直ちに被告人に不利益な証拠となるのであるから、刑事訴訟法第三百一条が、自白に関する証拠は、他の証拠が取調べられた後に、はじめて取調べらるべきことを規定し、以て裁判官に予断や、偏見を生ぜしめるおそれのないように措置した所以の趣旨に鑑み、かかる被告人の自白を導く如き質問は、未だ此の段階に於ては許されないものと解さなくてはならぬ。……原審裁判官は、検察官の起訴状朗読後、被告人両名に対し、夫々起訴状を読聞け『この事実はどうか』と質問し、被告人等は夫々事実はその通り相違なき旨述べ……たものである。が、玆に於て裁判官は、直ちに立証に入らず、一転して被告人Kに対し、相被告人合資会社M店との関係、会社に於ける地位等より本件犯行の動機、態様等詳細に亘つて質問し、その間屢々論旨指摘の如き発問を交えて同被告人の供述を求め、次で被告人合資会社M店代表者、代表社員Tに対し、同様詳細な質問を為して、その陳述を求め、第三回公判に至つて始めて証拠調に入つたことは、弁護人所論の通りであり、右被告人に対する質

問は明に、冒頭の争点整理に引続いて為されたものであつて、固よりその限度を越え、その詳細の自白によつて裁判官が動かし難い心証を形成したであろうことは推察に難くない。斯の如きは、……前示第二百九十一条、第二百九十二条、第三百一条等の規定を設けた新法の精神に反するものといわねばならない。即ち、原審の訴訟の手続は、此の点の違法があり此の違法は、判決に影響があるものと解するを相当とするから、原判決は破棄を免かれない」（東京高判昭二五・四・八特一六・五三）。

【81】「原審第一回公判調書によると原審裁判官は検察官の起訴状朗読並に……各所定事項の告知後或は自ら被告人と被害者との面談の模様、詐欺の手段とした手形の内容同手形の処分等犯罪の具体的方法について質問し或は検察官が同様の事項について質問するのを放置し被告人の陳述を求めその状況も旧刑事訴訟法の被告人訊問に類する手続の一部を経た後初めて証拠調の段階に入つている事項（実？）を認めることができる。惟うに現行刑事訴訟法は被告人の検察官と対等な訴訟当事者としての地位を強化し被告人訊問の段階を認めず裁判官が証拠調べの段階に入る前に偏見又は予断を懐くことは避けるため起訴状一本主義を採り第二百九十一条の手続が終つた後は直ちに証拠調に入ることにしている。黙秘権等の告知も主として被告人保護のためにされる手続でありこの機会に裁判官が被告人に対し公訴事実に対する認否を質し争点の整理をすることや又被告人をして自発的に被告事件の争点を明かにし或は弁明させることは差支ないがこの程度を超えて犯罪の具体的手段方法実行後の行動等につき自ら問を設けて被告人に質問し或は被告人と対等な当事者たる検察官が同様被告人訊問に類する質問をし被告人をして供述せしめるが如きは到底許されない所である（第三百十一条は被告人が任意に供述する場合は裁判長は何時でも必要とする事項に付被告人の供述を求めることができ……る旨規定しているけれどもこれは証拠調の終了後か或は証拠調の途中に於て必要と認めた事項について被告人の陳述を求めることができる旨を規定しているのであつて冒頭陳述以前において或は冒頭陳述に際して被告人の供述を求め得る趣旨ではない）。そうすると前記認定の原審の訴訟手続は刑事訴訟法の前叙の建前に違反するもので、この違反は判決に影響を及ぼすことが明かである」（福岡高判昭二六・六・二〇特一九・一四）。

(3)　最高裁判所は、違法ではないとの見解を採っている。

【82】（上告趣意）「本件第一審……公判調書によれば裁判官は被告事件の審理を行う旨を宣告した後、刑事訴訟法第二百九十一条第一項、第二項の手続を行い直に（副検事の証拠調の請求以前）被告人の訊問に入り、身分関係を始め公訴事実の全部について詳細に訊問を行つたことが明白である。旧刑事訴訟法においては裁判官の被告人訊問の制度が存在していたので……あるが現行法……によれば……被告人訊問の制度を認められていないからかような訊問は許されない筈である。……第一審裁判官が前記の如く被告人訊問を行つたことは刑事訴訟法に違反するものといわなければならない」。

（判旨）「第一審における審理の経過を検討すると、その審理の順序、方法が刑事訴訟法の精神に添わぬきらいがないではないが、然しこのために本件審理が直ちに違法であるとは断定し得ないところであつてまたもとより刑訴四〇五条に定める事由にも当らない」（最判大法廷昭二五・一二・二〇刑集四・一三・二八七〇）（斎藤朔郎・刑雑三・二・一四六）。

しかし、この判決には、栗山・藤田両裁判官の少数意見がついている。少し長いが、これを引用しよう。

「本件第一審第一回公判調書を調査すると、裁判長は……被告事件について陳述することがあるかどうかを尋ねたところ、被告人等は『副検事の朗読した公訴事実のうち第一の事実は否認するも、第二の事実については事がないから別に述べることがないが是から調べられることについては何事も御答えしますと述べた』とある。被告人が否認している起訴状記載の第一事実というのは、起訴状によれば被告人等三名が共謀の上……出務表に架空の氏名を記入し且右架空人夫等の虚無の印章を押捺せる出務表を作成の上右人夫賃の支出官をして真正なる請求と誤信せしめ因て右賃金の額を支出せしめて之を騙取したという事実である。右調書によると、被告人の右陳述があつた後裁判長は直に被告人に前科の有無、次いでその学歴、収入、家族関係、職務の内容、相被告人S、Yとの関係を尋ねた上、裁判長と被告人との間に次の問答がかわされている。

問、貴方は昨年八月一五日頃迄の間右事業のため人夫を傭わないのに傭つた様に出務表を作成しそれに虚無の印章を押捺してその支払請求を為し管理部をごまかして合計金二十五万千八百四十円を支出させ受取つたことがあるかね。

答、はい御座居ます。

問、そのような事をするについて予めSとYに相談した上であつたか。

答、否、私一存の考であつたことでありまして決して相談等はしたこともありません（中略）。

問、貴方がS、Yに現金や品物を分けてやるとき二人になんと言つて与えてやつたのか。

答、二人共その様なものゝ出る道は知つて居るだろうと思つてたゞ人夫賃がたまつたので分け様と言つて与えました、云々。……


おもうに、本件被告人が起訴状記載の第一事実を否認しているのであるから、裁判長は刑訴二九一条の手続を履践した後、訴訟関係人をして証拠調の請求をさせた上、検察官をして右事実について立証せしめなければならないものである。それにもかかわらず、裁判長は検察官及び弁護人又は被告人の意見も聴くことなく、証拠調の順序、方法を変更し又争点を明らかにするため職権で証拠調をしたものでもなく、……被告人を尋問して被告人をして犯罪事実を自白せしめているのである。つまり旧刑訴法と同一審理をしたのである。かかる審理は刑事訴訟法において検察側の負うべき立証の責を被告人に転嫁せしめたものであつて、攻撃防禦の方法は当事者をして行はしめる刑訴法の原則を否定し結局検察側に偏重した手続となり公正な審理（Fair trial）ということはできないものである。……憲法三一条が保障しているところは公正な裁判の手続即ち審理によつて生命若しくは自由が保護されるということであつて、単に刑罰それ自体が適正であるべきことを保障しているものではない。公正な裁判の手続こそ人権を擁護すべき裁判の目標として憲法が保障しているものである。……されば本件の場合は結局被告人の防禦に実質的な不利益を生ずるものであつて、いわゆる被告人の実質的権利を害する手続（刑訴二九五条参照）というべきであるからたとえ刑訴四〇五条に当らないとしても、同法四一一条にいう判決に影響を及ぼすべき法令の違反があつて原判決を破棄しなければ著しく正義に反する場合に当る……。」

本件の評釈をされた斎藤(朔)判事は、判旨を全面的に支持される。その説かれるところは私として充分理解しかねる点があるのであるが（判事は「私といえども本件の第一審の審理手続が妥当であり、これを推奨すべきものであるなどと考えているものでは決してない」とされるが、どういう処が妥当でないのか全く判らない）、それはそれとして、刑訴三〇一条との関連につき次のように述べておられる点が注目される。「刑訴第三〇一条の場合、……弁護人の立会もあるのに拘らず、自白調書が他の証拠に先だつて取り調べられるときに、異議を述べないようなときは、最早やその手続を不公正な手続として攻撃できないとの解釈もできるかと考えるが、弁護人の立会のない場合であるならば、素人の被告人についても同様のことを要求するのは、いささか無理かとも思う。即ち自白調書を先に取り調べるという刑訴第三〇一条違反の手続の形成に、被告人は異議を述べなかつたという消極的な加工をしているといえばいえないこともないけれども、これと冒頭陳途(述?)の段階で被告人が任意に供述をして積極的に訴訟手続の形成に加工している場合とでは、比較のできない程の差異があると私は考える。禁反言(estoppel)の英米法の法理は勿論、刑事に関するものではないが、私がここで主張していることは、この禁反言の法理の精神に一脈通じるところがあるように思うのである。」

証拠調の段階以前に事件について被告人の詳細な供述をきくことと刑訴三〇一条との関係は、本項で最初に提出しておいた問題点の一つであつたが、この点については、「本条（註、三〇一条）は公判廷外の自白を公判廷で取り調べる場合の時期のことをいつているに過ぎないから、被告人が公判の冒頭で自白することは何ら本条のとがめるところではない」（要本一八三頁）というような説明が見出されるだけで、特に取り上げて論じられていない。他方、高等裁判所の判例において、詳細な質問も違法でないとするものは三〇一条を問題にしていないのに、違法とするものがこれを引き合いに出していることは、既に見た通りである。最高裁の【82】の判例は、多数意見でも少数意見でもこの点については全くふれられていない。その意味で、前記の斎藤判事の分析は大きな意味があると思われるのである。たしかに「被告人が任意に供述をして積極的に訴訟手続の形成に参加している」点で、自白調書の取調の場合とはちがうところがあるともいえよう。しかし、任意とはいえ、犯罪事実の詳細について供述する機会を与えたのは裁判長ではないか。だから、問題は更にさかのぼつて、そういう供述が行われるように仕向けた裁判長の態度が刑訴三〇一条の趣旨と矛盾しないかが問題とされなければならないのであつて、そういう裁判長の処置に乗ぜられ自白のような供述をしてしまつた被告人をつかまえて、「積極的に訴訟手続の形成に加工し」たときめつけるのは、あたかも結果だけを見てその原因を問題にしない片手落の議論のように思われる。この問題は、争点整理のために行われた質問に対する被告人の答弁を「自白」として証拠にとつても差支えないかという問題にもつながつてくる。

## 三　検察官・弁護人の質問

前述のように、裁判官がする質問と検察官等がする質問とで、基本的には問題は同じである。しかし、検察官等の場合は、争点整理のためという理由は、少なくとも一般論としては通用しない。従つて、裁判官の場合とくらべて、一層厳格に規制される必要があるように思われる。

【83】「本件公訴事実の要旨は、被告人と原審相被告人Sとは共謀の上、昭和二四年……乗合自動車切符販売所附近で、M所有の現金その他在中のボストンバック一個を窃取したものであるところ、記録によれば、原審公判手続の冒頭において、被告人等は被告事件についての陳述として、Sは事実その通り相違なく、別に述べることはないと述べ、被告人は私とSと共謀の上盗つたのではなく、Sの窃取行為に協力したもので、ある旨陳述し、次いで裁判官及び弁護人U（Sの弁護人）及びK（被告人の弁護人）がそれぞれ犯罪事実につき右被告人等の陳述を釈明する程度の質問をしたのであるがその中で、被告人は弁護人Kの質問に対し、自分はSに対しボストンバックを盗つてどこそこに置けと命じたことはないがSが盗るであろうことは予期したとの答をした。検察官が被告人に対して質問をしたのは以上のような問答があつた後で、その問は先づ『被告人はSの犯行に協力したというが、どの程度に協力したのか』というのと、『被告人はSが盗るであろうことを予期していたというがどうして予期できたのか』というのと、被告人はボストンバックから取つた九万六千円位のうちSにはいくらやつたか』というのと三つに止まる。ところで、以上の陳述からも明らかであるように、検察官の質問は、その直前になされた被告人の冒頭陳述及び弁護人の質問に対する答に関し、一通りの釈明的質問を試みたもので、事件についての争点を明らかにするに必要な限度を逸脱するものではなく、之に対する被告人の答えも精々調書に書いて一、三行から十二、三行程度のものに過ぎないのであつて、その間の検察官と被告人との問答を以て、所論の如く、『検察官が被告人に対し、相被告人Sとの犯行協力の程度について長時間に亙つて質問したもの』とは認められないし、裁判所をして事件につき予断を抱かしめる結果を招来したとか、被告人とSとの関係について裁判所に対し、証拠調に入る以前において、被告人が主犯者たるの印象を与えたものとは認められない。新刑事訴訟の下において、第一審公判手続の構造として、証拠調に入る前の段階において、裁判所に対し事件についての予断を抱かせるような訴訟行為は極力避けるべきであることはもとよりその所であるが、被告人がその黙秘権を行使することなく供述を肯んずる限りにおいては、被告人に対し、前記原審検察官が試みた程度の質問を試みることは、刑事訴訟法

及び刑事訴訟規則中の所論各法条の規定に牴触するものでな」い（仙台高判昭二五・九・二九特一二・一七一）。

右の検察官の質問は、明らかに被告人の犯罪事実に関する供述を求めているものといわざるを得ないし、検察官がいわゆる争点整理をする必要がある場合とも思われない。裁判長は、こういう質問は禁止すべきである。私は違法であると思う。

最高裁は、弁護人のする質問につき、さきの【82】の趣旨に従って、違法でないとする。

【84】（上告趣意）「本件に対する第一審訴訟手続に於ては本件公訴事実について検察官の起訴状朗読後その立証に入るに先立ち裁判官及び弁護人は被告人並に第一審相被告人Kの両名に対し極めて詳細なる訊問を行つている。……この訊問に於て被告人は犯行を否認しているに反し相被告人は極めて詳細に犯罪事実を自白していることは第一審公判調書によつて明白である。斯る場合に於ては犯罪事実に関する他の証拠が取調べられない前に相被告人の自白が強く裁判官の耳に入り犯罪事実を否認している被告人に付ては同人がことさらに事実に反して犯行を否認しているとの予断を懐かせる可能性を生ずる。斯る訴訟手続は刑事訴訟法第三百一条の趣旨に反するばかりでなく……第二百九十一条及び第二百九十二条の規定を設けた精神にも反する違法な措置である。……従つて本件に対する控訴裁判所たる名古屋高等裁判所は当然原判決を破棄すべきに拘らず控訴棄却の判決を為したことは東京高等裁判所昭和二十四年（を）新第三〇九二号事件の判例と相反する判断をしたものと云わざるを得ない。」

（判旨）「記録を精査すると、本件では、裁判官は検察官の立証前所論相被告人に対し何等詳細な訊問をしていない。ただ被告人自身の弁護人Hが検察官の立証に入るに先立ち相被告人Kに対し詳細な質問をし同人がこれに対し任意供述しているに過ぎない。そして、刑訴三一一条二、三項によれば、被告人が任意に供述をする場合には、裁判長は、何時でも……ことができ、弁護人、共同被告人又はその弁護人は、裁判長に告げて前項の供述を求めることができるのであるから、前記弁護人質問は違法ではない。されば、所論引用の高等裁判所の判例はいずれも本件に適切ではない。ことに刑訴二九一条による手続が終つた後ち証拠調に入る前に裁判官が被告人に対し公訴事実について質問しても必ずしも違法であるといえないことは当裁判所大法廷の判例とするところであるから（昭和二五年(あ)三五号同一二月二〇日大法廷判決）これを違法と解する高等裁判所の判例は自然変更されたものである」（最決昭二六・三・二九 刑集五・四・七二七）。

# 四 冒頭陳述と予断排除



## 一 序説

いわゆる冒頭手続が終ると、証拠調の段階に入る。そして、この段階での第一の手続として、検察官の冒頭陳述が行われる。即ち、刑訴二九六条は、「証拠調のはじめに、検察官は、証拠により証明すべき事実を明らかにしなければならない」と規定し、続いて「但し、証拠とすることができず、又は証拠としてその取調を請求する意思のない資料に基いて、裁判所に事件について偏見又は予断を生ぜしめる虞のある事項を述べることはできない」として、冒頭陳述においても予断排除に留意すべきことを明らかにしている。

## 二 冒頭陳述の意義・機能

冒頭陳述における予断排除を問題とするにあたつては、冒頭陳述の意義ないし機能をはつきり認識することがまず必要であろう（なお、広く冒頭陳述というときは、刑訴規則一九八条による被告人・弁護人のする陳述も含まれ、この場合にも予断排除が関係してくるのであるが、実際には余り行われないようであり、判例としてあらわれた事例もないので、これは一応省略することにする）。

冒頭陳述は、公訴提起について起訴状一本主義をとつたことと、公判における当事者主義を強化したことと関連させて、その意義が理解される。即ち、この陳述によつて、事件の大要および立証方針を明らかにすることにより、一方では起訴状一本主義の結果証拠関係について全く知るところのない裁判所をして爾後の訴訟指揮——特に証拠調に関する——を適切にすることを可能にし、他方ではこれまた検察官の手のうちを知らない被告人側をして、充分な防禦の方法を講ずるよう態勢を整えさせるという目的をもつものである。このことは、実務においても、少なくとも観念的には理解されているようである。例えば、東京高判昭二五・七・一四（特一六・一〇九）は、「刑事訴訟法第二百九十六条に……と規定したのは、之によつて相手方に、右証拠調の請求に対し意見を述べ防衛の方法を講ずる一助たらしめ、又裁判所に対し右請求の採否決定に資せしめんとの法意であると解せられる」としている。しかし、実際の運用はどうか。この点につき、横川判事は、「実務においては、未だその重要性が十分自覚されていない憾みがある。否、ほとんど無視され、空文化しつつある、といつても過言ではないであろう。例えば検察官の中には、『立証すべき事実は起訴状記載の公訴事実である』との同義反覆的なことを述べる者は多いが、それ以上詳細に、合理的に述べる者は少く、全然かような陳述をしない者も決して稀ではない。」（横川五〇頁）とその実状を述べている。横川判事の指摘するような事例は、判例にもあらわれているし（同語反覆的な例として、名古屋高判昭二五・二・二八特六・一〇七、証拠の取調請求をし立証趣旨を述べるを以て足るとするものとして、大阪高判昭二四・六・八特一・五一）、最高裁じたいが、わが刑訴法の下においては冒頭陳述を行う必要性に乏しい、と公言している（最判昭二五・五・一二刑集四・五・七八一）。このような考え方の下では、冒頭陳述における予断排除の問題も、果して正しく捉えられるか否か甚だ疑問といわなければならない。

## 三　禁止される陳述事項

さて、刑訴二九六条の文言からすると、冒頭陳述においては、裁判所に予断・偏見を生ぜしめる虞れのある事項を述べることとすべてが禁じられるのではなく、ただ、証拠とすることが不可能かまたは取調請求をする意思のない資料に基いてそういう事項を述べることだけが禁止されているようにも解せられる。しかし、そういう解釈は正当でないであろう。蓋し、予断排除ということは、公正な刑事手続を保障するための大原則として、その全体——特に公判手続——を通じて尊重されなければならぬものであり、単に証拠調以前の段階において遵守されればよいというものではない。このことは、次項で取りあげようとする刑訴三〇一条が、自白調書のたぐいを第一に取調請求することを禁じており、その趣旨とするところは、裁判官に不当な偏見・予断を与えることを防止するにある、とされていることからも知ることができる。まして、冒頭陳述は、証拠調の段階に属する手続とはいえ、個々の証拠の取調に先行するもので、検察官の立証方針を明らかにすることを目的とする。従って、個々の証拠の扱いに偏見・予断を与える如き陳述をすることは、当然防止されなければならない。ただ、立証方針を明らかにするということになれば、おのずから起訴状の場合とくらべて、予断排除の意味もやや異ってこざるを得ないであろう。そういう点が判例ではどのように考えられているか。この見地から判例を見ていくことにしよう。

（一）第一に、被告人の情状に関する事項——前科のあることも含めて——を述べること、を取りあげよう。学説としては、厳格な証明の対象たる事実であり、また証拠調につき罪責認定の段階と刑罰量定の段階とが区別されていないのだから当然に冒頭陳述に含まれるとする見解（平場四六五頁、岸二五六頁）、理論的には含まれないと解すべきだが、述べても差支えないとする見解（青柳五〇九頁、横井五六頁）、差控えるのが妥当であるとする見解（小野等五九二頁）、否認しているときは避けるべきだとする見解（長谷川成二・実務VI一二五八頁）、「証拠により証明すべき事実」の範囲は訴因として記載の許される事実の範囲と同じに解すべきであるから、犯罪事実と関係のない量刑のみに関する事項は述べるべきでないとする見解（高田四四七頁）がある。

判例は——その殆どが前科についてであるが——すべて積極説をとつている。

【85】「本件起訴状によればその公訴事実中には被告人の前科が含まれてないのが明らかなのに原審公判調書記載によれば検察官が証拠調のはじめに右前科を述べていることは所論の通り認められるし前科が犯罪の成否に何等関係がないことは勿論だが犯人の前科は犯罪の情状に至大の関係があるのでその量刑上考慮すべき事項として取調べねばならないこと亦疑いない。しかも原審公判調書記載によれば検察官の該冒頭陳述は被告人が卒直に公訴事実を認めた後情状に関する事実として述べたことが認められ、前科調書を証拠とすること及びその証拠調について被告人及びその弁護人が何等異議なく極めて適正円滑に訴訟の進行した経路が窺われ原審訴訟手続に所論の如き非難をうくべき瑕疵あるを認めない」（仙台高秋田支判昭二四・一〇・二四特一・三二六）。

即ち、前科の事実も立証されるべき事項であること、および被告人が冒頭手続において公訴事実を認めていること、が理由とされている。

【86】「原審第一回公判調書の記載によれば、所論のように検察官がその冒頭陳述において被告人に前科のある事実を明らかにしていることを認めることができる。而して証拠調べのはじめに明らかにしなければならない証拠により証明すべき事実は之を公訴事実である犯罪の構成要件乃至之に直接関係あるものだけに制限した規定もなくまたしかく解すべきでもなく、前科の事実のごときもそれが所論のように常習窃盗或いは常習賭博における場合のように犯罪の構成要件であり又は之と密接の関係にある場合又は刑法第五十六条以下のように刑事訴訟法第三百三十五条第二項所定の法定の加重の理由として判断せられる場合に之を冒頭陳述において明らかにしなければならず又明らかにすべきであることは疑う余地のないところであるが、前科の事実は所論のように、ただかかる場合にのみ冒頭陳述においてこれを明らかにすることが許されるに過ぎないものと解することは妥当ではなく、例えば刑事訴訟法第二百四十二条が犯人の性格、年齢及び境遇、犯罪の軽重及び情状並びに犯罪後の情況により訴追を必要としないときは、公訴を提起しないことができる旨規定し、公訴の提起についての右の諸事情が考慮せられるのと同様裁判にあたつても、犯人の前科は当然その情状として被告人の不利益にも又時にはその利益にも斟酌せられなければならない事実の一つであり、その情状を裁判に反映させるためにはその立証を必要としその立証のためには冒頭陳述においてその事実を明らかにすべきであるので、該前科の事実は冒頭陳述において之を明らかになしうべきものと解するのが相当である。尤も前科の事実と雖も、証拠とすることができず、又証拠としてその取調べを請求する意思のない資料に基いて之を述べることは、所論のように裁判所に事件について偏見又は予断を生ぜしめる虞のあることが多かるべく、その虞あるときは刑事訴訟法第二百九十六条但書の規定により冒頭陳述においてその事実を明らかにすることは禁止せられておるのであるが、本件の場合は記録上かような禁止の場合にあたつていないことが明らかであるから……訴訟手続の違反があるとする論旨は之を採用しない」(名古屋高判昭二五・六・二〇特一一・七〇)。

【87】「証拠調のはじめに明らかにしなければならない証拠により証明すべき事実は単に罪となるべき事実だけに限るわけではなく情状に関する事項も当然これに含まれるものと解すべきであるところ、被告人の

前科の如きはその情状として斟酌せらるべき重要な事実の一であることはもとよりであるからこれを裁判に反映させるためにはその立証を必要としその立証のために、冒頭陳述においてこれを明らかにすることは、なんら刑事訴訟法の精神にもとるところとは考えられない」（東京高判昭二七・五・二七特三四・三九）。

これらの判例は、およそ立証の対象となる事項は冒頭陳述において触れるべきで、この意味で前科も当然に陳述事項となるとして、積極的に肯定している。特に【86】が、累犯加重原由たる前科を一層強い意味で述べるべきだとしている点が注目される（このことは【12】において最高裁も認めている）。しかし公判における立証の対象となる事項は、すべて冒頭陳述において明らかにすべき「事実」に含まれるということは、予断排除ということを考えた場合に、何らの障害なしに引き出せる結論であろうか。そこで、現行法の構造からしてそう解せざるを得ないという理論、即ち、現行法は事実認定の段階と量刑の段階とを区別しておらず、従つて冒頭陳述においては、これら両方に属する立証事項のすべてについて明らかにすることが必要となつてくる、という理論が提唱される。前述のように、平場教授の見解にこの理論が見えているのであるが、この考え方による判例として、

【88】「情状に関する事実も犯罪事実と同じく証明の対象であることは明かなところ我が刑事訴訟法は犯罪事実に関する審理と情状に関する審理とを段階的に区分していないのであるから検察官としては証拠とすることができず又は証拠として取調を請求する意思のない資料に基いて裁判所に事件について偏見又は予断を生ぜしめる虞のある事項でない限りその立証しようとする事項を一括してその冒頭陳述において明かならしめることは当然の措置でありその事項が被告人に有利であると不利であるとに拘らない。従つて原審検察官がその冒頭陳述において前科調書に基き被告人に前科の存する事実を明かならしめたことは何等違法な処

置でな……い」（名古屋高判昭二五・一一・一五特一四・八八）。

【89】「原審検察官が冒頭陳述において罪責認定に関する事実の外に『情状として被告人には前科のある事実』と述べた事は原審第二回公判調書により明らかである。然しながら我が国の刑事訴訟制度の如く職業的裁判官のみによる裁判にあつては『……（略）』と述べたことにより予断を抱かしめるとは考えられないのみならず、現行刑事訴訟法上証拠調べにつき罪責認定と刑の量定の段階を区別していないのであるから、検察官において若し刑の量定に関し被告人の情状に関する事実を立証せんとするならばいわゆる冒頭陳述においてその証明すべき事実を明らかにする事は何等違法ではない」（名古屋高判昭二六・三・一三刑集四・二・一四三）。

たしかに現行刑訴法は、事実認定の段階（有罪・無罪をきめる段階）と刑の量定の段階とを区分していない。しかし、それは法律に規定がないというだけであつて、そういうかたちの手続を事実上形成していくことを法律が禁止しているわけではない。勿論、完全な意味で右の二つの段階に区分することは法律の改正を必要とするのであつて、現行法の下においては不可能である。しかし、公判手続においてできる限り予断を排除するという観点から、事実上ある程度まで両段階を区分して手続を進めることは、望ましいことでこそあれ、排斥すべき理由は全くないであろう。また、冒頭陳述の機能からいつて、犯罪事実についての立証方針が示されればよいのであつて、情状の点までこの段階で立ちいることはさほど重要性をもつものではない。また、冒頭陳述でふれなかつた事実については爾後一切の立証は許されぬというものでもない。かように考えると、冒頭陳述においては何よりも公訴事実そのものの立証を問題とすべきであつて、有罪の立証ができたことを前提とする情状の立証についてはさし当つて触れないとするのが、予断排除の原則にかなうものというべきではあるまいか。前述のように私が極めて厳格な立場をとつているのは、このような考慮によるものであることを、ここで明らかにしておく。

ところで、【85】では被告人が冒頭手続において公訴事実を認めていることを理由の一つにしていたのであるが、次の判例はそのことを強調している。

【90】「原審第一回公判調書によれば、同被告人は全面的に本件公訴事実を自認したことが認められ斯る事案において検察官が罪体を形成する事実及び状況に関する事実を詳述すれば既に犯罪の真相成否につき裁判官をして偏見又は予断を抱かせる余地がないので、斯る段階において検察官が情状に関する事項を述べ、その取調をも促すことは寧ろ訴訟の促進に資するばかりでなく之が為に訴訟上被告人を不利益に陥れるの虞ないと解するを相当とすること、かねて数次当裁判所判例の支持する所であり本件記録を通じ原審が為めに不公平な裁判をしたと疑うべき毫末の跡がない」(仙台高秋田支判昭二五・四・一二特九・一五三)。

ところが、逆に被告人が否認しているから必要なのだとする判例がある。

【91】「原審検察官が冒頭陳述において被告人は窃盗の常習者であり、犯行当時も金銭に窮していた事実を挙げていることは同公判調書によつて明らかである。しかしかかる事実は訴因である窃盗が前記のように被告人の否認しているところである本件において被告人の所為であることを立証するため必要な事項であり、しかも本件においては記録上原審検察官が証拠とすることができず又証拠として取調の請求をする意思のない資料に基いて右の事実を陳述したものとは認められない……」(東京高判昭三〇・八・一一東京高時報六・八刑二六四)。

【90】と【91】とは一見相反する判例のように見える。しかし、【90】では本来の情状としての前科を問題としているのに反し、【91】では、犯罪事実立証のための一種の間接事実としての前科を問題として

いるのであるから、実質的に見れば反対の判例ではない。ただ、後述のように、同種事実の証拠そのものが問題だとすれば（【132】【133】）、冒頭陳述において【91】のような意味での前科を述べることは、一層疑問といわざるを得ない。

（二）次に、捜査の経過を冒頭陳述におりこんで述べたことが問題とされた判例が若干ある。

【92】（事実）被告人Oは殺人教唆で起訴されたが、右の殺人については既にKの単独犯として有罪判決が確定していたものであって、検察官はこのいきさつを明らかにするため、冒頭陳述において〃三年前Kを単独犯として起訴した当時においても捜査当局では既に被告人OがKの背後にありと睨んでいたし世間にも伝えられこれを気にしたものかOはNタイムスに言訳を載せたのである〃との趣旨を述べた。弁護人は、右は裁判所に偏見又は予断を生ぜしめる虞のある陳述であり、刑訴二九六条但書に違反していると主張した。

（控訴審判決）「Aを暗殺せんとした犯行については既に昭和二二年九月一〇日Kの単独犯行として同人が起訴せられ昭和二三年二月一六日高松高等裁判所において懲役一〇年の判決言渡があり該判決は確定しているに拘らず検察当局は昭和二五年一〇月二七日に至り右犯行は被告人OがKを教唆して行はせたものであるとして本件を起訴したものであるから、検察官が冒頭陳述に際しさきにKを単独犯として起訴した当時検察当局が如何なる見解を有していたかを或程度説明することは必ずしもこれを非難することはできず、ただその際当時の世間の風評をも附言したことは稍妥当を欠くけれども検察官が本件において右の程度の陳述をしたことを以て刑事訴訟法第二九六条但書の規定に違反するものとなすことはできない」（高松高判昭二七・六・一四刑集五・八・一二〇九）

（上告審判決）「所論は、原判決並びにこれによって維持された第一審判決は憲法三七条一項の『公平な裁判所の裁判』でない旨主張するが、同条項にいわゆる公平な裁判所の裁判とは、組織、構成において偏頗のおそれのない裁判所の裁判を指すものであることは当裁判所屢次の判例とするところであるから、所論は結局単なる訴訟法違反の主張に過ぎないものというべく、刑訴四〇五条の上告理由に当るものとは認め難い。

そして、原一、二審判決は、本件公訴事実を挙示の証拠に基いて認定したものであること明白であるから、予断と偏見とに基いて下されたものということもできない」（最判昭二九・一二・二刑集八・一二・一九二三）（吉川正次・法新六三巻五号五三頁）。

刑訴四〇五条の上告理由にあたらないという結論はよしとしよう。刑訴法に違反するかどうかについては明確に判示していないが、吉川検事は「本件の場合も、それが捜査当局の単なる意見、世間の風聞に止る限り、証拠とすることができないものであるから、一応この但書（註、二九六条但書）にふれることになると思う」と評される。しかし、私はたとえ証拠によつて証明できる場合であつても、かような事実を冒頭陳述において述べるべきではないと考える。この種の事実は、情状に関する事実とちがつて、被告人の有罪を前提とするものではない。しかし、捜査の過程というものじたいが多分に捜査官の主観によつて左右される性質のものである。従つて、それを証拠によつて証明するといつても、証明される実体はやはり主観的であることを免れない。そういう事項を証拠の取調に先立つて述べることは、無用の予断を裁判官に与える危険性を包蔵するものというべきである。

次の判例についても、同じことがいえる。

【93】　「原審第一回公判調書……末尾に添付されている冒頭陳述要旨と題する書面……によれば、所論の指摘するとおり『西新井警察署では、昭和二十九年二月二十六日頃、覚せい剤取締法違反被疑者として……Kを取調中のところ、被告人方でヒロポンの大口販売をしている事実が判明し、このことから本件犯行が発覚されるに至つたこと』なる記載の存することが明らかである。ところで更に記録によれば、右公判廷において検察官は、相上司外四名作成の捜査報告書、相上司の供述調書を証拠として提出しようとしたところ、被告人及び弁護人の同意を得られなかつたため、原審は、これを採用せず却下する旨の決定をなし、そこで

検察官は改めて証人相上司の尋問を請求し、原審は、これを採用し第二回公判期日においてその証人尋問を施行していることを知ることができる。すなわちこの経緯によれば、検察官の右冒頭陳述は本件犯罪に関連する捜査の経過を相手方が同意すれば前掲書証により立証し、若しこれが同意を得られないときはその書面の作成者又は供述者を証人として尋問を求め立証しようとする意図の下になされたものであることが推察できるのである。而して、なるほど右相上司の……供述を記録につき検討してみれば、所論の指摘するとおりKなる者の氏名は明確になつて居らず、むしろ関係者の氏名を秘しているような供述になつているのであるが、右冒頭陳述のその余の部分に関しては略これに相応ずるような供述の存することはこれを窺い知るに難くないところであり、更にこれを当審で証人として取り調べた相上司の供述によれば、明白に右冒頭陳述に添う趣旨の事実関係が窺われ、Kなる覚せい剤中毒者も明確に存在し、……被告人が覚せい剤を当時売つていた事実を捜査官憲においては大体これをつかんでいた関係にあることが明らかである。然らば、これらによつて検察官のした本件冒頭陳述も決して根拠不十分な基礎の上に立つその瑕疵は治癒されたものというべきである」(東京高判昭三五・四・二七一刑集一三・四・二二)(青柳文雄・判例評論三一号一六頁)。

次の判例は、同種の非行歴があることと被害者の告訴のいきさつを述べたという事案である。

【94】（控訴趣意）「検察官は……冒頭陳述要旨に……基き、その第一項において、被告人に本件と同種の非行歴があるとして『強姦罪によって東北中等少年院に収容された』ものである旨、又その第五項において、『被害者は旅館から逃げ出し直ちに所轄警察署に届出た』旨陳述しているけれども、暴行脅迫によって婦女を姦淫したことを起訴事実とし、しかも被告人がその強姦なる点を否認している本件において、被告人に強姦の非行歴の存することを冒頭において明らかにすることは、正しく予断排除の原則に反し、又前記の『直ちに』との記載は証拠により証明しえない事実に基いた陳述であるから、刑事訴訟法第二九六条但書に違反するものであり、これらの違法は、検察官が弁護人の異議申立後裁判所の指示に従つて前記第一項の部

分を削除し、同第五項の部分は『一旦勤務先のS方に戻つた後直ちに』と訂正したことによつては治癒されない……。」

（判旨）「所論陳述中第一項の部分は、検察官が、被告人には家庭裁判所において強姦罪により中等少年院に送致の決定を受けた事実あることを本件の情状を立証する意図の下に陳述したものと解するのを相当とするところ、刑事訴訟法第二九六条の規定する検察官が証拠調のはじめに証拠により証明すべき事実を明らかにするいわゆる冒頭陳述の手続は、起訴状の場合とは異り既に証拠調の段階に入つているのであるから、一切の予断の排除を要求しているものではない。のみならず証拠により証明すべき事実は、単に罪となるべき事実だけに限るわけではなく、情状に関する事項も当然これに含まれるものと解すべきである。検察官が冒頭陳述において前記のような非行歴を情状立証のため明らかにしたからといつて……これを目して直ちに同法第二九六条但書に違反するものということはできない。又所論陳述中第五項の部分は、被害者が本件被害後直ちに警察署に届出たか、一旦勤務先に戻つた後直ちに警察署に届出たかに関するもので仮りに右の相違は本件被告人の行為が強姦であるか和姦であるかを決するに影響があるとしても、検察官が証拠により証明すべき事実を、……『被害後一旦勤務先に戻つた後直ちに』と訂正し、その訂正された事実が証明される以上裁判官の心証は、訂正された事実について形成される筈であるから、仮りに『被害後直ちに警察署に届出をした』事実は、検察官手持の証拠ではこれを証明することができないものであつたとしても、前示のように訂正がされた以上、裁判所に偏見又は予断を生ぜしめる虞はなくて、証拠とすることができない、又は証拠としてその取調を請求する意思のない資料に基いて裁判所に事件について偏見又は予断を生ぜしめる虞のある事項を述べたものであつて刑事訴訟法第二百九十六条但書に違背するとか、延いては憲法第三十七条にも違背するものともいうことはできない筋合である」（東京高判昭三〇・四・四高裁特報二・七・二四八）。

非行歴の点については、特に新しいものはない。問題は、被害者の告訴のいきさつについての点である。私も訂正によつて瑕疵が治癒されたとする判旨結論を一応支持してよいと考えるが、更にさかのぼれば、そういう事実を冒頭陳述で明らかにする意味がどこにあるかを疑問としたい。冒頭陳述の機能ということを今少し検討してみる必要があるのではあるまいか。

## 五　証拠調と予断排除

### 一　序　説

ここに証拠調というのは、前項で問題とした検察官の冒頭陳述を除き、個々の証拠の取調を指す。現行刑訴法においては、証拠調は当事者の請求に基いて行うのを原則とし、職権による証拠調はいわば第二次的な意味で認められている（刑訴二九八）。そして、当事者の証拠調請求については、まず立証責任を負う検察官が必要な証拠の取調の請求をし、その後で被告人側が取調請求をするという順序をとる（刑訴規則一九三）。この証拠調に関連して予断排除が問題とされるのは、検察側の証拠調請求であり、このことは、刑訴三〇一条および三〇二条の規定にあらわれている。以下、これらの規定を中心として予断排除の問題を考えて見ることとする。

### 二　刑訴三〇一条の趣旨

まず、刑訴三〇一条は、自白を内容とする書面および第三者の供述は、犯罪事実に関する他の証拠が取り調べられた後でなければ、その取調を請求してはならぬ旨を規定する。この規定の立法趣旨はどこにあるかをたしかめておきたいと思うのであるが、これについて、次の判例がある。

【95】「刑事訴訟法第三〇一条……は検察官において公訴を提起した以上、検察官に先ず自白に関する証拠に先立ち、少くとも公訴に係る犯罪が罪体としては客観的に存在し、それが単に架空なものでないことを証明せしめんことを意図したものに外ならない。同条は必ずしも同条に所謂他の証拠に先立つ自白の提出を以て、裁判所に対し、被告人に不利益な偏見又は予断を生ぜしむる虞れありとしてこれを禁止したものでない」（東京高判昭二五・四・二八特一〇・一八）。

この判例によれば、刑訴三〇一条は予断排除の原則とは関係がないということになるのであり、学説でも同趣旨と思われる見解がないわけではない（田宮裕「自白の証拠法上の地位」(二)警研三四巻六号一一頁）。しかし、この趣旨の判例はさしあたつて右の一件だけであり、その他は——後に示すように——右の規定は自白の裁判官に与える予断を防止しようとしているものと解している。そして、通説も同じように考えているのである。私もこの考え方に賛成である。ただ——既に述べたように——若しそうであるならば、冒頭手続における被告人の答弁を自白と考える通説・判例の立場と果して矛盾しないかが問題とさるべきであろう。

**三　取調請求の時期の制限か取調の時期の制限か**

ところで、刑訴三〇一条は、他の証拠の取調に先立つて自白調書等の「取調を請求することはできない」と規定しているが、これは文字通り取調の請求じたいを禁じているのか、それとも取調の時期を問題としていて取調の請求の時期は問題としない趣旨なのか。これは、証拠調の請求の順序についての刑訴規則一九三条一項が「検察官は、まず、事件の審判に必要と認めるすべての証拠の取調を請求しなければならない。」と規定していることと関連して、疑問を生ぜしめるのである。この両規定の関係については、最高裁の事務当局と法務省との間で見解のくいちがいがあつた。即ち、最高裁側の説明によれば、刑訴三〇一条は他の証拠の取調に先立つてまず自白の取調を行なつてはならぬ趣旨の規定であるから、検察官がすべての証拠の取調の請求をなすべしとの規則一九三条一項は右の刑訴法の規定に影響を与えるものではない、というのであつたが（最高裁判所事務局刑事部・刑事訴訟規則説明書（刑事裁判資料一四号）（昭二三）一〇〇頁）、当時の法務府においては——後出の【11】における上告趣意中にも引用されているように——刑訴三〇一条は取調の請求じたいを禁止しているものであつて、従つて刑訴規則一九三条一項は自白調書の類いを除外して解すべきもの、との見解をとつたのである（法曹会編・刑事訴訟法刑事訴訟規則質疑回答通牒通達第一輯（昭二四）八三頁）。

高等裁判所の判例は、右の見解の対立を反映するかの如く、ほぼ二つに分れた。

（一）第一は、自白調書等の取調さえあとでなされればよいのであつて、その請求は他の証拠と同時に——または一括して——なされても刑訴三〇一条に反しないとするものである。

【96】「刑事訴訟法第三〇一条……は他の証拠調に先だち被告人の自白を録取したこのような証拠の取調によつて裁判官に被告人に不利益な予断をいだかせない趣旨の規定であるから、かかる証拠調の施行を他の証拠調の後にすべしという意味を有するに止まり、その申請を他の証拠調の済んだ後にすべしという意味ではないと解するのが相当である（刑事訴訟規則第一九三条参照）。従つて、原審で検察官が所論各証拠の取調を同時に申請したのに対し、裁判官が自白の供述調書の取調を最後に施行し、被告人または弁護人も証拠調を請求しなかつたのであるから、結局において何ら右法条に反することなく論旨は理由がない」（大阪高判昭二四・九・七特二・二一）。

【97】「刑事訴訟法第三百一条は、……これを刑事訴訟規則第百九十三条と対比して見れば、右は他の証拠の取調に先立ちまず自白の取調を行つてはならない趣旨の規定と解するを相当とすべく、従つて被告人の供

述が自白である場合でもその取調の請求については必ずしも右の制限に従うを要しないものというべきである」（名古屋高判昭二四・九・三〇特三・五六）。

【98】「刑事訴訟法第三〇一条の趣旨は、被告人の自白書面によつて裁判所が予断を抱くことを防止することを目的としたものであるから、自白書面と他の証拠との証拠調請求が同時になされたとしても、裁判所が証拠調をなすに当つて先づ他の証拠を取り調べた上ついで自白書面につき取調をなした以上同条の趣旨に叶うもの云々」（東京高判昭二四・一二・二七東京高刑集昭二四・一九四）。

【99】「刑事訴訟法第三百一条の法意は裁判官が伝聞による即ち公判外の被告人の自白によつて犯罪事実に関する予断を抱くに到ることを防止しようとするにあるものと解すべきものであるから、当該訴訟の段階において存するその犯罪事実に関する他の証拠の取調に先立つて公判外の被告人の自白の内容に触れることを禁止する丈であつてその証拠調の請求の時期迄も制限するものではないとなさなければならない。（然し公判外の被告人の自白に対する取調のみならずその請求自体も他の証拠が取調べられた後になされることは右の法意に徴し妥当であることは勿論である）」（名古屋高判昭二五・四・一九特七・一〇〇）。

【100】「刑事訴訟法第三百一条の規定するところは、被告人の自白に関する供述調書を当該犯罪事実に関する他の証拠の取り調べ前に取り調べることはこれによつて裁判官をしてその事件につき予め偏見又は予断を生ぜしめる虞あるが為にこれを禁止する趣旨であるから、仮令検察官において右自白調書について他の証拠と同時にその取調べ方を請求したとしても当該裁判官においてこれが取り調べに当つて他の証拠を取り調べた後になされた以上その証拠調べを違法であるということのできないのは勿論云々」（東京高判昭二五・七・一七特一〇・三五）。

【101】「刑事訴訟規則第一九三条に依れば……と規定せられてあり、刑事訴訟法第三〇一条に依れば……と規定せられてあつて一見互に矛盾するようであるが、右は要するに検察官の抱懐する証拠方法を可及的一時に発表せしめて被告人の防禦方法に遺憾なきを期すると共に裁判所に対し犯罪事実に関する予断を防止せんとする法意に外ならないのである。而して検察官が被告人の自白調書を他の証拠と同時に取調を請求した

場合に於ける弊害は専ら裁判所に於ける予断に外ならないのであるが然しこの予断は『証拠調の請求』に依つて生ずるのではなくして『証拠の取調』から生ずるのである。故に例令検察官に於て、被告人の自白調書を他の証拠と同時に取調を請求しても裁判所に於て犯罪事実に関する他の証拠を取調べた後に被告人の自白調書を取調べた場合は右の予断を生ずる虞がないのであるから前記両法条の期待に反しないと謂わなければならない」（名古屋高判昭二六・二・三特二七・一八）。

【102】「被告人の自白調書の取調請求を他の証拠の取調請求後になされることは望ましいことではあるが同時にしたからといつて違法であるということはできない。ただ斯る証拠は犯罪事実に関する他の証拠が取調べられた後でなければ取調べることは出来ないものと解する」（仙台高判昭二六・二・五特二二・四）。

右の諸判例のうち、【96】【97】は刑訴規則一九三条との関係から違法でないとの結論を引き出しており、【98】【99】【100】はもつぱら刑訴三〇一条の問題として、証拠調を先にしなければ予断を心配する必要はない、との解釈をとつている。そして、【101】はこの両者を併用しているようである。ただ、【99】はそうはいいながら、取調請求じたいも後にすることが妥当であるとして、やや慎重な態度をとつている。これは、取調請求だけでも予断防止上問題がありうることを認めたものであろうか。

（二）　取調請求じたいを違法とする判例は、次のようである。

【103】「右の自白調書の取調請求は、その時期において明らかに刑事訴訟法第三〇一条に違反したものであることは所論の通りである。しかしながら同条の法意は専ら裁判所において犯罪事実に関する予断を懐かしめないことにあるものと解するから本件の場合のように右の自白調書が他の証拠の取り調べがなされた後において取り調べがなされている限り、たとえその取調請求の時期において右の違反があつたとしても、それはすなわち判決に影響を及ぼさない訴訟手続に関する法令の違反と見るべきである」（名古屋高判昭二四・九・二七特三・四七）。

【104】「刑事訴訟法第三百一条によれば、……その取調を請求することができないと規定してあり、刑事訴訟規則第百九十三条第一項には、……すべての証拠の取調を請求しなければならないと規定してあつて、右規定は一見矛盾するように見えるが、規則第百九十三条第一項の証拠には、被告人の自白を含まないものと解しなければならないもので、かく理解することによつて両規定ははじめて矛盾なく理解することができるのである。果して然らば、原審における検察官の証拠調請求は、刑事訴訟法第三百一条に違反するけれども、前記の如く、被告人等の供述調書は、他の証拠が調べられた後その任意性を確かめ、最後に取り調べられているから、実質において、同条の企図する結果を得ているものと認めることができる。従つて、右証拠調請求方法の違式は、判決に影響を及ぼしたことが明かでない……」(名古屋高判昭二四・一一・五特四・六)。

【105】「原審公判立会検察官……は最初の証拠調請求に当り被告人の自白を内容とする司法警察官作成の被告人の第一、二回供述調書につき、他の書証と共に同時にその取調を請求して居り、之に対し被告人は証拠とすることに同意し且つ証拠調請求に異議はないと述べている。そこで右の如き証拠調の請求方法が刑事訴訟法第三百一条に違反するものであることは所論の通りであるが、元来本条は、何等の証拠の取調べもないのに、真先に被告人の自白を内容とする供述を取調べることにより、裁判官をして予断を抱かしめることのないようにとの顧慮に出ずるものと解する。本件にあつては、……右被告人の供述調書は即ち他の証拠(前記盗難届謄本五通、Sの供述調書一通)が取調べられた後に行われたものであると認められるから結局刑事訴訟法第三百一条の目的とするところは害せられなかつたものというべく右の訴訟手続法の違背は之亦本件判決に影響を及ぼさないものといわねばならない」(名古屋高判昭二五・二・九刑集三・一・四一)。

【106】「同法条(註、刑訴三〇一条)の規定するところによれば、取り調の請求自体他の証拠の取調後でなければならないのであるが、取調自体他の取調後になされる限りその取調の請求は、他の証拠の取調前になされたとしても判決に影響を及ぼす程の違法あるものというを得ない……」(仙台高秋田支判昭二五・四・九特九・一五五)。

これらの判例を見ると、取調請求が違法であるのは、単に刑訴三〇一条の文言に反しているという意味であつて、同条の趣旨は自白調書等の取調による予断の排除をねらいとしているものであるから、取調さえ後に行われれば判決に影響を及ぼさない、という考え方である（尤も【106】はそこまで言う趣旨かどうか断定できない）。しかし、予断排除の上から見て取調請求をさきにすることは全く関係のないことだというのならば、違法というか否かは、単なる言葉のあやにすぎない、ということになろう。むしろ、（一）であげた判例のように、刑訴三〇一条は、取調を先にすることを禁じていると解すべきであるから違法でない、とする見解の方がすつきりしている。

（三）　同じく取調請求をさきにすることは違法であるが、責問権の放棄によつてその瑕疵が治癒される、とする判例が若干ある。

【107】　「第三〇一条の趣旨は裁判官に予断を抱かせないための規定であつて証拠調の順序に主たる意義があるのであるから仮りに所論の如く原審が検察官の請求により未だ他の凡ての事実についての証拠調の施行が終らない前に自白証拠の証拠調をしたのは違法であるとしても右の違法は被告人又は弁護人が検察官において右請求をなした直後異議の申立をしなければ刑事訴訟法第三〇九条、刑事訴訟規則第二〇六条第一項により責問権の抛棄として救済されるものと解するのが相当である」（東京高判昭二四・一〇・二八特一五・一一）。

【108】　「原審第二回公判調書によると検察官は他の証拠の取調べを請求しその証拠が許容施行せられない内に右請求に続いて所謂自白調書の取調べの請求をしている（……）この請求は違法である。しかしながら右第三百一条の趣旨は裁判官に予断を抱かせないための規定であるから請求の順序自体に重点があるのでなく証拠調の順序に主たる意義があり請求の順序に違法の点があつても証拠調の施行について右の順序を誤らなければ予断を以て他の証拠の取調をするといううれいはない。であるから、検察官が他の証拠調べの施行

前に自白調書の取調べの請求をなした違法は被告人又は弁護人が右請求をなした直後異議の申立をしなければ刑事訴訟法第三〇九条刑事訴訟規則第二百六条第一項により責問権の放棄として救済せられるものと解するのが相当である」（東京高判昭二五・三・四刑集三・一・六八）。

【109】「刑事訴訟法第三〇一条は……旨規定しているから、他の証拠の取調がなされない中に検察官がした右自白調書の取調の請求は違法であるけれども、被告人及び弁護人においてその直後に異議を申立てず、却つて証拠調の請求に異議がない旨を述べていること前記の通りであるから、検察官の証拠調請求についての右違法に関しては責問権を喪失したものと認めるべきである。而して前記法条の趣旨は裁判官の予断防止にあると解すべきであるから、前記の通り犯罪事実に関する他の証拠書類を取調べた後自白調書の取調をしている原審証拠調手続には何等違法の点がな……い」（高松高判昭二六・二・一六特一七・三）。

【110】「仮に、検察官が他の証拠調の施行前に、所謂自白調書の取調を請求することが、違法であるとしても、証拠調の施行に付て、同条の順序を誤らなければ、予断を以て他の証拠の取調をするという虞はないから、右請求の違法は、その請求直後相手方の異議申立がない限り、責問権の放棄として、その瑕疵は治癒されるものと解するのが相当である」（仙台高判昭二七・六・七特二二・一三五）。

責問権の喪失（または放棄）というのは、たしかに一つの考え方ではある。しかし、取調請求の順序が予断防止とはじめから全く関係がないというのなら、責問権ということを持ち出す必要はないと思われるし、逆に幾らかでも関係があると認めるならば、事柄の性質上、責問権の対象となりうるか否か疑問がある。

（四）　このような高等裁判所の判例の対立——之も既に述べたように、実質的な対立とは考えられないが——の後に、最高裁判所は、請求そのものは違法ではないとの判例を示し、実務上の問題としては一応終止符が打たれた。

【11】（上告趣意）「原判決は……刑事訴訟規則第百九十三条第一項に規定するが如く、検察官は被告人の自白を内容とする供述調書の如きものを他の補強証拠と共に取調請求を為すも何等刑事訴訟法第三百一条と抵触するものに非ずと断じ、結局右刑事訴訟規則を刑事訴訟法に優先せしめ解釈したる上判決を為したものであるが、右の如き一見矛盾するが如く見える法と規則を調整解釈するなれば、被告人の自白調書の如きものを他の補強証拠と同時に取調請求する如きことは明に違法であることは法務省検務局の質疑回答（法曹会編刑事訴訟法刑事訴訟規則質疑回答通牒通達集第一輯八三頁御参照）も認めるところ……。」

（判旨）「刑訴三〇一条は、被告人の自白を内容とした書面が証拠調の当初の段階において取り調べられると、裁判所をして事件に対し偏見予断を抱かしめる虞れがあるから、これを防止する趣旨の規定と解すべきである。されば単に右の書面が犯罪事実に関する他の証拠と同時に取調が請求されただけで、現実な証拠調の手続において、他の証拠を取り調べた後に右自白の書面が取調べられる以上は、毫も同条の趣旨に反しないものといわなければならない」（最判昭二六・六・一刑集五・七・一二三二）（定塚脩・刑評一三巻二六九頁）。

しかし、学説の上ではなお両論が対立している（最高裁の判旨と同説のもの＝青柳五一四頁、岸二五九頁、栗本一八二頁。取調請求を違法とする説＝平場四〇七頁、平野二四三頁、高田四五一頁、長谷川・実務IV一二六九頁）。両説のうち、その根拠を比較的詳細に述べているものを一つ宛あげよう。栗本氏は、「要するに本条は自白を真先に取り調べて一応の心証を形成することを禁じているに過ぎないものであるから、自白の取調の請求だけは先に行われても何ら差支はなく、要はその取調の時期のことを問題としている趣旨であると解する。……又、実質的にいっても、冒頭陳述（法第二九六条）の際検察官が証明すべき事実を述べれば足るのか又は進んでその事実と証拠の標目との結びつきまで述べるべきかという点について争があるようであるが、私は後者だと考えているので（……）、一層右の結論が正しいとの確信を強めざるを得ないのである。何故ならば、例えば窃盗事件の冒頭陳述において述べることは証明すべき事実のみならず証拠との結びつきまでだとすれば、大抵の場合は、被害のあつた事実は被害者何某の供述により、又それを被告人が窃盗したという事実は被告人の自白（法廷外の）で立証すると陳述することとなろうが、こうなれば自白（法廷外の）があつたということは既にその段階において裁判官に判つてしまうわけであるからである。即ち、自白の取調の請求を後にしなければならない実質的な理由は毫もこれを発見し難いのである。」と説明する（栗本一八二―三頁）。これに対し、曾我部氏は、【11】の最高裁判例に関連して「法三〇一条は、明らかに、請求の時期の制限であることを示しているし、証拠調の請求をすればその採否決定のためその調書について任意性の調査をしなければならず（法三二五条）、必要の場合は調書の提示を命じその内容の調査をすることができる（規一九二条）のであるから、予断偏見を生ずる余地は十分あるものといわねばならない。したがつて、この判旨は、新法の精神から見れば疑なきを得ない。」と主張する。自白調書の取調請求だけでは予断の生ずる虞れはない、というのが多くの裁判官のいつわらざる気持であるようである。しかし、そういう気持が果して間違いのないものであるかどうかを再吟味して見ることが必要なのではあるまいか（なお、栗本説の理由としてあげられている冒頭陳述の問題についていえば、冒頭陳述のやり方については私も賛成であるが、「被告人の法廷外の自白で証明する」という陳述をなしうるかが問題であろう）。

### 四　三〇一条違反の効果

さて、以上のいずれの説をとるにせよ、自白調書をまつ先に取り調べたときは、刑訴三〇一条に違反することになるが、この違法はどのような効果を生むのかが問題になる。この点についての判例を、次に取りあげることとする。

## (一)　判決に影響を及ぼすとするもの

【112】「原審公判調書によれば……原裁判所は本件において僅かに前記実況見分調書並に見取図を取り調べただけで、なお公訴犯罪事実に関する他の重要な証拠である右被害者N等の取調をする前に被告人の司法警察員並に検察官に対する各供述書の取調をなしたものというべく、而して右各供述調書によれば同調書における被告人の供述はいずれも右犯罪事実の自白に帰する趣旨のものと認め得るのであるから、結局原裁判所の右各供述調書の取調手続は刑事訴訟法第三百一条の規定に背反して行われた違法のものというべく、而かも該手続が前叙の如き証拠調の段階程度においてなされたものであるから、右は所論の如く判決に影響を及ぼすこと明らかな違法である……」(名古屋高判昭二五・二・三特一三・五六)。

【113】「検察官は本件起訴事実立証のため、(一)緊急逮捕手続書、(二)被告人の供述調書四通、(三)Sの盗難届、(四)Mの盗難届の各取調を請求し、裁判官が右書類全部を取り調べる旨の決定を宣したるところ、検察官は右書類を順次朗読した上、裁判官に提出した……。……然るに本件において、取調を行つた前記(二)の被告人の供述調書四通とあるのは、いずれも被告人の自白を内容とするものであり、しかもその前に取調の行はれた前記(一)の緊急逮捕手続(書)は、被告人が、犯罪事実を自白したから逮捕したということを記載している外に、その犯罪の証拠となるべきものは、何等掲げていないのであつて、とうてい、右自白を補強するに足る証拠と目する訳には行かないものである。……よろしく原審は被告人の前記各供述調書の取調に先立ち、右各被害届の取調をなすべかりしものであつたのである。結局本件は、原審における訴訟手続に法令の違反があり、且その違反は判決に影響を及ぼすものと認められる……」(東京高判昭二五・五・八特一六・七七)。

【114】「原審第一回公判調書の記載によれば原審検察官はその冒頭陳述の事実を立証するため被告人等の警察、検察庁における供述調書を第一に挙げ以下二乃至十の証拠書類及び証拠物を列挙してその取調を請求

し……所定の手続を経て右取調請求の順序に従い被告人等の右各供述調書より始めて以下順次その証拠調の行われたことが明らかであり、又被告人等の右各供述調書は何れも被告人等の自白を内容としているものであることが認められるので、従つて犯罪事実に関する他の証拠が取調べられる以前に被告人等の自白を内容とする右各供述調書の請求がなされ且つ他の証拠の取調べに先立つてその証拠調べがなされており、右は明らかに右刑事訴訟法第三〇一条に違反しておるものというべく、刑事訴訟法第三〇一条は、自白をもつて証拠の主となして之を追求することにより著しく毀損せられる基本的人権を強く擁護するために、被告人の自白より独立の証拠力を奪い且つ之に制限を加える憲法第三八条、刑事訴訟法第三一九条等の規定と相まつて犯罪事実に関する他の証拠が取調べられる以前に被告人の自白を内容とする供述調書等の取調の請求をなすことにより、検察官がかかる被告人の自白を不当に利用して、裁判官に対する予断を抱かせもつて裁判の公正に影響を与え、ひいては自白偏重による基本的人権の毀損を誘致することを防止せんとする主要な証拠法上の規定であるので之に違反してなされた右被告人等の自白を内容とする供述調書の取調の請求は、訴訟手続に法令の違反があつてその違反が判決に影響を及ぼすことが明らかである……」(名古屋高判昭二五・六・一四特一一・六一)。

【115】「刑事訴訟法第三百一条で……と規定した趣旨は裁判官をして事件につき予断又は偏見を懐かせる虞れのあることを考慮したからであつて同法はその立法の趣旨から考えても厳重に守らなければならないものであり、原審の右証拠調の順序は同条の規定を設けた精神に反するもので違法である。而して右の証拠調の方法は単に傷害事件の証拠として取調べられたものではあるけれども原審の暴行詐欺被告事件と右傷害被告事件を併合して審理したものでありこの三つの罪は併合罪として刑法第四五条、第四七条を適用処断すべきものであるから右違法は判決に影響を及ぼすこと明らかであ……る」(福岡高宮崎支判昭二六・一〇・二四特一九・一六〇)。

これらの判決において、判決に影響を及ぼすとする理由として、【114】【115】は厳格規定であることを挙げているが、【112】【113】では、理由がはつきりしない。しかし、やはり同じような考慮によつているのではあるまいか。

(二)　自白調書を先に取り調べた違法があっても、被告人が既に自白しているときは、判決に影響がないとする判例がある。

【116】　「刑事訴訟法第三〇一条は裁判官が事件につき予断を抱くのを防止する趣旨であると解すべきであるからその虞のない場合は被告人の自白を内容とする書面が他の証拠に先ち取調べられても、直ちに該書面に証拠能力がないと断ずべきはない。被告人は已に……併合前の公判期日において、公訴事実につき詳細且つ具体的な自白の供述をしているのであるから、他の証拠調に先ち併合後の第三回公判期日においてその自白を内容とする所論各調書を取調べても、今更裁判官に予断を抱かしめる虞はないというべきである。従つて右証拠の取調方法の違法は、右各調書の証拠能力を否定せしめるに足らず、判決に影響を及ぼすべき法令違反ではないと解すべきである……」（高松高判昭二五・二・二二特九・二〇五）。

【117】　「右㈠乃至㈢の各供述調書は何れも……自白である場合であるから同法第三百一条によつて犯罪事実に関する他の証拠が取調べられた後でなければ其の取調の請求の許されないものに該当する。故に検察官の右㈠乃至㈢の各供述調書に対する証拠調の請求は右同条に違反するものであり之を認容した前記原審の証拠調の決定及び同決定に基く右各供述調書の証拠調手続の違法を免れないことはまことに所論の通りである。しかし他面右公判調書によれば、検察官の起訴状朗読後被告事件に対する意見陳述において被告人はその通りであつて別に争うことはない旨を答述しておるので……所論㈢の被告人の供述調書の取調により特に裁判官に対し被告人に不利益な予断を抱かしめるような余地のあり得なかつたことを推論するに十分であるから前記証拠調の違法は判決に影響を及ぼすものとは認めることが出来ない」（名古屋高金沢支判昭二五・三・二〇特八・四六）。

【118】　「刑事訴訟法第三百一条において……旨規定している所以のものは、右請求の時期如何に拘らず当該犯罪事実に関する他の証拠を取調べる前に被告人の自白を内容とする供述調書等を取調べることによつて

> 裁判官に真実に即せざる予断を抱かしめ以て被告人に不利益を被むらしめるが如き不当の結果に陥ることを防止せんとするに外ならない。然るに……被告人は第一回公判において審理の初め証拠調に入るに先ち……事実は其のとおりに相違なく別段申述べることはない旨原裁判所に答へたことは右各公判調書によつて明らかであり、従つて原裁判所としては本件証拠調に入る前既に被告人等の自白を直接聴き知つているのであるから右証人両名の尋問前に所論の自白書類の証拠調を為すことにより被告人等に対して特に不利益を及ぼす虞あるものではない。然らば所論の如く自白書類の取調が証拠の最終順とならざる結果に帰着したとしても之により毫も刑事訴訟法第三百一条の前記法意に背反するものではな(い)」(東京高判昭二五・一〇・一八特一五・七)。

これらの判例が「自白」と称しているのは、いずれも冒頭手続における被告人の答弁としてなされたものである。たびたび述べるように、このようなものを自白と考えることじたいが刑訴三〇一条の趣旨からいつて問題であるのに、そういう自白があるから三〇一条違反があつても判決に影響しないというのは、かえり見て他をいうの甚だしいものと評するほかない。

## 五　共同被告人の自白調書の取調と三〇一条

刑訴三〇一条の適用上次に問題となるのは、共犯者たる共同被告人の自白調書の取調についてである。即ち、例えば共同正犯たるAとBのうち、まずAが起訴されて証拠調が進み、Bと共同して犯罪を実行したとの自白調書が取り調べられた後にBが起訴され両者が併合審理されることとなつた場合、Bの犯行をも述べたAの自白調書が既に取り調べられていることは刑訴三〇一条の趣旨に反しはしないか、という問題である。次の判例は、このような手続は違法だとしている。

【119】「右自白調書はいずれも被告人M、Oに対する自白調書ではなく、同人等の原審相被告人であるH、

Tの自供を記載した調書であることというまでもないところであるけれども、右自供は、被告人O、Mと共謀して犯罪を行つた旨及びその詳細を述べているものであり、元来刑事訴訟法第三〇一条は、新刑事訴訟法のもとにおいては、一面被告人の自白偏重に陥らないようにするとともに、他面公判外でなされた自白の調書をまず取り調べることを禁止することによつて、起訴状一本主義（同法第二五六条末項）と相俟つて裁判官に事件についての予断を懐かせないようにすることを目的として定められた規定であるから、併合審理のもとに不可分に一体の手続として進行された本件併合後の訴訟においては、共同被告人H、Tの自白調書についての右手続違反は、同時に被告人Mに対する関係において同様手続違反とならざるを得ないのであつて、M、O自身の自白調書でないからといつて、同人等に関する限り、右第三〇一条違反はないとすることは出来ない」（広島高判昭二五・九・二〇特一三・一三〇）。

しかし、この趣旨の判例はさし当つてこの一件だけで、最高裁判所は違法でないとの見解をとつた。

【120】「所論の始末書（註、被告人が犯罪事実を認めた自白書面）は、第一審において刑訴三二六条の同意があり且つ被告人の供述書よりも前に犯罪事実に関する他の共同被告人の供述書が取り調べられていることと記録上明らかであるから、第一審の訴訟手続には所論の違法もな……い」（最判昭二六・五・三一刑集五・六・一二二一）。

この最高裁判例は、形式的な論拠しか示していないが、次の高裁判例は、訴訟関係が被告人ごとに別個であることを理由としている。

【121】「原審において被告人が共犯者F同Sとともに共同被告人として起訴されたが、第一回公判期日に、被告人の弁護人が出頭しなかつたため、被告人に対する分のみが分離されて次回期日が指定され、他の二人の相被告人については同日証拠調を了り終審され、第二回公判期日に、被告人の分について初めて審理が開かれ起訴状朗読の後証拠調が行われたとの所論の事実は記録の示すところである。然しこれを以て直ちに、

弁護人主張のように裁判官が被告人に対する審理につき予断を抱いていることが明白で起訴状一本主義の原則に反し刑事訴訟法第二五六条第六項違反であるということはできない。それは数人が同一の訴訟手続で同時に被告人となつたいわゆる共同被告人の場合においても、その訴訟関係は各被告人別に存在する。従つていいいいその一人について生じた事由は、特別規定のない限り他に影響を及ぼさないのが我が刑事訴訟法の立前であり、而して本件のような前記事由については特別規定がないからである」(福岡高判昭二八・四・一六特二六・一一)。

次の事例で、最高裁はやはり形式的な理由をくり返しているが、原判決には聴くべきところが多い。

【122】（原判決）「原審第三回公判期日において原裁判所が原審相被告人ら及び被告人の検察官に対する自白の供述調書をまず取り調べていることは所論のとおりである。そして、本件においては右の自白調書のほかの証拠がともかく存在し、現に原裁判所はこれを同一公判期日において引き続き取り調べているのであるから、かくのごとく当該被告人らの供述調書を冒頭に取り調べたことは被告人との関係だけからいつても刑事訴訟法第三百一条の精神からいつて適当を欠く措置であつたといわざるをえない。しかしながら、同条は必ずしも他のすべての証拠の取調がなされた後でなければ自白調書の取調をしてはならないという趣旨のものであるとは解されないし、右の公判期日においては被告人の供述調書を取り調べる前にS、Y、N、Tの検察官に対する各供述調書の取調がなされているのであつて、同人らもその際共同被告人でありかつ被告人の共犯者だつたのではあるけれども、被告人との関係においては右各供述調書は前記第三百一条にいわゆる『犯罪事実に関する他の証拠』に該当すると解すべきであるから、原審の右の手続がすでに確定した原審相被告人らとの関係において違法であつたかどうかは別として、少くとも被告人に対する関係においては右第三百一条に違反するものであつたとはいい難い。」

（上告趣意）「わが刑事訴訟は一面に於て揺籃期たるを免れないし、又他面事実の審理が第一審のみに限極され、そこに於てのみ罪体の総べてが育成されて行く現審級制度に於てはこれを最も厳格に解して適用するに非ざれば、わが国刑事訴訟の健全性と信頼とを阻害する虞れなしとしない。然るに原判決が前記の如く弁護人の論旨に同調しつつあるに拘らず、反って第三〇一条に許すべからざる解釈を与えて第一審判決を支持したのは明らかに法令の解釈に関する誤謬に坐したるもの……。」

（判旨）「昭和二五年（あ）第八六五号同二六年六月一日小法廷判決のとおり同条（註、刑訴三〇一条）は必ずしも犯罪事実に関する他のすべての証拠が取調べられた後という意味ではなく自白を補強しうる証拠が取調べられた後であれば足るのであり共同被告人の検察官に対する供述調書は本件被告人との関係においては刑訴三〇一条の『犯罪事実に関する他の証拠』に当るものと解すべきであるから本件においては所論の違法は認められない」（最決昭二九・三・二三刑集八・三・二九三）。

【123】（事実）原審は、昭和二八年七月一日開廷された相被告人Sの職業安定法違反および窃盗被告事件の公判期日において、右事件の訴因第二の窃盗の点につき証拠調を行つた後、同年同月八日の第二回公判期日において被告人Rほか一名の本件贓物故買被告事件を前記Sの被告事件に併合し、Rほか一名に対する公訴事実につき検察官立証に係る証拠の再取調を許容してこれを終了した。

（控訴審判決）「刑事訴訟法第二百五十六条第六項は検察官が公訴提起をなすに際し裁判官に当該事件につき予断を生ぜしむる虞のある措置を禁止する趣旨に止まり本件の如く別個の被告事件を併合審理する場合にまでこれをその対照（象？）としたものではない蓋し甲被告事件につき乙被告事件の内容を知り得る証拠の取調をなした裁判所が其の後乙被告事件を審理したとしてもその一事を以て該裁判所が同事件につき審理に先だち予断を抱いたとは謂われないのであつて当然同一裁判所が前記甲乙両事件の審理をなしうるものと解すべきところ被告事件の併合は裁判所が適当と認める場合に職権又は訴訟関係人の請求によりこれをなすものであるから右の甲乙両事件を甲被告事件の証拠調終了後に併合したとしてもこれを前記の如く別個に審理する場合と区別して考察するの必要は毫も存しないからである。従つて原審の本件措置は刑事訴訟法第二百五十六条第六項に違反しないのは勿論憲法第三十一条にも亦違反しない」（福岡高判昭二九・五・一七特二六・八六）。

（上告審決定）　「被告人甲に対する窃盗事件の第一回公判期日において同被告人から窃盗の事実を自認する陳述を聴取しその証拠書類の取調をした裁判所が、同被告人より右窃盗の贓物を故買したことを公訴事実とする被告人乙に対する贓物故買事件（別件）を、前記甲に対する事件の第二回公判期日冒頭において、これに併合審理することとし、乙に対し起訴状の朗読に始まる審理をすることは、乙に対する起訴状朗読前予め判決裁判所の裁判官がその公訴事実と密接の関係ある事実の証拠資料の一部を了知していることになるけれども、刑訴二五六条六項に違反するものということはできないこと当裁判所の判例の趣旨とするところである。（昭和二六年（あ）三八七七号同二八年九月一一日第二小法廷判決、昭和三〇年（あ）一七〇八号同年一〇月一四日第二小法廷判決、集第九巻一一号二二一三頁）。記録によると……第一審裁判所は、先ず被告人Sの窃盗等事件のみについて第一回公判を開き、同被告人の『事実は公訴事実の通り相違ない』旨の冒頭陳述、検察官提出の多数書類（この中には引用のKこと被告人Rの買受始末書、同被告人の供述調書が含まれる）の取調及び同被告人の情状に関する供述を終り、同第二回公判においては、冒頭で右被告人Sの窃盗事件に右被告人Rの贓物故買及びWの贓物運搬事件外一名の事件を併合審理する旨の決定を言い渡した上、右被告人R、W外一名の事件に対する冒頭陳述後、検察官の請求により前記第一回公判で被告人Sの窃盗関係について提出された書類の再取調並に新書類の取調を行い、なお、以上被告人四名の供述を聴し……た事跡が認められる。しかし、被告人R及びWに対する右起訴状には、起訴の時からこの両被告人に対する公判期日における冒頭手続終了までの間にこの両被告人に対する公訴事実の証拠資料としては何らの書類その他の物が添付、提出せられず又その内容が起訴状に引用されていないこと記録上明らかである。論旨は第一審裁判所が、……刑訴二五六条六項に違反すると主張するけれども、右手続が同条項に違反しないことは冒頭説示の理由により明らかである」（最決昭三二・一・二九刑集一一・一・三〇五）。

【119】の判例は、それなりに一応筋が通っているとも考えられる。特に私のように、判例に反してい

わゆる共犯者の自白も刑訴三一九条二項にいう「自白」に準じて考えるべきだとの見解をとる場合には（高田二七五頁）、右の判例に展開された実質論はかなり傾聴すべきところがあるように思われる。しかし、判例のように共犯者の自白は右の規定にいう「自白」にあたらないとする見解をとるときは、三〇一条の関係においても「自白」ではないとする論法がとれるであろう。【120】の判例も恐らくこういう考え方を秘めているのであろう。しかし、私の見解においても、共犯者の自白をあらゆる点で被告人じしんの自白と同様に取り扱うことを主張しているわけではないし、また何よりも共犯者の自白調書を取り調べても、それは当の共犯者じしんのみの証拠として扱つたのであつて、それ以外の者に対する証拠調の意味はもちろんもち得ない（従って、当然のことながら、これを他の被告人の証拠とするためには別に証拠調をしなければならない）。そのいみで、違法でないとする判例を支持してよいのではないかと考える。

以上の事案とはやや異るが、裁判官が共犯たる被告人を前に証人として尋問していた場合について、次の判例がある。

【124】（上告趣意）「第一審判決をした裁判官Hは、第一審第一回公判開廷前において、別件Iに対する公職選挙法違反被告事件の証人として、被告人を訊問したことがあり、この訊問事項は被告人の本件内容をなすものである。従つて裁判官Hは、本件起訴事実につき被告人に対し不利益な予断を懐いたことになり、刑訴第二五六条第六項、第二九六条第一項、第二〇条第六、七号の趣旨と相容れず、起訴状一本主義を原則とする刑訴法の精神に反し、同裁判官によつては、公平な裁判所を構成し得ないものといわねばならない」。

（判旨）「所論第一審裁判官Hが、本件第一回公判の開廷前に本件被告人を別件Iに対する公職選挙法違反被告事件の証人として尋問したこと、及びその尋問事項が本件の訴因第一に関するものであることは、右の別件記録によると所論のとおりである。しかし、この一事を以て直ちに所論のように刑訴二五六条六項、二九六条一項、二〇条六号、七号の諸規定の趣旨と相容れないものとは解しえない……」(最判昭三〇・一〇・一四刑集九・一一・二二一三)。

## 六　情状の取調と三〇一条

刑訴三〇一条の趣旨に関連するものとして、公訴犯罪事実の立証に先立つて前科その他の情状についての証拠調を検察官が請求し、裁判所がその請求通りに証拠調をしたという場合が問題とされている。

【125】「原審第一回公判において検察官が起訴状掲記の犯罪事実の立証として被告人に対する前科調書の取調を請求したことは所論のとおりであるが右証拠調については当時被告人及び弁護人において何等異議を述べておらず又既に起訴状の朗読を終り検察官の立証段階に入つておるのであるから前科調書について証拠調をしても所論の如く起訴状一本主義を採用した刑事訴訟法の精神に反するものではない」(広島高判昭二七・七・二一特二〇・五八)。

【126】「記録によれば、原審第一回公判において検察官から本件公訴事実自体に関する書証十通及被告人の前科調書、身上調書各一通の各証拠調の請求がなされたが、前段十通の書証に付いては、被告人側の同意がなく、検察官において、これを撤回したため、原裁判所は被告人側の同意があつた右前科、身上両調書に付いてのみ証拠調をなし……従つて所論のように公訴事実自体に関する証拠調に先ち、前科の事実に関する証拠調をした結果となつたこと洵に明白である。しかしながら現行刑事訴訟法、同規則を通覧すると、裁判官に予断、偏見を抱かしむる惧があるとして各種訴訟行為に制限を加えているのは第一回公判期日まで、せいぜい冒頭陳述までのことであつて、(刑事訴訟法第二五六条第六項、同第二八〇条、同第二九六条但書、同規則第一九八条第二項参照)法及規則の期するところは専ら裁判官をして白紙の状態において第一回公判

期日に臨ましめ、以て公判前の謂れなき予断、偏見を避けしめんとするにあつて、決して審理開始の後に亘り裁判官の行動を制縛せんとするものではなく、却つて審理開始の後においては法律専門家たる裁判官に十分信頼し、良識に基く妥当なる審理の進行に伴い、証拠に基き順次事案の真相を究明し、以つて公正なる判決に到達せしめんとする基本的態度を堅持していることを看取するに足る。尤もその後の審理に関しても所論に指摘の刑事訴訟法第三〇一条の如き規定も存しない訳ではないが、それはどこまでも一種の理想型を示したに過ぎない所謂訓示規定で決して前示各法条の如き重要性を有するものではない。又仮に所論のように公訴事実に対する立証を先にし、それ以外の前科、犯情等に関する立証を後にすることが望ましいとしても変転極まりない生きた訴訟の過程においては常に右の理想を追い難い場合もあろうし、特に法律専門家たる裁判官のみをして裁判の衝に当らしむる我法制下においては素人たる陪審員をしてその衝に当らしむる陪審制の諸国とは自からその事情を異にし、右の順序を顚倒し、公訴事実の立証に先ち前科の立証を許したからとて裁判官がその為被告人に対し、不利な予断、偏見を抱く懸念絶無と言うべく、これ刑事訴訟法及同規則に右の如き場合における証拠調の順序に付き、何等の規定を置かなかつた所以である」（福岡高判昭二八・四・一刑集六・四・四四七）。

【127】「検察官が公訴事実自体を立証する段階において情状関係の立証をなしたことは所論のとおりである。弁護人は検察官が公訴事実自体を立証する段階において情状関係の証拠として前科調書などの立証をするのは許されないと主張するのでこの点を考察するに、わが刑訴法上証拠調の順序として公訴事実自体に関する証拠調終了後に情状に関する証拠調に移るのが望ましいことは相違ないが、証拠調はこのような順序によるべきことを命じた規定はなく、この順序によらなくも訴訟手続が違法であるとはいえないのである。弁護人の援用する刑訴法第三〇一条の規定は被告人の供述が自白である場合にその供述についての取調請求の順序を定めたものであつて、公訴事実自体の立証の終了前に情状関係の立証を禁じた法意であるとは解せられない。また公訴事実の立証の終了前に情状関係の証拠調を請求したとしても、これをもつて裁判官に対し被告人に不利な予断を生ぜしめる虞あるとの所論は採用できない」（仙台高秋田支判昭二九・三・三〇特三六・九一）。

【128】「わが現行の刑事訴訟法は証拠調につき公訴事実の認定と情状の認定との段階を区別しておらないのであるから、公訴事実に関する証拠調を全く終らない前といえども、裁判所は適宜必要な情状に関する証拠調をすることを妨げないのであり、従つてそれが被告人の前科に関する証拠調であつても直ちにこれを違法視すべきではなく、又証拠調に入つて後は被告人が任意に供述をする限り、裁判所は何時でも必要とする事項につき被告人の任意の供述を求めることができることは刑事訴訟法第三百十一条第二項の明定するところであるから、被告人の任意の供述を求めるものである限り、それが前科に関する事実であつても、いまだこれを所論のように同法第二百九十一条第二項の趣旨に反するものとはいえない」（名古屋高判昭三一・三・二三高刑特三・八・三五七）。

【126】が刑訴三〇一条を訓示規定にすぎないと断じているのは論外としよう。また、犯罪事実についての立証が全部終了しないのに前科その他の情状についての証拠を取調べることはすべて違法だとするのは行き過ぎかも知れない。しかし、犯罪事実についての立証が全く行われていないのに、真先に情状についての証拠調をするというのは、いったいどういう意味をもつのか、私には理解することができない。これは、違法か否か以前の問題ではないかと思われる。【125】のごときは、立証段階に入つた以上は、どの証拠の取調をしても違法でないとしているのであるが、法律の規定の有無の問題ではなく、物の順序の問題というべきであり、更に、犯罪事実の存否をとび越えて、情状に関する証拠調を行うことは、被告人の有罪たることを前提とするものと考えられるのであり、そうなれば、裁判所は予断を以て審理したと言われても弁解の余地がないではないか。その意味で、私は、前科等の情状に関する立証は、自白調書を真先に取り調べることよりも以上に、厳重に禁止されるべきであると考える。

## 七　いわゆる同種事実の証拠の取調その他

公訴犯罪事実以外の犯罪事実の証拠を――特に公訴事実立証のために――提出することはどうか。英米法では、起訴事実と同種の犯罪についての証拠（同種事実の証拠）は、陪審に偏見・予断を生ぜしめる虞れがあるとして、原則的にその提出が禁じられている（この点につき、高田「同種事実の証拠」法学雑誌一〇巻一号一頁以下）。刑訴三〇二条は、その文言は甚だ不明確であるが、やはり予断排除の趣旨を含む規定と解すべきものであろうから（横井六六頁）、右の英米法における原則を充分に考える必要があろう。

（一）　同種事実の証拠について、次の判例がある。

【129】　「所論司法警察員の被告人に対する第一回供述調書は本件公訴事実以外の被告人に対する他の被疑事実に関する被告人の供述を内容とするものであることは所論の通りであるが、同被疑事実と本件公訴事実とを比照するに行為の種類、態様、時刻及び場所其の他の点に於て犯意及び構成要件事実が相互に関連又は酷似し、全体を一貫する犯罪成立の情況並びに被告人の主観、動機、傾向などを統一的に知らしめるのに有益であるから、右供述調書を本件証拠に提出すること自体は何ら裁判の公正を害し又は裁判官に偏見予断を抱かしめるものではなくむしろ事案の真相を明らかにし刑罰法令を適正に実現する刑事訴訟の目的に適合すべき措置である。又原審検察官が右供述調書を提出したことは、刑訴第二五六条第六項及び第三〇二条に違反するものでもない。蓋し右第二五六条第六項は起訴状に予断を生ぜしめるおそれのある書類其の他の物を添附することを禁止したものであ〔るが〕前記被告人の供述調書が原審に証拠調を請求せられたのは第一回公判期日であり、其の実施を経て原審に提出せられたのは第三回公判期日であるから其の原審に対する顕出が前記起訴状一本主義の原理と何ら牴触するものでないことは言うを待たない……」（名古屋高金沢支判昭二五・九・四特一二・八五）。

この判例は、昭和二五年という現行刑訴法施行後間もない時期のものである点から無理もないともいえるが、同種事実の証拠の原則からいつて、排除されて然るべきではなかつたかと思う。特に「むしろ事案の真相を明らかにし云々」というのは、職権主義をぬけ切れない一方的な考え方であろう。

【130】「起訴せられない犯罪事実に関する被害届、被害者の供述調書、被告人の供述調書の記載と雖も、起訴に係る犯罪事実と関連あり、犯罪事実又はその情状を立証する資料となり得るものはこれを証拠とするに差支がないものと解すべきであつて、……前記の起訴せられなかつた横領事実は、被告人が被害者Y方に雇われている間に犯した起訴に係る横領並に窃盗の事実と同一環境において行われたものであつて被告人の本件犯行の情状を立証するに足るものと考えられるから、原審が本件において、その証拠調をしたことに何等の違法もない」(東京高判昭二六・八・一〇特二一・一六九)。

この判例が、同種事実の証拠を起訴事実の立証のための資料とすることができるとしている点については、前述の批判がそのままあてはまる。ただ、この事案では、量刑上の情状に関するものと見ているのであり、そうなると、問題はちがつてくる。その問題について、次の最高裁判例がある。

【131】(事実)　被告人は、「京都市某警察署において司法警察員として勤務中、昭和二四年三月に窃盗被疑者Aを取調べるにあたつて同人を殴打した」との特別公務員陵虐の罪で起訴された。第一審の証拠調において、検察官は、「被告人が被疑者を殴る習癖があることを立証するため」として、被告人により同年四月に被疑者として取調を受けた際に殴打されたというBを証人として申請した。この申請に対して弁護人から異議申立があり、裁判所も一たんこの申請を却下した。ところが、犯罪事実についての立証が一応終つた段階で、検察官はあらためて、被告人の情状に関する証拠として前記Bの証人尋問を請求し、これに対しても弁護人が異議を申立てたが、裁判所は請求を容れてその証人尋問が行われ、Bは被告人に殴打された旨を供述した。

（上告趣意）「情状の証拠調に藉口して証人Bの尋問をなし、その実所謂『類似事実』の取調をなすことによつて被告人の悪い性格を詮索し、因て自ら本件被告事件につき敢て偏見又は予断を生ずるに至らしめた不公平な第一審裁判所の裁判を是認した原判決は、結局憲法第十三条及び同第三十七条第一項の各規定に違反した裁判である。」

（判旨）「弁護人から右証人尋問中になされた所論の如き証拠調に関する異議の申立に対し、同裁判所は、所論の如く『この証人尋問は被告人の情状に関する証拠調である。裁判所は要証事実に関する証拠調は既に終了したものと考えているので被告人の情状に関する立証を許したのであつて弁護人主張の予断を抱かしめる虞はない』とし、英米法に触れた後、これと異なる我が国の法制下においては、要証事実に関する証拠調の次に随時情状に関する証拠調をすることができるから、被告人に不利益なものを先にすると利益なものを先にするとを問わない。従つて本証人尋問及び弁護人から被告人の善い性格又は利益な情状についての立証は当然許されるものであるとの見解を表明し、弁護人の右異議の申立を却下しているのである。

以上の経過に徴し、所論の是非を仔細に検討してみても前記の如き第一審裁判所の措置が所論の如く、予断又は偏見に基く不公平なものであるとは到底認めることはできない。しかも前記公判の経過に照し明かなる如く、第一審裁判所は、当事者双方に、要証事実に関する立証を一応尽さしめた後に、検察官の申請にかゝる所論の証人を、情状に関するものとして尋問しているのであつて、同裁判所も説示する如く、いわば要証事実に関する証拠調を終了し、量刑に関する諸般の情状を調査する手続上の段階において、右の如き証人尋問がなされたということができるのである。そして、所論証人尋問が、被告人に暴行の習癖のあることを立証せんとするにあつたとしても、それは勿論本件公訴事実の立証の為のものでなく、量刑に関する情状に関するものと認むべきであり、かかる証人尋問を、かかる手続上の段階において制限すべきいわれはないから、第一審の右の如き公判手続に所論の如き訴訟法の違反があるということはできない」（最判昭二八・五・一二刑集七・五・九八一）。

この判例で最高裁は、問題の証人尋問が公訴事実の立証のためのものでなく、情状に関する立証の一環としてなされたものであることを強調している。これを裏返していえば、公訴事実の立証のためであるとしたら適当でないことを暗示しているとも受けとれる。そうだとすれば、前出の【129】はそれに反することになる。同種事実の証拠については、わが国ではまだ本格的な研究はなされていないようであるが、右のような最高裁の態度とも関連して、興味あるテーマといえる。

(二)　同種事実ではないが、起訴事実と関連のある一連の行為として別の犯罪事実の証拠を提出することはどうか。

【132】　「本件公訴事実は被告人は昭和二八年二月一三日……においてNを背部から所携の猟銃で射殺した上同人所有の現金……を強取したものであるというのであるが、……原審第三回公判調書によると原審検察官は被告人が昭和二八年二月一二日殺人未遂事件を犯していることについて、(一)証拠物として黒オーバ、鉛筆、(二)証拠書類として刑事訴訟法第三二一条第三項により司法警察員M作成の実況見分調書、(三)同法第三二二条により司法警察員に対する被告人の第四、五回供述調書、(四)……の取調を請求し、これらは孰れも同日の公判廷において異議なくその証拠調の為されたこと、並に……右殺人未遂事件なるものを立証趣旨として証人M外十七名の証人尋問請求のあつたこと……、また記録によると右証人尋問もその後異議なく行われたことが認められる。そこでその適否について考えてみると、起訴せられない犯罪事実についての証拠調は被告人の防禦の範囲を拡張することは免れないけれどもその立証事項が起訴事実と関連があり、且これを取調べることによつて起訴事実につき偏見または予断を生ぜしめる虞れのない場合はその証拠調を違法とすることはできないものと解すべきである。ところで本件においては所謂殺人未遂事件について行われたという前掲各証拠を綜合して考察すると、公判調書並に証人尋問調書には殺人未遂事件そのものの証拠調を請求する

かのような記載があるが、それは表現または記載が妥当を欠くに止まり、究極の立証とするところは右殺人未遂事件を起訴にかかる本件強盗致死事件と関連ある一連の行為として前者を証明することによつて後者の犯意と情状特にその計画性を立証しようとしたものと認めるのが相当であり、右証拠は何等関連性のない前者を証明することによつて後者の犯罪を臆測推断させるものとは認められないから右証拠調を違法があると主張する論旨は採用し難い」（高松高判昭三〇・一〇・一一刑特二・二一・一一〇三）。

右の場合に、何故殺人未遂についても起訴しなかつたのか。これがまず問題であろう。いずれにしても、ノーマルなやり方ということはできない。

（三）　起訴事実以外の犯罪につき証拠調が行われたが、その後当該犯罪について追起訴がなされたときはどうか。次のような判例がある。

【133】　「追起訴以前に追起訴の内容たるべき事項が審理の過程において取調べられたときは、裁判官に予断を生ぜしめる虞あるものとして本件における前記各被告人等の供述調書の取調に、右法条（注、刑訴二五六条六項、三三八条四号）を類推適用し得るか否かの問題を生ずるのであるが、前記審理の経過のように、本件について検察官から原判示第一事実の外に追起訴の事実があることが明かにされたのは第三回公判期日の終においてであつて、各被告人等の供述調書の取調が行われた第一回公判期日には、追起訴が行われることが明かとなつていなかつたのであつて、このような場合に右各被告人等の供述調書を証拠調したとしても（被告人及び弁護人は右証拠調に同意している）右法条を類推適用すべきものではない。……なお、第四回公判期日において、前記追起訴に係る事実について、起訴状が朗読され審理が開始された以後においては、既にこの事実に関する各被告人等の供述調書が他の事実たる判示第一事実の関係において、取調べられていて宛かも、裁判官に予断偏見を生ぜしむべき虞ある事項が起訴状朗読前に取調べられ、起訴状一本主義に反

し、訴訟手続の法令違反を生じているが如き外観を呈するものであるが、一般に先の起訴事実について審理が相当進行した後追起訴が行われ、これを併合審理する場合においてはこのような事態は訴訟手続上避け難いところであるから、追起訴の審理以前の手続として先に適法に行われた訴訟手続は爾後の追起訴の審理によつて遡つて違法となり、訴訟手続の法令違反を来すことはないものと解すべきである（審理の更新、差戻後の第一審手続と同様起訴状一本主義の例外と考うべきである」）（東京高判昭二七・二二・一特二九・一九）。

【134】「本件については㈠昭和二五年一一月二五日附起訴状と、㈡昭和二六年一〇月三〇日附追起訴状とが存在し、㈠は昭和二六年九月一四日の原審第四回公判期日に検察官が朗読し、㈡は同年一一月一六日の原審第六回公判期日に検察官が朗読し、以後併合審理されたものであるところ、右第四回公判期日において㈠の公訴事実の証拠として所論各書証が取り調べられたが、そのうち被告人に対する司法警察官作成の第八回供述調書以外のものの中には……㈡の公訴事実に関するものも包含しており、右第八回供述調書は㈡の公訴事実に関する供述記載のみであることはまことに所論のとおりである。しかしながら第四回公判期日当時はいまだ㈡の公訴は提起されていないのみならず、裁判所にはこれが起訴されることが明らかになつていた形跡は勿論認められないし、検察官においてもこれを起訴する意図があつたという確証は本件記録によつては、認められない。従つて右は㈡の起訴状に添附されたものとは当然認められず、又検察官において証拠として取調を請求する意図のないものとも認められないから、右証拠調は格別刑事訴訟法第二五六条、第二九六条に違反するものとは認められない」（東京高判昭二七・六・三〇特三四・九一）。

この二件は全く同趣旨である。私は、結論そのものは支持するが、理由については問題があると思う。問題の証拠の取調が行われたときに検察官の追起訴の意思が明らかにされていなかつたことは、この手続を違法とする理由にこそなれ、手続をジャスティファイする根拠にはなり得ない。私は、追起訴によつて証拠の提出ならびに取調の違法が治癒されると考えたい。

## 六　その他の手続と予断排除

### 一　第一審の途中で事件が移送された場合

刑訴三三二条による事件の移送は、証拠調がかなり行われた後の段階でなされる場合がありうるが（これに反し、刑訴一九条による移送は、証拠調開始後はできないから、かような問題は生じない）、移送を受けた裁判所は、いわばそれまでの手続を引き継ぐ形をとるから、公判調書や取調済の証拠なども送られる。これが起訴状一本主義に反するかにつき、

【135】「本件は窃盗被告事件として徳山簡易裁判所に起訴せられ、公訴事実に対する審理がなされた以上、検察官から訴因、罰条の変更請求即ち、窃盗をもつて訴因として起訴せられた公訴事実を、業務上横領と変更する旨の請求があつたのであるが、右は公訴事実の同一性を害しないから適法なものというべく、同裁判所もまたこの見解に従い……山口地方裁判所徳山支部にこれを移送したものである。このような場合においては事件は……移送決定のあつた当時の状態において、山口地裁徳山支部に係属するに至つたものというべく、従つて徳山簡易裁判所における公判調書証拠書類等は、当然山口地方裁判所徳山支部に引継がれるものであつて……、されば……徳山簡易裁判所における公判調書等の添附をもつて、裁判官に事件につき予断を生ぜしめるとなす所論も理由なきものといわなければならない」（広島高判昭二五・一〇・二八特一四・一五一）。

移送があつたときは、裁判官全員が交替したのと同じなのであつて、右の結論は当然である。

### 二　破棄差戻・移送後の第一審と予断排除

【136】「所論は本件の差戻後の審理の第一回公判において検察官は起訴状の謄本に基いて訴因を朗読した後において差戻前の訴訟記録を取寄せて公判廷に顕出すべかりしに拘らず第一回公判期日前に訴訟記録が裁

判官に読まれ証拠が予知せられて裁判に対する予断が形成されて公平な裁判が期待し得ない状態に置かれたから訴訟手続に違法あると同時に憲法第三七条第一項の規定に反するというのである、しかしながら差戻後の第一審の審理は破棄された判決直前の訴訟段階において更に審理をやり直すのであつて即ち審理を更新するものと解する、審理の更新は検察官の起訴状朗読以降の手続を反覆するのであるが更新前の訴訟行為は口頭主義、直接審理主義を害する限度においてその効力を失うのであるから証拠調の請求、証拠決定の如きはその効力を失わないものというべく裁判所は敢えて差戻前の訴訟記録を取寄せて公判廷に顕出すべきものではなく差戻前の証拠決定に基いて証拠調を施行すれば足りるのである、されば所論のいう差戻後の第一審の第一回公判期日前に訴訟記録が裁判官に読まれ証拠が予知せられて裁判に対する予断が形成されて公平な裁判が期待し得ない状態に置かれたとの非難は全く当らないものである」（名古屋高判昭二五・七・二九特一一・九七）。

【137】　「破棄差戻又は移送に係る第一審事件の訴訟手続に関しては通常の第一審事件の訴訟手続に関する各種の規定をその儘適用することができないことは、事件の性質上当然である。即ち破棄に係る事件の審理は最初の第一審及び控訴審において作成された記録並びに証拠物にもとずいて行われるべきであつて、所論のように再び起訴状一本主義に戻つて、審理すべきものではない。蓋し、裁判所法第四条によれば、上級審の裁判所の裁判における判断はこの事件について、下級裁判所を拘束するものであるから、破棄後の第一審の裁判所は従前の第一審の訴訟手続、事実の認定、判決及び控訴審その他上級審のこれに対する判断を示す判決を訴訟記録及び証拠物について調査することが要請されるからである。……従つて、原裁判所が、予め本件について、記録を調査し、当事者の証拠調の請求を待たないで、審理の更新の場合のように、従前の訴訟手続の結果を法廷に顕出する意味で、職権によつて前記のように証拠調をしたからといつて、裁判所の職権に因る証拠調が補充的であるべきであるとの要請と矛盾することなく、所論のような違法は全く存しない。以上説明の通りであつて、破棄後の第一審の訴訟手続においては起訴状一本主義による要請即ち裁判官に対し、予断を抱かせないための各種の規定はその適用を排除せられているものと解するを相当とするから、破

棄後の手続にも起訴状一本主義に関する規定の適用があることを前提とする所論はすべて失当である」（東京高判昭二五・一一・一七特一四・六）。

【138】「差戻後の第一審裁判所は所謂起訴状一本の状態にまで引き戻して審理を開始して判決しなければならないものでないことは、已に刑事訴訟規則第二一七条の予定するところで且つ当裁判所の……判決（註、【137】の判決）の示すところである。……今にわかに、この判例をくつがえす要を見ない。蓋し起訴状一本主義の精神は差戻後の審理においても、これを尊重すべきである。しかし他方訴訟の促進、訴訟経済の点も考慮しなければならない。それで差戻後においては裁判官に予断偏見を抱かせるおそれある資料が他の証拠の前に記録に編綴してあるときは問題であるが、そうでないとき、例えば自白調書が他の調書と共に記録に編綴してあつても、これを記録から取りはずす必要はない。裁判官はその判断に拘束される上訴裁判所の判決を閲読した後は記録の一頁から閲読するのが普通であるから他の証拠が、自白調書の前に編綴してあるときは、これを閲読しないでその後に編綴してある自白調書を先ず閲読して、心証を形成し、事件に対し予断偏見を抱くおそれがない。本件においては自白調書のように最初にこれを閲読すれば裁判官に予断を抱かせる資料が他の証拠の後に編綴してあるから所論のように従前の証拠書類は取りはずして又証拠物も検察庁に送付し起訴状一本の状態にまで引き戻した上公判の審理を開始しなければならないものと解することはできない」（東京高判昭二七・二・二六刑集五・三・三五七）。

破棄差戻・移送後の第一審において、狭義の起訴状一本主義を採用しえないことは当然である。その意味で以上の判旨は正当であり、最近では問題となつていない。しかし、予断排除の原則の趣旨そのものは、あらゆる手続において尊重されねばならぬことを忘れてはならない。【138】がこの点を強調していることは、この意味において注目されてよい。

## 三　控訴審と予断排除

【139】「刑訴法第二五六条第六項は起訴状に関する制限の規定であつて、控訴審の審判に準用せらるべきものではないから、仮に右趣意書に記録及び証拠に基かない事実を記載したとしても、かかる主張は控訴の理由なきものとして排斥せらるるは格別、これを以て憲法第三一条第三七条に違反するものとなす能はざるは勿論、かかる主張に対し撤回を命ずべき法律上の根拠がない」（東京高判昭二八・一一・一九判タ三六・四二）。

◇引用文献（太字は引用略称）

**青柳**文雄・新訂刑事訴訟法通論（昭三七）
小野清一郎外三氏・刑事訴訟法（ポケット註釈全書）（昭三〇）＝**小野等**
**岸**　盛一・刑事訴訟法要義（昭三六）
**栗本**一夫・改訂刑事証拠法（昭二五）
**高田**卓爾・刑事訴訟法改訂版（昭三四）
団藤重光編集・法律**実務**講座刑事編Ⅰ—Ⅻ（昭二八—三二）
**長島**　敦・刑事訴訟法（法学全書）（昭三一）
**平野**竜一・刑事訴訟法（法律学全集）（昭三三）
**宮下**明義・新刑事訴訟法逐条解説Ⅱ（昭二四）
**横井**大三・新刑事訴訟法逐条解説Ⅲ（昭二四）
**横川**敏雄・刑事裁判の実際増訂版（昭二八）

# 刑事裁判における自由心証

青柳文雄

# はしがき

自由心証に関する判例を分類して実務の参考に供するという仕事は難しい仕事であると感じた。そこにいわれている判例というのが刑訴四〇五条二、三号などに用いられている法令の解釈を定めたものと必ずしも同じでなく、もつと広い先例という程度の意味であることもその一つであるし、自由心証に関する判例といえば少くとも裁判の中心部分をなす事実認定はすべてこれに関連するのでその資料が余りにも多くて手がつけられないということも他の一つである。

実務家は毎日の仕事でこの問題と取り組んできていて、さまざまな困難を乗り越えて事実の認定に当つている。また司法修習生は証拠の証明力について講義、討論、起案等々を通じて経験を積むことを要求される。しかし、この判例を分類してみて結局これら判例に現われてくる自由心証のいくつかの原則は、結局は既に獲得された裁判官の心証の一応の説明ではあるが、その全部を尽してもいないし、まだそれが唯一の基礎でもないのだということを改めて考えさせられるほかはなかつた。殊に供述の証明力の評価についてその感が強い。供述調書が供述をそのままに伝えていないこと以上に、判決文に表示された理由も裁判官の心証をそのままに現わしているわけではないであろう。しかも本書への引用は紙数の関係からその一部を摘録するほかはないことになるので、その傾向をいよいよ強くする。この仕事は当初自由心証と経験則というしぼりをかけて綜合判例の一つとしてふさわしいものにしようとしてお引き受けした。しかし、経験則ということが余りに広く自由に使われ過ぎているので途中でこれを改めても少し広く自由心証に内在し又はその外郭を構成する原則的なものに拡げることの御了解を得てこのようなものに纏められた。甚だ不十分なものではあるがこれまで余りない分野なので御利用いただければ幸いである。

## 一　まえがき

刑訴三一八条に表明されている自由心証主義は、近代文明国家が例外なく採用している証拠法則であつて、証拠の実質的な価値の判断を裁判官の良識に期待する主義である。法定証拠主義が証拠の実質的な価値を立法者が決定するのに対し、このような脱皮が行われたのは一八〇八年のフランス治罪法以来であつて、法定証拠主義が被告人の自白又は二人以上の証人の一致した証言があれば有罪にしなければならず、またこれらを欠けば有罪にできなかつたことの反動として成立したものである。法定証拠主義の時代には自白を得るための強制、拷問が行われたのに対して市民の自由を強調する近代の意識がこれを堪え難く感じたのによることでもあるが、宗教犯罪のような主観面が極度に重視される犯罪の廃止、法益侵害という結果の重視が科学の進歩と相まつて証人の供述、証拠物による証明を次第に容易にしたことも自由心証主義の採用に有利な影響を与えている。

自由心証主義による場合であつても陪審裁判殊に英米法のそれによる場合と職業裁判官の裁判による場合とではかなり異つた様相を呈する。陪審による場合には「民の声は神の声である」との法諺にもある通り、陪審の直感的判断を尊重して判決での証拠説明を要求せず、またその判断は終局的であつて上訴による再審査を認めないのであるが、職業裁判官の裁判による場合は判決での証拠説明が必要とされ、また上級審による事実点の審査が行われるのが一般である。英米法の陪審の場合には右のような制約がない代わりに証明力を誤る危険のあるような証拠の証拠能力を排除し、イギリスの場合にはこれに加えて裁判官による証拠価値の説示を認め、この説示の誤りに対して上訴を許すことによつて事実誤認の危険を排除している。わが国の場合には陪審制度は採用していないが、証拠能力の制限を設け、また判決での証拠説明、事後審としての上訴審の審査をも認めている。証拠能力の制限が立法によつても、また解釈によつてもかなりゆるめられているのは、誤判の危険が陪審にくらべて少ないので、証拠能力の制限は手続の公正という点に重点をおいて観察すれば足りるとするからであろう。そのために自由心証に委される証拠資料の範囲殊に伝聞証拠許容の範囲は英米法にくらべて拡張される。

裁判における証明は歴史的証明であつて論理的証明ではない。それは客観的には常に蓋然性であつて、これと異る認定の余地があるのが普通である。基本的な判例に次のものがある。

【1】「訴訟上の証明は、通常人であれば誰でも疑をさしはさまない程度に真実らしいとの確信を得させるもので足りる」(最判昭二三・八・五刑集二・九・一一二三)。

そのようなものであるから主観的には裁判官の確信であつても客観的には異る判断を容れる余地のあることが一般である。それ故にこそ裁判官の自由心証も証拠判断の恣意性を意味するものであつてはならない。自由心証の外枠には経験則による制約がある。その制約は個々の証拠の判断についても、これら証拠の綜合判断についても存在する。自由心証という場合には証拠の信用性の判断についても、その信用性があるとされた証拠からどのような事実が認定できるかという論理関係の判断についてもいわれるのであるが、信用性の判断は三段論法だけでは分析できない直感と経験と論理の相互作用の結果であるだけに経験則による制約の余地に乏しいのに対し、論理関係の判断には経験則による制約の余地が相当にあるように見える。

自由心証に関する判例を分析するに当つてはこのような個々の証拠資料に関する判断、綜合判断について検討するほかに、判例に屢々現われる犯意、常習性の認定に必要とされる証拠、その他訴訟法的な事実として実体的な事実の認定に直接関係があるような自白の任意性、伝聞証拠の特信情況についての判断にも論及すべきであろうし、立証趣旨と証明力との関係を検討するほか、判決の理由として証拠の証明力に言及したものについて研究をし、最後に控訴審の事実誤認の判断、更には再審開始に関しての自由心証の控制に関する判例にも論及したいと考える。

## 二　自由心証と経験則

### 一　自由心証が経験則に反するものであつてはならないことは学説判例ともに異論がない。

【2】　「凡ソ裁判ハ其ノ民事タルト刑事タルトヲ問ハス争アル事実ニ付テハ訴訟手続法規ノ定ムルトコロニ遵ヒ事実ノ真相ヲ究明シ公正妥当ナル判断ヲ為スヘキモノナルコト論ナキトコロナリ只夫レ民事ハ私権ノ有無存否ニ関ス従テ当事者ニ或程度ニ於テ訴訟手続上ニ在リテモ亦処分権ヲ認ムルノ結果事実ノ確定カ時ニ或ハ真実ニ合セサルコトアルハ数ノ免レサルトコロナリ反之刑事ノ裁判ハ実体的真実発見ヲ主義トシ裁判所ハ職権ヲ以テ被告事件ニ付諸般ノ取調ヲ為シ事実ノ真相ヲ究明シ其ノ有罪無罪ヲ断スヘク其ノ有罪ヲ認定スルニ当リテハ必スヤ証拠ニ依ルコトヲ要スヘキモ其ノ証拠ニ如何ナル証明力ヲ付スヘキヤ実験上ノ法則ニ反セサル限リ一ニ裁判官ノ自由ナル心証確信判断ニ委セラレタルコト刑事訴訟法第三百三十七条ノ精神トスル

トコロナリ」(大判昭八・一〇・一九 刑集一二・一八二八)。

【3】「論旨は、原判決挙示の証拠の一々について、何れも証拠価値のないものであることを述べ、原判決が、被告人に有利な証拠を顧みないで右のような価値のない証拠によつて犯罪事実を認定したことを以て、採証の法則を誤つたものであると主張している。しかし個々の証拠単独では、犯罪事実を認定することができない場合でも、それ等を綜合して犯罪事実を認定することを妨げるものではない。原判決は、挙示の数個の証拠を綜合して犯罪事実を認定したのである。元来証拠の取捨選択並びに事実の認定は、原審の専権に属することであつて、その間に経験則に反することのない限り、上告審に於て、これを違法として破毀することはできない。然るに本件の原審についてみると、採証から犯罪事実の認定に至る迄の過程に於て経験則に反するという程の欠陥は認められないから、これを違法とする訳にはゆかない」(最判昭二三・一一・一六 刑集二・一〇・一五四九)。

二　これらの判例は何れも大審院又は最高裁による自由心証の控制の限界について説明したものであるが、何れも旧刑訴の時代であつて、大審院のものは事実審理開始決定を行つて覆審として審理するのでなければ事実誤認の判断はできなかつた当時のものであり、最高裁のものは刑訴応急措置法によつて事実判断ができなくなつていた当時のものである。経験則に違反するということになれば法律問題として法律審たる上告審に持ち込むことができるために経験則違反の有無が争われることになる。現行法では事実問題は控訴理由として認められているし、上告理由にこそならないが、広汎な職権破棄事由(刑訴四一一3・4)となつているので、経験則違反としたところで同じ職権破棄事由に過ぎない(同1)し、自由心証が経験則の限界を超えたと論じても、自由心証そのものの誤りを論じても余り差がないことになつた。そのためか経験則違反という言葉自身が従前程多くは用いられなくなつたし、用いられる場合も事実問題と法律問題の限界を劃するという重大な意味を伴って用いられてはいないように思われる。その点民訴(民訴四〇三)とは異る。殊に判例中経験則違反がないとしたものは論旨に経験則違反という用語があったかどうかという偶然の理由によるのに過ぎないことが多いので、以下主として経験則違反があるとした判例を挙げて経験則の輪郭を素描してみよう。

【4】「原審公判調書ヲ閲スルニ本件ニ付最初裁判長カ第一審判決書ニ於テ認定シタル第三事実(一)乃至(十)ヲ告知シ其弁解ヲ促シタル所被告ハ之ニ対シ概括的ニ相違ナキ旨ヲ答ヘタルヲ以テ被告ハ公訴事実ヲ肯定シタルカ如シト雖後段裁判長ノ釈明ニ対シ被告ハ安来銀行荒島支店員ハ皆私カ当時営業ニ失敗シ財政窮迫シ居リタル事情ハ能ク知リ居リ殊ニ同支店ノ為替係中田令一トハ別懇ニ交ハリ居リ此ノ貨物引換証ノ空券ナルコトハ打明ケテ話シテ居リマシタノテ何事モ云ハス荷為替ノ取組ヲシテ呉レタル旨ヲ供述シアルヲ以テ被告ハ詐欺ヲ否認シタルコト明白ナレハ被告ノ供述ノ全趣旨ニ徴シ被告ハ所論事実ヲ供述シタルモノト為スコトヲ得サルナリ故ニ原判決ハ被告ノ裁判長ノ告知ニ対シ概括的ニ答弁シタル供述ノ一端ヲ捉ヘ来リ被告カ為シタル供述ヲ其ノ反対ノ趣旨ニ解シ之ヲ証拠ニ援用シタルモノト云ハサルヘカラス惟フニ証拠ノ解釈並其ノ取捨判断ハ事実承審官ノ職権ニ属スル所ナルモ其ノ解釈ハ実験法則ニ照シ合理的ニシテ事実上適切妥当ナラサルヘカラス然ラハ原判決カ被告人カ為シタル供述ヲ其ノ反対ノ趣旨ニ解シ之ヲ断罪ノ資料ニ供スルカ如キハ其ノ採証ニ関シ違法アリト云ハサルヘカラス」(大決大一五・五・二八裁判例一・刑四七)。

【5】「刑事訴訟法が第三百十九条の規定を設け、且つ同法第二百九十一条第二項及び刑事訴訟規則第百九十七条の手続を定めた所以のものは、久しく権威主義的訴訟制度の下に推移して来た我国において、法的自覚の十分でない被告人が不用意の中にその防禦権を不当に損なわれることのあるのを深く憂えたからに外ならない。それ故に、裁判所は刑事事件を審理するに当つては、常にこれら規定の趣旨に則り被告人の不熟練を補つてその防禦に万全を尽くさせるように力め、かりそめにもその不用意の中に蒙むることのある不利

益を看過するようなことがあつてならないことは勿論である。従つて裁判所は、公判期日において被告人が犯罪事実に相違ない旨述べたような場合においても、その陳述が果してその真意に出たものであるかどうか、殊に犯罪事実の内容である各要件を十分認識理解してこれを述べておるものであるかどうかを検討した上でなければ容易にこれを受容れるべきではなく、若しこれについていささかでも疑問があるようなとき又はその後の取調によつてかかる疑問が生じたようなときには、或いは具体的に詳しくこれを問い質し或いは反対質問を試みる等の方法を以て、十分にその真意を釈明することの労を厭うべきではない。（中略）原審において右被告人の冒頭陳述の後証拠として順次朗読せられた書類の中の被告人及び原審相被告人島谷照蔵の各供述調書の内容は所論に詳細援用する通りであつて、これによれば、公訴事実中特に第一、第二事実の犯意については被告人の右陳述と甚だしくその趣旨を異にするものであり、しかも原審が取調べたその他の各証拠に照らしてもこれらの記載が不合理で信用できないものとは容易に考えることができないものであるから、これを前記被告人の冒頭陳述と考え合わせるときはその間の不一致ひいて右冒頭陳述の真意に出たものであるかどうかについて何人も疑を起さないわけにはいかないものである。従つて原審としては、よろしくこの点に思を致し、前述のように重ねて被告人に対して必要な釈明を行うべき筈であつたのに拘わらず、原審はその後の取調においても犯罪事実については少しも被告人の陳述を聴くことなく、漫然その審理を終て、しかも前記のように、判決に当つてこの真実に出たものであることの疑われる被告人の冒頭陳述と被害届等とのみを以て犯罪事実を認めたものであるから、原審は所論のように審理を尽さず経験則によらないで事実を誤認した違法があると同時に、真意に出たものでない疑のある自白を証拠とした違法があるものと謂わなければならない」（東京高判昭二五・五・二六刑集三・二一・二〇一）。

公判手続冒頭の犯罪事実認否の陳述自体が証拠になることは略々通説（異説として高田・刑訴二三〇頁）、判例（最判昭二六・七・二六刑集五・八・一六五二）となつているが、通常極めて短い陳述であつて十分に真意を表明していない場合があり得る。

旧刑訴手続における大審院判例は冒頭陳述と被告人訊問における供述との矛盾を捉え、新刑訴における高裁判例は冒頭陳述と証拠調された供述記載との矛盾に注目し、何れも明白に否認したか又は自白したのでないと何人も疑うような場合には、これを自白として取り扱うことは実験則に反するとしている。証拠の信用性と狭義の証明力の双方に関連している場合である。

**三** 法定証拠主義から自由心証主義に移った以上証拠の取捨選択が経験則に反しない限り裁判官の自由心証に委ねられることは当然である。伝聞証拠が原則として排斥されて公判廷で反対尋問を受けて供述した証人の供述又は被告人の供述等によつて事実を認定する建前となつた現行法の下であつても憲法の保障する被告人の審問権を侵さない限り、公判廷外の供述をどれだけ証拠にしようと、またそれだけで事実を認定しようと経験則に反する事実認定であるということはできない。公判廷外の供述が証拠能力を認められている限り、相矛盾する公判廷の供述とその何れを採用するかは自由心証に委される。もし公判廷における反対尋問が真実を発見する唯一、最上の方法だとの仮説に従うと、公判廷の供述を措信しないで公判廷外の供述を採用するのは論理の矛盾であるが、刑訴の伝聞証拠排斥の例外規定はそのように徹底した理論をとつているわけではないし、公判廷における反対尋問は手続の公正の理想から来るものと考えれば（青柳・刑訴通論六八四頁）、伝聞証拠の例外の広いことは理論的な矛盾ではないことになる。

**【6】** 「論旨は、原裁判所はその公判廷において取り調べた証人の証言を全部採用せず少数の証人の副検事に対する公判前の供述調書を採つて事実を認定している。証拠の取捨選択は裁判官の自由に委されている

のであるから右の事実のみを以つて直ちにその当不当を速断することはできないが、二十人近い公判廷での証人尋問の結果を全然無視し、検事調書のみに依存したことは自由の限界を逸脱していると主張する。被告人、証人等の捜査官に対する供述とそれらの者の公判廷における供述とが相反する場合、そのいずれをより真実と認めいずれをより多く措信するかは、裁判官に課せられた重い任務であつて、一つに裁判官の英知と苦心を要するところのものであり、かつその評価はひとえに裁判官の正義感と良心の発露に基くべきものであると共に条理又は実験則の法則に合致するところのものでなければならないのである。これが自由心証主義の根本をなすものである。この自由はあくまで真実発見のため他から制限を受けない意味の自由であつて、かりそめにも専恣安易を許す自由であつてはならないものであることは言を俟たない。この裁判官の正義感と良心によつて具体的事件に則していずれの証拠を排斥するかという評価がなされ、それが条理又は実験則に反しない限り、公判廷における被告人及び証人の供述を全部排斥し、これと相反する内容の警察官、検察官作成の供述調書のみを採用しても、何ら自由心証の原則に反するものということを得ない」（東京高判昭二九・五・一三特四〇・五九）。

このように公判廷での供述を全部排斥し、公判廷外の供述に依存しなければならない事件はそれ程多いわけではない。公判廷で宣誓の上であつてもなお虚偽を述べることを必要とする種類のものとしては傷害、恐喝、選挙違反の証人に多い（岸—横川・事実審理一四八頁）といわれるし、公安事件もその例外でない。それ以外に公判廷外の供述を証拠とする方がより便利であることはある。例えば上級審の審査に当つてよくその批判に耐えるような完全性を備えているとか、証人が公判廷では不必要な警戒心から明白な供述をしないとかいう場合である。法の理想としてはこのような場合は公判廷の証人尋問の方法を工夫することによつて、公判廷の供述を採用すべきであろうが、公判廷外の供述に依存したからといつ

### て経験則に反する証拠の取捨判断であるとすることはできない。

### 四　証拠判断そのものもまた経験則に反することは許されない。

【7】「もとより、証拠の採否は原審の自由心証に任されているところではあるが、自ら一定の合理的な限界があるものと解すべきものであつて、右の合理的な限界を超え経験則に違反した証拠の採否をした場合においては、採証法則に違反し延いて事実誤認を来たしたものというべきである。原審の証拠の採否について検討すると、被告人小池の本件起訴事実に対する公判廷の自白（犯罪の場所について異つているが、犯罪場所の相異は特段の事情がない限り、公訴事実の本質的部分を為すものでなく、同被告人の自白を以て本件窃盗の公訴事実の自白であるとするに何等の妨げもない）は、極めて有力な証拠であるというべきであり、これに前記のように氏名不詳者ではあつても、被告人等以外の他人の所有と認むべき物品が現存し、且これを被告人小池がその窃取したと自供した時間の直後に所持していて巡査から職務質問され、その答弁が虚偽であることが判明したこと、同人の正当の所持に属する理由が明確でなく、従つて、犯罪によつて得た物品であることの疑が極めて濃厚であつたこと、被告人小池は職務質問後巡査をだまして自宅に逃げ帰つたこと、被告人両名は当日同一の行動をしていたことが推測されること等直接証拠ではないにしても極めて有力であると考えられる間接証拠乃至情況証拠があつて右公判廷の自白を補強して、本件公訴事実は犯罪場所を被告人小池の供述の如く変更してこれを全面的に認めるに足るものと解せられる。然るに原審は被告人小池の逮捕以後公判廷迄の供述の変更のあつたことを理由として右公判廷の自白を措信できないとしているが、右逮捕以後公判廷迄の同人の供述調書の内容も細かに検討すると、前後に供述の変更、矛盾撞着もないではないが、その変更、矛盾撞着はさして本質的なものでなく、前記説明のように、公判廷の自白と併せ考察すると、結局公判廷における自白に至る経過を明かにし、これを裏付けるものと見られるのであつて、原審が右のような供述の矛盾を根拠として公判廷における自白を排斥したのは、証拠の採否における合理的な限界

を超え経験則に違反した違法があり、延いて、事実の誤認を来したものといわなければならない」（東京高判昭二六・一二・二四特二五・一一三）。

### 五　供述それ自身が経験則に反する内容である場合は証明力がない。

【8】「原審が原判示の事実を認定するの証拠に供した証人正富豊の供述中には同人の経験上濁酒は仕込んだ原料の一・七倍以上に製造することができるかの如き趣旨に解せられる部分があるが、然し同人の供述全体の趣旨をよく吟味すると、同人が被告人方に於て本件の捜査に当つた際、被告人が密造していた濁酒の量は原審証人宇治博と量つたところ、何れも原判示の如くであつた。仕込んだ原料は被告人が原判示のとおり述べたので之によつたのであるが、同証人は仕込んだ原料の量目に対し、製造した濁酒の量が一・七倍から一・八倍になるので、仕込みの数量が違うのではないかと再三尋ねたが、被告人が仕込んだ数量に間違いはないといいましたので、被告人の云つたとおりを書類に書いた旨の供述をしてをるところから察すると、同証人は被告人の云つた仕込みの原料の総量に比して現につくり上げられている濁酒の量が多すぎるので、不審に思つて被告人に仕込みの原料の数量が違つているのではないかと再三尋ねたとの趣旨をあらわしたものであつて、被告人が仕込みをした原料の約一・七倍乃至一・八倍の濁酒が出来ると断定したものとは解せられない。同証人の供述中にこれだけの仕込みの数量ならば、もう少し沢山の濁酒が出来る筈だがとあることと及び前記の仕込んだ原料の量目の一・七倍以上の濁酒が出来る根拠は私等の経験上そうなるとあることは前後の関係上何かの誤解と解せられる。仮りに然らずとすれば此の供述は経験則に反する供述であつて証拠価値はないものということが出来る」（広島高岡山支判昭三〇・九・六刑集八・六・八七九）。

## 三　証拠の信用性と狭義の証明力

一　証拠の証明力は、証拠の信用性と狭義の証明力に分れる。個々の証拠についての検討は次項にゆずつてここでは証拠一般について検討することにしたい。証拠の信用性は単に論理的なものでなく裁判官の直感と経験によつて判断されることが多いので信用できないことはないという判示はあつても、積極的に信用できることを論理的に明らかにしたものは極めて少ない。殊に公判廷の供述そのものはその証人の態度、口調を直接見聞したところによるものが多いので判例としてはその数は僅かである。

【9】「弁護人は本件については昭和二十四年七月三十日原審公判で多数の証人が取調べられたのであるが、裁判所はまず証人高岡敬治、望月元治を訊問し次で証人沢田菊治郎を訊問したところ同証人は被告人に利益な供述をし警察に於ける被告人に不利益な供述をするに至つた事情を述べたので検事より偽証の現行犯として逮捕せられ、その後に取調べられた多数証人は警察や検察庁でした供述と異る供述をすれば沢田菊治郎同様の厄にあうことを恐れ真実に反して供述したと主張するけれども凡て証人は宣誓した以上良心に従い真実を述べるべきもので、若し之に反して供述すれば偽証罪の制裁を受けねばならぬことは取調べに先だち原審裁判所より告げられているところであるから、証人沢田菊治郎が偽証罪の現行犯として検事に逮捕せられたとしても已むを得ないことであつて而もその手続が弁護人主張の如く爾後の証人の尋問の始まる前になされたかどうかは本件の記録では明かでないのであるが（後に尋問を受くべき証人は法廷の外で待機しているので前に尋問を受けたる証人の尋問当時の法廷内の事情はこれを知る機会がないのが普通である）弁護人主張の通りであつたとしても、その措置の当否は別としてかかる検事の処置があつたからとて爾後の証人が全て検事に迎合して真実に反する以前の供述と変らない供述をしたというが如きは必ずしも断定できない原裁判所は合理的な心証に基き爾後の証人の供述を真実であると判断したのであつて、その判断には少しも実験則に反する点は見受けられない」（大阪高判昭二五・六・一五特一三・四九）。

二　立法例によつては偽証罪の前科のある者の証言能力を制限したり、被告人と親族その他一定の関係のあるものについて宣誓をさせない等証明力を別に取り扱うことを前提としての規定を設けているものもあるが、刑訴はそのような制限規定を設けず、すべて裁判官の自由心証に委ねている。証人の年齢については幼年者である場合には往々にして現実と想像、自己の実験と他人殊に家族の者から聞知したことが混同され、虚構の意識なしに客観的には誤つた供述がなされる場合が少なくない。事実を実験してから日時を経過している場合には、当初の供述との比較対照も必要になる。老齢者の場合にも往々にして記憶力の減退から意識しない誤りが混入することがある。精神病者、精神薄弱者についても同様の現象があるがこれらの判断はすべて自由心証に委ねられる。

【10】「証人カ其ノ供述ニ因リ偽証罪ヲ犯シタル事カ刑事判決ニ依リ確定シタルトキハ該証人ノ供述ハ固ヨリ証拠トシテ採用スルコトヲ得サルモノトナルモ単ニ偽証ノ訴追セラレアリトノ一事ニ因リ直ニ証人ノ供述ハ証拠能力ヲ喪失スルモノニアラサルカ故ニ其ノ採否ハ一ニ事実承審官ノ専権ニ属スヘキカ故ニ原審カ所論ノ証言ヲ採用シタルヲ目シテ違法ナリト云フヲ得ス」（大判大一五・一二・一四評論一六民訴二三）。

【11】「裁判所カ訊問シタル各証人ノ証言中真実ナリトノ心証ヲ得タル証言ノミヲ採用シテ裁判ヲ為スコトハ洵ニ当然ノ事ニシテ其ノ証言カ告訴人ニ依リテ為サレタルト否トヲ問ハサルモノナレハ原判決ニ於テ告訴人又ハ其ノ近親者ノ証言ヲ採リ本件ノ罪証ニ供スルコトアルモ何等違法アルモノニ非ス」（大判昭二・五・七評論一六刑訴一一八）。

【12】「正しい証言は、その証人の体験、記憶及び表現のいづれもが正確でなくてはならないのであつて、そのいずれが不正確であつても証言の正確性は保証されない。然し故意に虚偽の供述をする場合は別として、右要素の正確性を欠く場合、例えば見間違い、聞き違い、記憶違い、言い違い、思い違い等は時としてあり得るところであり、総て証言が部分的に誤つていたからといつてそのことからその証人の証言が当然に全面

的に信用できないということになるものではないと考える。それが信用できるかどうかは前述のとおり専らその証言を内容的に又他の証拠と照合検討し合理的に決するの外はない。滝川証人の供述の信用性の評価についても亦何等これと異るところはないのである」（京都地判昭三三・四・一六判時一五二・三九）。

この判決は弁護人が証人滝川幸辰氏の証言を融通無碍とか変転極まりないと非難し、証人の性格から信用できないと主張したのに対して特に判示されたものである。八海事件に関する最高裁の第二次差戻判決も供述者の性格から証言の真実性を否定できないと判示しているが、それは次の通りである。

【13】「原判決は冒頭において、本件有罪、無罪を解決する鍵は、一にかかつて吉岡の供述の信憑力いかんにあるといつても敢えて過言でないと明言している。そして、原判決はその供述の虚言に満ちていることを縷々説明しているのである。当初の犯行否認から、単独犯行説、六人共犯説、五人共犯説、二人共犯説、更に再転して五人共犯説、二人共犯説、五人共犯説、二人共犯説と変転し、最後の五人共犯説を固執するに至るまでの経過を具さに検討し、このように変転する吉岡の心境動機、更にその各場合における客観的状況までも詳しく詮索し、次いで吉岡供述の信憑力の具体的検討と題し阿藤、久永、稲田、松崎の各供述との関連において吉岡の供述を分析解明し、以てその虚言性（原判決によれば、それは彼の生れながらの性格的のものであるという）を暴露し、延いて以て吉岡単独犯行説の結論に資しているのである。成る程吉岡の逮捕以来吉岡の供述は四転五転殆んど底止するところを知らないほどの有様であり、その中には虚言に満ちている部分のあることは、原判決の云うとおりである。例えば六人共犯説、二人共犯説の如きは正にその最たるものであり、また五人共犯説を前提とする供述の中においても、部分的にデタラメのあることは原判決の正当に判示するところである。しかし、ここで裁判官として大事なことは幾変遷した吉岡の供述の中にも、何か真実に触れるものがないであろうかと疑つてみることである（中略）。しかし、記録を反覆熟読すれば、吉岡供述の中には真実に触れ、これを如実に物語つている部分のあることを到底見遁し得ないのである。弁護

人は吉岡は能弁で巧みにデタラメを書くというが、吉岡の物した次の短文は一部に某死刑囚の手記の中の文章を借用した部分もあるが彼の本心を端的に吐露し真実に触れているものがあると認められる」（最判昭三七・五・一九刑集一六・六・六〇九）。

【14】「仮令八歳ノ児童ト雖必スシモ意思能力ナキモノト謂フコト能ハサルト同時ニ刑事訴訟法ハ自由心証主義ヲ採用セルコト同法第三百三十七条ノ法意ニ徴シ明ナルヲ以テ其ノ証言ヲ採用セルト否トハ事実承審官ノ専権トスルトコロナリ」（大判昭八・六・二四刑集一二・九二四）。

【15】「精神病者ノ証言ハ常ニ必ラス之ヲ証拠ニ供スルコト能ハストノ採証上ノ通則アルコトナク唯タ其ノ多クノ場合ニ於テハ之ヲ信用スヘカラサルカ故ニ事実承審官ニ於テ之カ採用ヲ難ンスルニ過キス精神病者ト雖症状ニ依リ時ニ依リ普通人ノ精神状態ト異ナラサルコト少シトセサルヲ以テ其ノ際ニ於ケル証言ヲ採用スルニ何等採証上不当ナリトスヘキ点ナク要ハ自由ナル判断ニ基キ之カ採否ヲ決スヘキモノトス」（大判昭五・二・一三刑集九・一三六）。

【16】「精神病者であつても症状によりその精神状態は時に普通人と異らない場合があるのであるから、その際における証言を採用することは何ら採証法則に反するものではなく、要は事実審の自由な判断によつてその採否を決すべきものである」（最判昭二三・一二・二四刑集二・一四・一八八三）。

次のものは精神薄弱者の直接体験したものであることや虚言癖のないこと、他の証拠に一致していること等からその信用性を肯定したものである。

【17】「よつて案ずるに、右鑑定書によれば被害者宮島きよ子は昭和二十年四月十二日生れであり、事件当時は満十五年七ケ月余であつたが、脳性小児麻痺後遺症のため痴愚級の精神薄弱者であり、知能は精神年令四年六ケ月程度のものであることが認められる。しかしながら知能が精神年令四年六ケ月程度のものの供述といえども、供述事項によつては、必ずしも信用性がないとは解せられない。しかして原審証人大杉い

し、宮島ひさゑの各供述及び右鑑定書によれば、きよ子は言語障害は著しいが簡単な事柄についてはかなりの程度に理解並びに意思伝達の能力があり、また興味のあることや新しい体験についてはある程度記憶力もあつて知らないことは知らないと答え作話癖等の偽記憶はないことが認められる。してみればきよ子に対する証人尋問調書中少くとも、見付のおじちやんが人形買つてくれた。もつと大きい人形を買つてやるからといつてそれからお寺へつれて行かれた。おじちやんに乳をいじられ、ズロースをぬがされてねかされた。おじちやんはズボンを降ろしてきよ子の上に乗つてきたが、とても重かつた。きよ子は泣いたとの旨の記載部分は信用するに足るものであると認められる。なお所論はきよ子が証言したのは事件より約六ケ月も経過した後であるから、同人の精神年令に徴しその記憶が疑わしいというのである。案ずるにきよ子が証言したのは昭和三十六年五月二十二日であり、事件からは五ケ月近くも経過しており従つて、同人の前記知能程度に鑑み、その間における他よりの暗示的影響等について慎重でなければならないことは勿論であるが、きよ子はすでに事件の翌々日頃には母親ひさゑらに対し右摘示部分とほぼ同趣旨のことを話したことが認められるから、きよ子の証言が右期間経過後になされたということだけでその記憶に疑があるとは必ずしもいえない」(東京高判昭三六・一一・二七下級刑集三・一一、一二・九九九)。

右の判例でも証言と実験との期間の長短が問題になつている。このような精神薄弱者の場合、小児の場合などでは認識と想像との混同が期間の経過とともに甚しくなる傾向があつて注意を要する(青柳・刑訴通論六四三頁以下)ことであるが、一般的にも時間の経過は証言の価値を低下させる。事件の審理が非常に長引く特殊の事件では公判廷の攻防も殊に激しいので、僅かに存した記憶が完全に破壊されて実体的真実の発見が妨げられたり、又は誤つて固定化される嫌いもある。しかしまた記憶は時間の経過によつて一律に減退するとは限らないで、特殊の現象と結びついて部分的に保存されたり、一部合理化されたりするものであるから、その価値判断は裁判官の苦心を要するところである。公判廷の供述が証拠の主たるものを占めるのが理想とされる訴訟手続では、証人の記憶の減退の傾向ということが公訴時効制度の存在理由の一半を形成することになるし、迅速な裁判ということは単に国民の印象の薄らがないうちに国家刑罰権を確定させるというに止まらず、証人の記憶の正確性という点からも強調されなければならないことになる。

三　公判廷における供述が前後矛盾するときその何れを採用するかは事実審裁判所の自由心証の範囲に属するし、また公判廷外の供述に変化のある場合にその何れを信用するかも同様に自由心証で決せられる。一方が公判廷の供述であつて他方が公判外の供述である場合には、反対尋問による真実性の吟味を重視する英米法の立場を貫くと公判廷外の供述は唯公判廷における供述の証明力を減殺するためにだけ使われ、独立証拠とすることはできないことになるが、わが刑訴三二一条一項一、二号後段はこのような証拠を独立証拠として取り扱つている。いわんやこのような証拠能力の制限に乏しかつた旧刑訴で公判廷の供述と公判外の供述と矛盾した場合にその何れを採るかは裁判所の自由裁量とされていたことは当然である。

【18】「刑事訴訟法第三百三十七条ニ依レハ証拠ノ証明力ハ判事ノ自由ナル判断ニ任スルモノナルヲ以テ如何ナル証拠ト雖法令ノ制限ナキニ於テハ判事ノ自由心証ニ依リ其ノ取捨ヲ決スルヲ得ヘキハ論ヲ俟タサル所ナリ而シテ同法第三四三条第一項ニハ従来ノ弊ニ鑑ミル所アリ証拠ヲ制限スル規定ヲ設ケタレトモ同項第一号乃至第三号ノ条件存スルトキ及区裁判所事件ニアリテハ該制限ニ従フノ要ナキヲ以テ右ノ条件ニ適合スル供述録取書類ノ証明力ト他ノ証拠ノ証明力トハ其ノ間何等軒輊ナキモノト解スヘク従テ同一人ニ対シ法令

ノ規定ニ依ラスシテ作成シタル供述録取書類例ヘハ検事又ハ司法警察官作成ノ聴取書ニシテ右条件ニ依リ採用シ得ヘキモノト法令ノ規定ニ依リ作成シタル書類例ヘハ予審調書等ノ併存スル場合ニハ各記載事項ノ同一ナルト相違セルトヲ問ハス二者均シク法令ノ認容セル証拠ナルヲ以テ其ノ孰レヲ採用スルヤ若ハ之ヲ併用スルヤハ判事ノ自由ナル裁量ニ依リ決定スヘキモノト解セサルヲ得ス」（大判大一四・五・二一刑集四・三一三）。

【19】「証人ノ供述カ前後相違スル場合ニ於テ其ノ孰レヲ真実ナリト認ムヘキカハ裁判所ノ職権ニ属スル所ナルヲ以テ証人川村富吉カ所論ノ如ク前供述ヲ後ニ変更シタルモノト解スルモ同証人ノ変更前ノ供述ヲ真実ナリト認メ之ヲ罪証ニ供スルコトハ原審ノ採証ニ関スル職権ニ属スルモノニシテ証言ノ趣旨ヲ変更シテ罪証ニ供シタリト解スヘキモノニ非ス」（大判昭四・九・一二評論一九刑訴九）。

【20】「原判決は木村覚に対する司法警察官の昭和二一年八月五日附聴取書中の同人の供述記載を証拠として採用しているのであるが、原審公判調書によると原審は職権をもつて同人を証人として尋問し、同人は論旨摘録の如き供述をしていることは明かであつて、それによると同人の警察における供述が強要によるものであることを疑わせるものであるが、同人は警察で拷問を受けたことはないと明らかに供述しており、なお取調に当つた警察官は木村覚に対して無理な取調をしていないと述べているのである。ところで証人の警察における供述が強要によるものであるという証拠と、それを否定する証拠がある場合にその何れを採るかは一に裁判官の自由心証に委ねられているのである。公判廷の供述であるからと云つて必ずこれを採用しなければならないという法則はないのである。然らば原審が前記証人木村覚の公判廷の供述を採用せずして、警察における供述記載を採用したからといつて、何等所論の如き違法があるものということはできない」（最判昭二四・二・九刑集三・二・一三〇）。

四　現行刑訴は人権の保障と虚偽性排除の見地から強制等不任意の疑のある自白の証拠能力を奪い、また公判廷で反対尋問にさらして吟味した証拠が最良の証拠であるという見地から公判廷外の供述を伝聞証拠として証拠能力を制限した。しかし刑訴は英米法で認められている伝聞法則の例外よりも広い例外を設けているし、この例外の事由があつて証拠能力が認められる場合にはその公判廷の供述と何れを信用するかは裁判官の自由心証に委される。刑訴三二一条一項二号後段が公判廷の供述にくらべて公判廷外の供述を特に信用し得る情況でされたものと認めることを証拠能力取得の要件の一つとしておつて、このいわゆる特信情況は外部的附随事情によらなければならないとの説(平場・講義二〇一頁)と外部的附随事情たることを要するが供述内容はその事情の存在を推測させるとの説(岸・法律実務講座刑事篇五巻一〇二八頁)と内容によつて決めてもよいとの説(この説に属するものの中でも多少のニュアンスがあるが高田・刑訴二四四頁、青柳・刑訴通論七〇六頁)に分れ、判例は内容の信用性によつてもよいとしている(最判昭二六・一一・一五刑集五・一二・二三九三)。この場合に証拠調をする旨の決定をするに当つて特信情況があるとの判断を示した場合でも、それを信用するか否かは弁論終結時の心証によつて定まるから、結局これを採用しないことがあつても何ら妨げるものではない。証拠決定に当つて証拠の全内容を知り尽すことは多くは適当ではないので既にその判断の材料において異るし、証拠調当時と弁論終結当時とでは実体形成が異つてくるのがむしろ当然だからである。

【21】　「原判決は公訴第三事実に付事実誤認の違法があるというのであるが証人上田省三、同屋弥下競、同大石環等の原審公判廷においてなしたる各供述が同人等の公判準備手続における裁判官乃至検察官の面前においてなしたる供述と異つていることは所論の通りであるがその証拠力の優劣はその手続の段階形式によつてきめることはできない」(広島高判昭二六・七・二四特二〇・二九)。

**五**　狭義の証明力即ち一定の証拠から一定の事実の存否を認定できる力についても、個々の証拠については後に検討することにして一般的なものを挙げてみよう。まず直接証拠であつても間接証拠であつても証明力に差異はないとの意味のものに次のものがある。

【22】「我刑事訴訟法ハ証拠ニ関シテハ所謂自由心証ノ原則ヲ採用シ証拠ノ判断ヲ判事ノ自由確信ニ一任スルノ主義ニ従ヒタルモノナルヲ以テ（刑事訴訟法第三百三十七条参照）苟クモ法律上規定セル制限ニ反セサル限リ間接証拠タルト将又情況証拠タルトヲ問ハス採テ以テ事実認定ノ資料ト為スヲ妨ケサルモノトス原判決ノ採用シタル証拠ハ所論ノ如ク総テ間接若ハ情況証拠タルヲ免レスト雖此等ヲ綜合スレハ被告カ判示ノ如キ原因ニ因リ木村某方住宅ニ放火シタル事実ヲ確認スルニ難カラス原判決ノ趣旨又之ト同一ニ出テタルモノニシテ所論ノ如ク単ニ被告カ斯ル行為ヲ為シタルヘシトノ推測ヲ為シタルモノニ非ルヲ以テ原判決ニハ所論ノ如キ採証ノ違法アルモノニ非ス」（大判大一四・三・二五刑集四・一九八）。

【23】「所論被告人等が共同して損傷を加えた事実は原判決の判文自体で明らかなように証拠により認めた事実である。このような証拠によつて認定した事実は又一個の事実として証拠となり得ることは勿論であるから、原判決が右事実を未必の殺意の証拠資料に供したことは違法でない。そして原判決挙示の証拠によれば判示事実を認めるに足るのであつて原判決には所論のような違法はない」（最判昭二五・一〇・一七刑集四・一〇・二〇九）。

これに反して控訴審が検察官の控訴を理由があるものとし破棄自判して有罪にするに当り、一審判決の判示を排斥した理由が推断を積み重ねたに過ぎないものである場合には、その認定は違法とされている。

【24】「この推断的説明は、原判決自からすでに多くの疑を明示しているのであるから、直ちに判示のような事実上の推定に移り得る条件を具えているかどうかきわめて疑わしいのみならず、挙示の証拠と照合し詳細に検討してみても、説示のある部分は証拠を全く飛躍し、またある部分はかえつて証拠と相反し、とう

てい説示のような具体的な経過と推移をすべてそのまま是認するには足りないのであつて、その大部分はひつきよう臆測による仮説と見るほかないのである。もちろん原審自から「推断」といつているから（また「推察」ともいつている）、すべてにわたり直接に証拠の裏づけを要するものではないが、いわゆる事実上の推定の許される限界から考えても、原説示のように証拠からは間接にもまた総合しても推論によつて導くことのできない論結は、これを推断というには余りにも行き過ぎであつて、当裁判所の判例（昭和二三年(れ)第四四一号同年八月五日第一小法廷判決、集二巻九号一一二三頁）の「訴訟上の証明は、通常人であれば誰も疑をさしはさまない程度に真実らしいとの確信を得させるもので足りる」という趣旨にも副うとはいえず、厳格を使命とする刑事裁判においては許されないといわなければならない。あるいは原判決の意図するところは、右推断的説明は、原審が「推察」ともいつているように、はじめから原審が証拠の証明力を越えて組み立てた一個の想定であつて、いわば余論的記述に過ぎず本来の事実認定を判示した部分ではないというにあるかもしれない。しかし原判示は自から本件について多くの疑を示しつつ、なおかつ前記推断的説明をし次で結論に入つたのであるから、右説明は、原審が罪となるべき事実を認定するに至つた心証の基礎を具体的に表示するものと見なければならない。それ故これを結論たる「罪となるべき事実」と引離し不必要な説示に止まるとなすことはとうてい許されないのである」(最判昭三二・一・三一刑集一〇・一・一一九)。

相反する二つの供述がある場合に、それをともに採用してその何れでもない事実を認定することは許されない。これに関する判例としては次のものがある。

【25】　「原審第五回公判で裁判長自らも前後二回に亘つて「全然違う」と云つた「法廷における下沢の証言」即原判決が証拠として挙示する第一審第三回公判調書中における下沢の供述及び前記原審第五回公判における同人の供述と「検事聴取書中における同人の供述」とは互に相反する証拠である。前者は被告人大久保が大滝代議士等の民主自由党えの加盟斡旋方の伝言を証人下沢に頼んだのではないという事実であり、後

者は右加盟幹旋方の伝言を証人下沢に頼んだという事実である。かゝる相容れない事実から「大久保が暗に（下沢に）伝言方を慫慂し因て（下沢をして）その旨伝言させた」と判示事実を積極的に認定したのは証拠上の理由において齟齬あるものと言はなければならない」（最判昭二四・六・一三刑集三・七・一〇三九）。

**六**　供述証拠の内容が分離できる場合にはその中の一部分だけを証拠にすることは差支えない。旧刑訴では判決理由として「証拠」を示すことが要求されていたので、判例も一部を採って一部を排斥しても違法でないといっていたが、現行刑訴のように判決理由としては「証拠の標目」を挙示すれば足りることにされると、この点の判例は判示事実と矛盾する部分は証拠にしなかったものと認むべきであるというようになる。

【26】　「原審ハ所論被告人喜三郎ノ原審ニ於ケル供述ノ前半ヲ採用シ其ノ後半ヲ排斥シタルニ過キス而シテ右前後ノ供述ハ一括シテ分離スヘカラサル一個ノ観念ヲ構成スルモノニ非サレハ之ヲ分割シテ取捨スルモ所論ノ如ク供述ノ趣旨ヲ変更スル結果ヲ来スモノニ非ス」（大判大一三・三・一八刑集三・二二七）。

【27】　「所論は被害者大部栄の死亡当時（昭和二三年一一月一二日）、原判決挙示の鑑定書の記載どおり同人が六ケ月に達する胎児を妊娠していたとすれば、原判決は被告人は昭和二三年七月頃右被害者と情交関係を結ぶに至つたと認定したのは実験則に反するというのである。なる程原判決の証拠説明中に「鑑定人安斎徹の被害者に対する鑑定書中被害者が妊娠六ケ月に達する男性の胎児を有する旨の記載」とあつて、原判決は右鑑定書の記載を証拠にとつていることは明かである。しかし、もともと右鑑定書は昭和二三年一一月一五日平市在住医師安斎徹が裁判官吉井信男の命にもとずき現場において被害者の死体解剖の上作成したものであつて、そのうち同裁判官の命じた鑑定事項の六「妊娠し居るや否や」という項目に対して「……子宮腔には妊娠六ケ月に達する男性胎児を有す……」と述べているのである。即ち右鑑定事項は妊娠の有無につ

いてゞあつて、医学的に正確な妊娠の月数を求めているのではないのである。しかも鑑定書は妊娠六ヶ月と断定した経緯を明示しておらないばかりでなく、死胎によつて妊娠月数を正しく算出しようと思えば胎児の重量と大さとを測定すべきであるのに、本鑑定ではこれを欠き、鑑定書によれば「子宮は妊娠子宮にして大さ小児頭大なり。子宮底の高さ臍部に達す。」「臍帯の長さ二三糎、胎盤の大さ直径一三糎なり。」との所見をしたのみでたやすく胎児は妊娠六ヶ月であるとの意見を附したのである。従つて右は鑑定書の記載自体からみるも妊娠月数の算出としては疎漏の譏を免れないであろう。要するに原判決が「その結果同女は妊娠し」と認定するについて証拠としたところは右鑑定書記載中妊娠月数に関する記載の部分は含まれていないのである。されば原判決の証拠説明としての右鑑定書の記載の指摘が稍々適格を欠いた嫌があつても、之をもつて原判決の認定に実験則違反の点は認めることはできない」（最判昭二八・三・二七刑集七・四・六八〇）。

【28】　「原判決によれば、原審は論旨挙示の証拠によつて被告人が昭和二十四年六月二十三日服部昇の依頼によつて、その贓品たるの情を知りながら白木綿五、六十反を愛知県西春日井郡楠村大字味鋺十八番地の服部昇方から被告人の肩書居宅迄運搬した事実を認定したものであることが明かであり、且つ原審挙示の証拠によつてその判示事実はこれを優に認めるに足りる。尤も被告人の原審公判廷の供述は論旨摘示のように知情の点を否認しているのであつて、この点をも証拠とすることはその判示事実に照合して証拠法則に反するものというの外はないのであるが、その判示事実の内容と挙示された全証拠とを対照すれば原審が被告人の原審公判廷における供述を援用したのは、被告人が単に服部昇から依頼されて判示日時判示場所において本件の物件を運搬したという客観的事実に関する供述に限定する趣旨であることは、容易に確認し得るのであるから原審の措置を以て証拠法則違反乃至理由齟齬があるとする論旨は採用の限りでない」（名古屋高判昭二五・九・八特一三・八四）。

これに反して供述が不可分のものであるときはその一部だけ採用すれば全体の趣旨を異にすること

になるのでそのような措置は許されないことになる。

【29】「原審は、原判決に挙示する証拠を綜合して被告人が判示期間東里村翼壮団長に就任していたとの事実を認定したのであるが、右原審引用にかかる証拠の中、中北敬文に対する検事の聴取書には、原判決摘録の供述に続き、論旨の指摘するような供述記載の存することは所論の通りである。そしてこれを通読すれば明らかであるように、その供述全体の趣旨は、同人は一旦被告人を東里村翼壮団長として県本部に推薦したのであるが、被告人の快諾を得なかつた為め、改めて新開正敬を推薦し直しその承諾を得たというのである。換言すれば、被告人について一旦為された推薦は何等効果をも挙げず取消され、全然無意義に帰したという意味に外ならないのである。証言又は聴取書の一部を措信し、他の一部を採用しないということも、証拠の取捨としてもとより裁判所の自由裁量に委ねられているところであろう。然しそれはあくまでその供述の趣旨を変更することなく独立して分離し得る一部でなければならない。然るに原審は論旨の指摘する通り、首尾一貫して前説示のような趣旨に外ならない右中北敬文の供述記載中、恰も被告人が翼壮支部団長に終局的に推薦せられたものの如く読了し得べき一部のみを摘録して有効な推薦があつたことを窺い得る資料とし、以て被告人の支部団長就任の事実を認定する綜合証拠の一部に供しているのである。果して然りとすれば、原審は証拠の趣旨を変更してこれを事実認定の資料としたものであり、結局虚無の証拠によつて事実認定をしたことに帰着するのである」(最判昭二三・一二・二三刑集二・一四・一八五六)。

**七** 裁判官が専門的知識をもたない事項とか、または偶々その裁判官はその知識をもつていたにせよ一般の裁判官はその知識をもつていないような事項であれば鑑定によつて裁判官の知識を補充し、当事者又は一般国民を納得させることが望ましい。そのような事項であつても日常生活上一般国民ができる判断であるのか、専門家でなければできない判断であるのかは無数の中間段階があつて一概にはいえないし、また規範的事実である場合には鑑定の方法によるまでもないことがある。裁判官にも判断が可能であるから敢えて鑑定を必要としないとされたものに次のものがある。

【30】「ある巻煙草が官製なりや、私製なりやの区別のごときは必ずしも、鑑定を待つまでもなく判別し得るところであるから、原審がこの点に関し被告人等の供述によつて認定し、鑑定の結果を証拠として、挙示しなかつたのを目して証拠によらないで認定したとは言えない」（大阪高判昭二四・一二・二二特四・一）。

【31】「銃砲等所持禁止令に、所謂銃砲とは、同令施行規則第一条第一号に弾丸発射の機能を有する装薬銃砲であつてその主要部分の不足、破損があつても、容易に修理することができ、修理すれば、弾丸発射機能を回復し得るような装薬銃砲をも含むとすること、所論判例の示すところである。そして、その修理可能であるかどうかは、所論のとおり、専門家の鑑定をまつことが望ましいところであるが、事実承審官において、証拠として提出された銃砲を親しく観察し、記録に現われている諸般の事情及び経験則により、修理可能と認め得べき場合は、あえて、その鑑定をまつ必要はないものというべきである」（福岡高宮崎支判昭二五・五・九特九・一一七）。

【32】「本件のような麻薬を不法に譲受けた旨の麻薬取締法違反被告事件に於て、当該物件が果して麻薬取締法に所謂麻薬に該当するか否かを判定するに際つては、必ずしも所論のような化学的客観的方法によらなければならぬと謂うが如き法則はなく、従て原判決のように、被告人及関係人の供述並当該譲受物件の存在を彼是綜合して認定する方法も敢えて之を違法と目すべき謂われは毫も存しない」（名古屋高判昭二五・一一・二〇特一四・九一）。

【33】「このことのために必らずしも科学的判定によらなければ「酒気帯び」の事実を認定することができないという理はないのであつて、運転者の言語振り、歩行状況、直立能力の限度、顔貌の様相、着衣の状態等からする外観的観察と、その者の飲酒した分量、飲酒後の経過時間、平素の酒量等を彼此綜合勘考したうえ、経験則上明らかにアルコールの保有量が同法施行令二七条所定の基準を超え、且つ、その影響により車輌等の正常運転ができないおそれのある状態にあるものと認められる場合には、敢えて科学的判定の結果

を俟つことを要しないものと解するのが相当である」（東京高判昭三八・三・二六判時三三七・四八）。

被告人が行為当時責任無能力者であったか限定責任能力者であったかは、それが規範的事実であるという意味と一般人でも一応の判断が不可能とはいえないという意味とで必ずしも鑑定による必要はないとされている。

【34】「被告人ノ心神状態ニ付鑑定ヲ為スヘキヤ否ヤハ原審ノ職権事項ナレハ原審ニ於テ被告人ノ心神状態ニ付鑑定ヲ為ササリシヲ論難スルハ当ラス」（大判昭一五・四・二二刑集一九・二五〇）。

【35】「原審第一回公判において長尾弁護人は上告人の為めに精神鑑定を申請し、原審がこれを却下したことは該公判調書の記載により明らかである。又原審は同弁護人の心神耗弱の主張に対し、審理の結果により上告人が本件犯行当時心神耗弱の精神状態になかつたものと判断し、その主張を排斥しているのである。そして論旨は(イ)乃至(ホ)の事実を挙げて原審の右判断の不当を論難しているのである。論旨に挙げている事実の中(ニ)に掲記してある上告人の近親者から相当の精神異常者を出していると云う点につき記録を調査すると、第一審証人轟安雄は上告人家の系図の書面（記録添付）について上告人の血縁関係者の中に相当多数の精神異常者があつたことを証言しているのである。被告人の近親者に相当多数の精神異常者があるような場合には裁判官は被告人の精神状態については特に慎重な注意と考慮を払い、その良識により合理的な判断を下さなければならないことは云う迄もないところである。そして苟くも被告人本人に精神の異常を疑はしめるものがあるならば、鑑定人をして鑑定せしめた上これを参酌してその判断を下すべきである。しかし裁判所が事件を審理した結果、被告人の供述、行動、態度その他一切の資料によつて被告人本人についてその疑がないと判断し、その判断が経験則に反しない以上、その判断をもつて違法であると云うことはできないのであつて、被告人の近親者に相当多数の精神異常者があると云う一事によつて直ちにその判断が経験則に反すると論断することはできないのである。本件において原審は前記轟証人の尋問調書について証拠調を

しているのであるから、上告人の近親者に相当多数の精神異常者があることは上告人の精神状態を判断するにつき、十分に考慮に入れていると認むべきである。そして原審は審理の結果により上告人を精神異常者にあらずと判断したもので、その判断が経験則に反するものと認むべき資料はない。又鑑定の申請を却下してかかる判断をしたからといつて、経験則に反するものと云うこともできない」（最判昭二三・一一・一七刑集二・一二・一五八八）。

右の二つとも旧刑訴時代の判例であるから現行刑訴では正当な理由なしに証拠調の請求を却下したという意味での審理不尽の問題があると思う。しかし、敢えて鑑定によらなくても判断できるとの意味では現行法でも同様であろう。

# 四　個々の証拠の証明力

証拠の信用性と狭義の証明力一般については前項に述べたので、ここでは個々の証拠についてその検討を試みる。いわゆる供述証拠と証拠物等に分けて検討することにし、供述証拠としては事実を実験した者の直接の供述も、書面又は第三者の供述の内容として現われるものも、証拠能力の点は別論として証拠能力さえあれば証明力は裁判官の自由心証に委されるのであるから、これを一括することにした。また証拠物等の中には現場の検証も含まれることになる。

## 一　供述証拠

刑事裁判で非供述証拠のない事件は少なくないが、供述証拠の全くない事件は殆んどない。供述証拠と一口にいう場合にもいろいろなものがある。ここでは一応主体で区別して被疑者、被告人の供述、参考人、証人の供述、鑑定人の供述に分けるが、これら主体の供述が時期で大きく分けて捜査段階以前における供述と公訴提起後のものに分かれ、公訴提起後におけるものはまた公判廷外の供述と公判廷の供述に分かれ、捜査段階以前の供述は捜査と無関係にされたものと、そうでないものに分けられるし、捜査に関係あるものとしてはいわゆる供述調書とそれ以外の供述書に分けることができる。

証拠物の証明力の評価を誤ったために事実の誤認を来したという例は極めて少ないが、供述証拠の信用性なり狭義の証明力の判断を誤ったために事実を誤認したという例は多い。供述証拠の証明力の評価はそれ程に複雑な要素をもち、また評価が困難でもある。

供述証拠の証明力一般については、その供述者の誠実性のほか認識の能力、条件、記憶の能力、条件、供述の際に正確に表現したかということを考慮しなければならないし、供述調書の場合には速記調書の場合は別として要領調書の場合には、供述された内容をその語調、態度を離れて供述内容そのものから同一に判断できるものでなければならない。そこに取調官の誠実性が要求されることになる。公判廷における供述であれば、その供述者の語調、態度も証明力の判断の要素になる。公判廷外の供述書を証拠として取り調べる場合には、供述の際の語調、態度が捨象されてしまうので、これを補うために争があれば供述の際の模様を他の証拠によつて補充し、その供述者が公判廷に出頭していればこれらの証拠調を通じてとられた態度をも考慮してその証明力を判断することになるが、公判廷における供述にくらべれば内容の合理性に依存する程度が高い。松川事件の第一次第二審は供述の証明力について次のようにいつている。

【36】「本件において証拠の大部分は被告人、証人の自白、自認其の他の供述であつて、供述の真否の判定こそ、本件の有罪無罪を決定する鍵である。よつて供述の性質及びそれの真否判定の方法について一言する。供述の真否の判定は之を信用し得べき他の証拠と対比し、経験法則に照して之を行うべきことは、もとより当然である。しかしながら、供述そのものの性質をも十分に考慮しなければならない。供述の真実性（客観的事実えの符合）は、その供述者の記憶の程度、真実を述べようとする意図如何、取調官の態度、特に虚心坦懐に聴くか、先入見を以て聴くか、供述を理解するに十分な予備知識を以て聴くか否か、録取した供述ならば録取に当つて要約や叙述に当つて趣旨を誤らなかつたかどうか等々幾多の事情によつて左右される。殊に人の記憶そのものが、経験の直後においてすら、トーキーの如く、テープレコーダーの如く、正確に客観的事実に符合するものではなく、主観的、客観的事情の如何によつては、既に経験の瞬間から、記憶の亡失や甚しい歪曲混同等が起ることがあり、更に経験後の日時の経過によつてその不正確さは愈々増大するものであることは経験上明かなところである。故に人の供述又は供述記載をすべて文字通り無批判的に信用することは屢々危険を伴うものであり又反面において供述の一部、特にその細部に客観的事実に符合しないものがあるからといつて、機械的にその全部が不真実であると断定し去るべきではなく、之を信用するかどうかについては、常に慎重な検討を要するのである。時計によらない時刻に関する記憶、短時間の経験による人相、着衣、履物等の記憶、多人数会合した場合の出席者の人数、氏名、更にはその着席位置、平素勤務している場所の人の出入等々の記憶は、もとより、正確な場合もあるが、不正確な場合の方が多いことは経験上明かなところである。本件においては、右のような事項についての供述が少くないが、それらの事項に関する供述の真否を決するには慎重を要する。又本件では謀議の際の発言内容等、人の話を内容とするものも多いが、これについては、一般に伝聞証拠についていわれているような不正確の危険があることを考えなければならない。又、同一の事実に関係した数人の供述が一致しないことがあるのは、むしろ通例で、却てそれが完全に符合することの方が不自然だといつてよい。本件の如く同一事実を数人が経験した場面が多

い事件の供述を検討するには、特にこの点の留意が肝要である（中略）。又、取調の初においては、供述者に記憶の喪失混同等があり、取調官も捜査不十分で予備知識が少いため供述の誤りを是正することを得ない等の関係から供述に誤りが多く、取調の進行に伴つて、供述者も記憶を喚起し、取調官も事体を明かに知るようになつて、供述は次第に正確になつて行く、その間に供述の変更があることは当然で、このことはいわば捜査の展開の常態なのである。従つて捜査の進展に伴つて供述が或る程度に変更することは少しも不合理ではない」（仙台高判昭二六(う)五八号昭二九・二・二三）。

松川事件の第一次上告判決は、原判決が右のような検討の下に大綱においては信用できるとした太田被告の自白の評価について次のように述べ、この自白を主たる証拠として認定されている二つの連絡謀議は事実誤認の疑があるとしたが、それに関する部分は次のとおりである。

【37】「もちろん、人には記憶違や錯覚ということがあり得るし、記憶力には個人差があり、また人として記憶が薄れるということもやむを得ない。そして、記憶違や錯覚にはその是正ということが考えられ、また記憶の喚起ということもあり得る。しかし、それには理由がなければならないし、まして前記のような、重要にして、事いやしくも自己の行動に関する事項について、記憶違をしたり、錯覚を起したりするというが如きことは、甚だ稀な事象であると考えざるを得ない。太田自白における右のような事項についての甚だしい供述の変更を、ただその記憶違や錯覚の是正ないし記憶の喚起ということ（供述の補充訂正）で片附け去ることができるものではない。太田自白における右のような供述の変更や虚偽は、これを被告人太田が他意あつて殊更に事実を曲げて供述したことによるものとみるべき節もないとすれば、それは、同人が、あるいは、自己の経験しなかつたことや記憶の薄れたことについて、取調官から尋ねられた際、ただひたすら迎合的な気持から、その都度、取調官の意に副うような供述をしたことによるのではないかとの疑さえあつて、

どこまでよく真実を述べたものか、またどの供述に真実があるのか、その判断に苦しまざるを得ない。原判決自らが、「太田自白は何分にも変化が甚だしく、他に有力な補強証拠がなければ到底措信し得ない」としているのも、一にこの間の消息を伝えて余りあるものというべきである」（最判昭三四・八・一〇刑集一三・九・一四一九）。



## （一）被疑者、被告人の供述

### (1)　一　般

（イ）現行刑訴は旧刑訴と異って公判手続の当初における被告人尋問の制度を廃止し、また捜査の段階から公判を通じて供述拒否権を認めて犯罪事実の認定に当って被告人の自白に依存しないという建前を採用している。しかし犯罪は隠密裡に行われるものが多いし、また公然と行われても咄嗟の犯行の場合には証人がないこともあり、また十分な関心を以て認識していないことも少なくないので、犯罪事実の認定に当ってはその正確性を要求すればする程自白があることが要望され、また自白或は自認を含むその供述の評価が重要視されることになる。被告人作成の供述書は訴訟に利用する意図で作成されたものは別としてその証明力について特段の問題はないけれども、供述調書の場合には取調官と被疑者は公判で相対する当事者乃至これに準じる者となるべき地位にあるものであって、その対立関係は任意性までの問題にならないとしても証明力の判断に慎重であることを必要とする。自白の信用性さえ定まれば、その本来の性質からそれからどのような事実の認定ができるかは多くは問題でない。自白の信用性の有無の判示をしている高裁判例は相当数あるが、多くは他の証拠との符合、経験則に照して首肯できるかということを標準としている。

父の死亡後袋戸棚に放置されていた錆付いた日本刀を被告人が自分のものであると述べた供述が信用できるかどうか争われたのに対して次の判例は内容が実験則に反するということから信用性がないとの結論を導いている。

【38】「被告人が本件日本刀を自分のものであると述べていることがいかなる意味であるか不明で父生存中より自宅にあつたから自分のものであると思うという意味にしか考えられない。しかも昭和二十四年の春の掃除に屋根裏で発見して袋戸棚に入れたというけれども左様な証拠もなくむしろ右袋戸棚は日本刀の入つたまま父生存中より永く手入れせずに放任されていた事実が認められる。被告人の右自供は真実に副わないものと認められ、被告人方には父生存中より本件日本刀があつたが被告人はこの事件により警察官によつて発見押収されるまでその自宅にあることを知らなかつたものと認めるのが家庭生活の実際に合うのではないか。被告人宅が右に説明した家庭の状況であるから当時僅か十九歳の少年の実力支配にあつたと認めるに足る証拠もないのである。証人山本金蔵竹林靖介はいずれも右被告人の供述が任意になされたものであると述べているけれども、たとえ任意になされたものであつても実験法則に違背し事実に適合しない供述は証拠価値がない。証人久保房義の供述によれば刀剣を最初に自分が発見した刀剣と一緒にぼろ切れの衣類がありその底にあつたと思うと述べているので、右押収に係る日本刀と綜合すれば枕刀に使うために被告人が届出をせず放任していたというような弁解をしたとは信じられないし、もしかような弁解をしたことが事実あるにしても被告人が発見後工夫した弁解に過ぎないのであつて、被告人に本件日本刀の認識があつたという証拠にならない。更に記録を精査してみても被告人の犯意を認むるに足る証拠が発見できないだけでなくかえつて証人稲本アサノ稲本八重子の各供述によつて窺えるように父死亡後同家においては同家に日本刀の存在することを誰も知らなかつたというのが本当であると考えられる」（大阪高判昭二六・二・一二特二三・一九）。

窃盗事件について窃取の方法、窃取金員の使途が明確を欠く場合にその自白を信用できないものとした例に次のものがある。

【39】「被告人の右自白調書においては、本件窃取金（但しそれは金五十二万二千円位と言い被害金額と一万円の差がある）の内、二十六万円についてはその使途等が明らかにされていない。尤もその内金十万円（検察官に対する自白によれば十万円ないし十五万円ともいう）は友人の鍋島清方で紛失又は盗難に罹ったというのであるけれども、右は極めて異常な供述であつてたやすく措信し得ないところである。（さればこの点については捜査官においても十分捜査を遂げたと認められる形跡はない）又爾余の金十一万円ないし金十六、七万円については司法警察官に対する自白においては単に飲食遊興に費消したとなつているに過ぎず、更に検察官に対する自白においては「その費消先等の詳細は説明できません」としてそのまま終つているのであつて、もとより以上の事実を裏書する何等の証拠もなく結局窃取金の大半の使途が不明に帰しているものであつて、かかるあいまいな自白はその真実性に著しい疑を抱かざるを得ないところである。次に本件被害金は国鉄海田市自動車営業所事務室備付の金庫中に格納され施錠されていたものであることが明らかであるが、前記自白においては右金庫を如何にして開けたかについての詳細な供述は為されて居らず単に「宿直室にかけてあつたズボンのポケットから盗み取つた合鍵を金庫の鍵穴に入れて廻したらすぐ開いた」と述べているに過ぎない。しかし金庫には一般にダイヤルの設備があり（本件金庫にもダイヤルのあつたことは司法警察官の実況見分書等によつても明白である）単に合鍵を鍵穴に入れて廻しただけでは簡単に開くものでないことは普通一般に知られているところであるから、これを如何にして開けたかは本件の重要な点であると認められるのにこの点の詳細且つ明確な供述を欠いている前記自白は不審であるといわねばならない。（中略）以上説明のとおり被告人の司法警察員並びに検察官に対する自白の証拠価値は極めて薄弱であつて、その他被告人に不利益に解せられないでもない二、三の情況証拠がないわけではないけれども右自白の証拠力を補強するに足らないし他に被告人の本件犯行を断定し得べき確証は存しないところである。（被告人が本

件盗難事件発生の前後頃二回に亘り鍋島清と会つて話合つた際の言動並に事件発生の直後同人と共に上京しその一切の費用等を被告人が負担した事実は被告人の本件犯行を疑わしめる有力な根拠であるが、しかし結局右は嫌疑たるに止まるし、又現場における足跡鑑定も被告人の自白と一部そごする点があるのみならず右鑑定の結果だけで犯人は被告人であると断定し得べきものではない)」（広島高判昭三一・九・一〇高裁特報三・一七・八四七）。

（ロ）　被疑者の取調に当つてその同意を得たにせよ深夜にわたたつて取り調べて得た自白は任意性がないとはいえないが、他に信用性ある証拠がなければ証明力がないとしたものに次の判例がある。理論上は自白の任意性は供述の外部的事情で定まるのであるし、自白の証明力はその内容によるものであり、また任意性は証拠能力の問題であるのに反して証明力は証拠価値の問題であつて混同すべきものではないが、自白の任意性が人権の保障とともに虚偽性の排除の意味もあつてその内容の信用性と全く無関係とはいえないし、また自白の任意性が問題になる場合には公判における被告人、弁護人の主張、供述と証人となる捜査官の供述とが全く相反することも少なくなく、その何れを採用するかは、自白内容の合理性とか、その自白によつてどれだけの客観的証拠を得たかとかによることが多いので任意性と証明力とは関係が深い場合がある。

【40】　「被告人の昭和二十六年八月三日付供述調書には、特に夜遅くなつても構わないからとて引き継いで取調べ方を求めたという旨の記載がある。これは凡らく前例のないことである。この時取調べに当つた巡査部長中西剛の証人として供述するところによると、弁護人の「最後に署名押印した時刻は」との問に対し「強いていえば午後十時か十時半頃であつたと思う」更に「翌朝午前二時頃に終えたのではないか」との問に対し「そんなことはないと思う、が調べの途中蚊取線香の話など聞かせて貰つたり、雑談があつたので大

部遅くなつたことは確かです、然し清水さんが遅くなつてもよいから調べてくれと申したので調べを続けたのです」との記載がある。これによるとはたして何時頃取調べを終えたものか明かでないにしても、相当深夜に及んだことだけは窺い知ることができる。しかるに当夜の供述調書を見ると深夜に及ばなければならぬと思われる程複雑な点も認められず、又それ程時間を要したとも認め難いのに、何故深夜まで取調べを継続したのか、更に又何故被告人が深夜に及んでも尚且取調べの継続方を希求したのか、その間の事情を詳かにすることはできないが、自白を得るため以外にその理由を発見し難い。これらの事実の外更に（中略）を綜合すると、被害者神崎長治郎の傷害の程度はもとより、その発生の原因についても疑義あり、その上被告人の警察員に対する自供は特に信用すべき情況の下になされたものとは認め難く従つて又これと同旨に出たる検察官に対する供述は同人の公判における供述よりも信用すべき特別の情況があるものとは認め難いからいずれも証拠価値はないものと認められる」（広島高岡山支判昭三二・一〇・三〇高裁特報三・二二・一〇二七）。

右の判例の後段は自白が特に信用し得る情況の下にされないと証拠価値（証拠能力ではない）がないといつたり、また公判の否認にくらべて公判外の自白が信用できる特別の情況がないと証拠価値がないような表現を用いたのは、証拠能力と証拠価値の要件を混同したかの嫌いがあるけれども、被害者がその地方の有力者であつた傷害被告事件という特別の事情があつて、このような判示になつたものであろう。

ポリグラフ検査は、絶対に誤りのない結論が出せるという段階には達していないが、或る程度の真否の判定が可能であるので捜査の段階で屢々用いられる。その場合にポリグラフ検査そのものの証拠能力、証明力が問題になるし、また引き続いてされた自白の証拠能力、証明力も問題になる。ポリグラフ検査そのものは検証調書の一種であつて、本来の供述証拠とはいえないし、多くはその検査に当った捜査官の証言ないし鑑定供述の形で訴訟上提出されることになる。ポリグラフ検査に引き続いてされた自白の信用性については次の判例がある。

【41】「原審証人広江敏夫の証言によれば、被告人は昭和三十六年三月三十一日刑事の取調を受けるに先立ち、ポリグラフ検査の承諾を取られた上同日その検査を受けたところ右検査終了後検査官から被告人に対し検査の結果被告人の犯行を否定する旨の供述は虚偽であるとの結果が出た旨及びもし虚偽の供述をした覚えがあるならば刑事の取調に対し正直に述べるようにと告げた事実を認め得られるが、それ以外に被告人の取調にあたつた刑事等がポリグラフ検査の結果をたてに被告人の自白を特に強制したような証跡は記録並びに当審における事実取調の結果に徴しても、これを窺い得ないから、被告人の司法警察員に対する自白調書が所論のように信憑性のないものであるとは認められない」(東京高判昭三八・四・九判時三四〇・七五)。

(八)　これに反して自白の内容が詳細に過ぎるとか、補強証拠と一致しない部分があるということだけでは自白に信用性がないということはできない。

【42】「原判決が昭和二十六年八月十九日頃より同年十二月十五日頃迄の間四十七回に亘り被告人が米軍第八〇六四部隊作業場においてエドワード・ローソン曹長管理に係る米軍所有のドアロック合計五十七個、ドアラッチ合計十個を窃取した事実を認定し、その証拠として被告人の原審公判廷の供述を挙示しており、被告人は原審において検察官の朗読した起訴状及び追起訴状の公訴事実はその通り相違ないと陳述し又原審第三回公判において被告人は裁判官の「本件犯行の日時及び被害品の数量の点についてはどの様にして警察や検察庁で述べたのか」との問に対し「三井巡査に日時、数量の点を詳細に述べそれにもとづいて警部補や検察庁の取調べにも述べたものです」と答えておることは訴訟記録に徴し所論の通りであるが、被告人が司法警察員に対し犯行を自白した経過を訴訟記録によつて検討して見ると被告人は昭和二十六年十二月十六日午前一時頃横浜市中区三吉町二丁目十六番地先道路上において贓品を所持していたため緊急逮捕せられ、翌

十七日司法警察員の取調べを受け同年十二月十五日の犯行を自白し、引続き余罪の取調べを受けた結果被害者より被害届が提出され同年十二月二十五日遂にその他の犯行を全部自白するに至つたことが明らかであつて、右自白は被害者の盗難被害始末書を見せられ記憶を喚起したか或は係官より被害者側の被害の日時、被害数量等を告げられ記憶を喚起したかは別として何れの方法によるにせよ四十数回に及ぶ犯行の日時及び被害品の数量を記憶に基き陳述することは必ずしも不可能ではないのであるから右被告人の自白がメモ等の記述に基かず又は被告人の記憶の正確性を裏書するに足る特別の事情を取調べなかつたからとて、右公判廷の供述を事実認定の証拠としたことを以て経験則に反し又は採証の法則に違反して事実を認定したと謂う非難は正当でない」(東京高判昭二七・七・一〇特三四・一一二)。

【43】「論旨は、被告人高橋太郎の検察官に対する供述調書は、同被告人の架空の陳述を内容としたものであるから証拠力がなく、これを証拠とすることは採証法則に反する、仮りに右供述調書が証拠となるとしても、証人荻原昭治、同藤本春雄の供述によつては被告人高橋が窃取運搬した松木材の全石数を認めることができないので、右証人等の供述により認められる石数を越えた部分は、被告人の自白を唯一の証拠としたものであるから、憲法三八条刑訴三一九条及び判例にも違反すると主張する。しかしながら原審は、その許された自由心証により被告人高橋の検察官に対する所論供述を真実と認めたのであつて、その判断に違法は認められない(下略)」(最判昭三一・二・一四刑集一〇・二・一八七)。

【44】「被告人の密入国に関する自白の任意性並びに信憑性につき考察すると、右各供述調書の形式並びに内容に徴し、前記各供述調書はいずれも被告人の任意の供述を録取したものと認められ、且、相当詳密に具体的に供述されているのであつて、左記各証拠に徴するもこれを措信するに足るものと認められる。尤も右各供述調書間において一部矛盾があり、又は真実に合しないものと認められる部分がないではないが、被告人が公訴事実記載の頃、その記載のような方法で日本国内に入国したと云う基本的事実は一貫して変らないのであるから、これを以て信憑力なきものとはいえない。(中略)叙上の証拠は被告人の前記自白が虚偽架空のも

のでないことを保障するに足りその補強証拠たり得るものと認めるのを相当とする」（東京高判昭二九・一二・一三高裁特報一・一三・七一五）。

（二）　自白を内容とする被告人の供述が殊に捜査官に対する場合にその任意性が激しく争われると同時に信憑力についても客観的証拠に合つていないから真実でないと主張されたり、また逆に余りにもよく一致しているから誘導によると主張され、また逆に客観的証拠に合致しているから真実であるとか、微細な点で喰い違いがあるから誘導によるものではないなどと主張されたりする。これらは何れもそれぞれの供述の内容を供述者の態度その他の証拠に照し合わせて考えるほかないことで、一概に何れとも判断できるものではない。

これに対して取調と関係のない供述書の場合はその内容が利益の供述であれば一応工作の有無を考慮するのが刑訴三二二条の証拠能力の規定からうかがわれるのであるが、不利益な供述であれば何らか特別の事情があるというのでなければ一応信用できると考えられる。次の判例もその意味であろう。

【45】「弁護人は被告人記帳の売上帳の記載はほぼ正確であるが仕入帳の記載は不正確で信用できないと主張する。併し尾上富子の検察官に対する第一回供述調書の記載によるとこれらの帳簿は売上も買上も殆ど残らず記帳されてあり収支の大きいものは被告人がつけ小さいものは使用人がつけたものであつて正確なものであることが推認できるのみならず商人が帳簿を備え之に日々の取引その他財産に影響を及ぼすべき一切の事項を整然且明瞭に記載することを要求せられ（商法第三二条）その帳簿はその内容の真正であることにつき信用を与えられ従つて裁判所の申立により又は職権を以て民事訴訟の当事者に商業帳簿の全部又は一部の提出を命ずることができ（商法第三五条民事訴訟法第三一二条）また刑事訴訟においても業務の通常の過程において作成された書面としてそれ自体証拠能力を認めていること（刑事訴訟法第三二三条）などから考

えると商人がその業務に関して作成した帳簿はその者のために利益にもまた不利益にも証拠となるものであると解するを相当とする。これ恰も被告人が公判廷において任意に陳述すれば自己に不利益な証拠ともなりまた利益な証拠ともなるのと同様である。即ち自己の自発的に作成した書面又は任意に陳述した供述の真実であることにつき自ら責任を負担すべきことは民刑の訴訟の別なく信義誠実の原則の要求するところに外ならない。従つて自己の作成した書面の証明力の不十分を主張するには単に被告人自身がその主張をするだけでは足らないのであつて、その主張を確認できる適法にして十分なる他の証拠が存在しなければならない。然るに本件仕入帳の記載の信用力を覆するに足る確証は何も存しないのであるから論旨は採用できない」（大阪高判昭二五・九・九判タ一三・六八）。

(2)　供述に取消、変更のあった場合　　供述に取消、変更があった場合、殊に自白が取り消された場合には何れの供述を信用するのかはその内容や供述者の態度を考え合わせて裁判官の自由心証に委ねされる。その判例を次に掲げる。

【46】「自白ノ信憑力ハ後日其ノ取消アリタリヤ否ニ関セス他ノ証拠ト等シク裁判所ノ自由心証ニ依リ判断スヘキモノナリトス而シテ記録ヲ調査スルモ本件自白カ脅迫又ハ不法手段ニ起因スルモノト断定スルニ足ラサルカ故ニ原判決カ被告人ノ自白ヲ証拠ニ採用シタルハ違法ニ非ス」（大判昭八・七・六刑集一二・一一三五）。

弁論の更新があった場合に被告人の更新前の公判調書中の供述記載を採用するか、更新後の公判廷における供述を採用するかも自由心証に委ねられる。

【47】「同一審級ニ於テ同一被告人ニ対シ数回同一ノ訊問ヲ為シタル場合然カモ其ノ間公判手続ノ更新アリタル場合ニ於テ更新後ニ於ケル被告人ノ供述カ其ノ前ニ於ケル供述ト同一ナルトキノ如キハ裁判所ノ判決ニ接着スル供述ニ依拠シテ事案ノ真相ヲ判断スルヲ理想ト為スヘシトスルモ元来数多ノ訴訟資料存スル場合

其ノ取捨選択ハ事実裁判官ノ裁量ニ一任セラレタルモノナルコト刑事訴訟法第三百三十七条ノ明規スル所ナルカ故ニ叙上ノ場合ニ於テモ亦事実裁判所ハ弁論ノ全趣旨ヲ斟酌シ実験上ノ法則ニ反セサル限リ判決ニ接着スル公判廷ニ於ケル被告人ノ供述ヲ採用スルコトナク審理更新前ノ公判ニ於ケル被告人ノ供述ヲ録取シタル公判調書中ノ供述内容ヲ採用シタレハトテ公判手続ノ違法ヲ惹起スルモノニ非ス」（大判昭一〇・九・二八刑集一四・九九七）。

【48】「証拠の取捨選択は事実審裁判所の専権に属することで第一審の公判における被告人の供述であろうと第二審の公判における被告人の供述であろうと事実審裁判所は自由にその措信する供述を証拠として事実を認定することができる。弁護人の主張するような、被告人の供述が第一審と第二審とに矛盾がある場合第二審裁判所は単に第一審の供述のみを証拠とすることは許されないという法則はわが刑事訴訟法の採らないところである。第一審公判における被告人の供述もこれを録取した公判調書が適法に第二審公判において証拠調べがされた以上第二審公判における被告人の供述自体とその証拠価値において少しも違わないのである。第一審公判における被告人の供述を証拠に採りこれと矛盾するところのある第二審の供述を証拠に採らなかつたからといつて弁護人の主張するように裁判の審級制度を無視するものとはいえない」（最判昭二三・二・一四刑集二・二・九五）。

【49】「捜査官は犯罪が成立するように被疑者を取調べ、或は被疑者の供述を歪曲して犯罪構成要件に合致するように供述調書を作成するのが常であるとの所論は何等根拠なき妄説であつて採るに足らない。又捜査官作成に係る被告人の供述調書の記載と公判廷における被告人の供述とが相反する場合は弁論公開主義の原則上公判廷の供述を第一義とし、捜査官作成の供述調書を第二義、第三義とすべきであるとの所論は弁論公開主義の誤解に基くものであつて他に正当なる根拠がなく、被告人の供述調書の記載が被告人に不利益な事実の承認を内容とするものであるときは之と公判廷における被告人の供述とは対等の証拠能力を有するものであること刑事訴訟法第三百二十二条により明らかであつて、その証拠価値はその供述のなされた前後の事情、その供述の内容、及び他の証拠との比照によつて定まるものであり、その何れを重しとするかを予め抽象的に定め得るものではない。而して原判決が証拠として掲げる司法警察員作成に係る被告人の供述調書

はその内容形式及び他の証拠と比照すると被告人の公判廷における供述よりも信用し得べきもので事実に合致していることが認められ之と原判決が挙示する他の証拠とを綜合すると、原判決認定の事実を認めるのに十分であり、記録を精査しても右判定が誤りであることを認めることはできない」（札幌高函館支判昭二六・一二・二四特一八・一三一）。

(3)　共犯者、共同被告人の供述　共同被告人の供述として特に問題とされるのはその公判廷における供述が他の被告人の反対尋問による吟味を経ていないため証拠能力があるかということであるが、判例は弁論を分離して証人として尋問する手続を経なくてもよい（最判昭二六(れ)九一九号同一一・三〇）としている。反対尋問が信用性の吟味のために行われるという原則から推論すると、反対尋問を経ていないということは証明力の検討が公判廷で十分に行われていないということになるから、仮りに証拠能力を認めるにせよ（江家・基礎理論一三八頁は証人尋問を必要であるとし、田中・証拠法二四七頁は黙秘権を行使する場合には証人尋問が必要であるとしている）、証明力の判断には慎重でなければならないということになりそうである。しかし英米法のように被告人、共同被告人とも証人台に立つのでなければ発言の機会が与えられない法制の下においてはその通りであるが、被告人、共同被告人がその地位において供述することができ、質問もでき、また供述の際の態度を含めて証拠にできるわが刑訴の下においてはいわゆる対質の機会もあって、証明力の吟味は十分に行われていると考えることができる。判例も証明力について特に制限を設けていない。

共犯者の場合に証明力の制限を考慮すべきかということは英米法の理論として共犯者は往々にして他の者にその責任を転嫁する場合があるから、その供述を証拠にとる場合には単に罪体について補強を要するに止まらず、他の共犯者と犯罪との結び付きについても補強を必要とするとの理論があり、わが国の場合にも議論がある（相互補強は認めるが、共犯者の供述だけでは足りないとする説に団藤・綱要二二三頁、平野・刑訴二三三頁、相互補強さえ認めないものに、高田・刑訴二七六頁、積極説に青柳・刑訴通論六七七頁）が判例は当初のハーフ・プルーフの判決から、後に共犯者の供述は補強を要しないとの立場に変更された。しかし、その場合に責任転嫁の危険は十分に考慮されなければならないこと当然である。

【50】「共同被告人ノ供述ハ証人ノ供述ト異ナルモノアルモ必シモ尽ク虚偽ニ出ツルモノト断スヘカラサルハ勿論ニシテ事実上一種ノ信憑力ヲ具有スル能ハサルモノニ非ス故ニ採テ以テ真実発見ノ資料トスルニ適スルモノト云フヘシ」（大判大一三・二・九刑集三・九五）。

【51】「憲法三八条二項は、強制、拷問若しくは脅迫による自白又は不当に長く抑留若しくは拘禁された後の自白は、これを証拠とすることができないと規定して、かかる自白の証拠能力を否定しているが、然らざる自白の証拠能力を肯定しているのである。しかし実体的真実でない架空な犯罪事実が時として被告人本人の自白のみによつて認定される危険と弊害とを防止するため、特に、同条三項は、何人も、自己に不利益な唯一の証拠が本人の自白である場合には、有罪とされ、又は刑罰を科せられないと規定して、被告人本人の自白だけを唯一の証拠として犯罪事実全部を肯認することができる場合であつても、それだけで有罪とされ又は刑罰を科せられないものとし、かかる自白の証明力（すなわち証拠価値）に対する自由心証を制限し、もつて被告人本人を処罰するには、さらにその自白の証明力を補充し又は強化すべき他の証拠（いわゆる補強証拠）を要するものとしているのである。すなわち、憲法三八条三項の規定は、被告人本人の自白の証拠能力を否定又は制限したものでなく、また、その証明力が犯罪事実全部を肯認できない場合の規定でもなく、かえつて、証拠能力ある被告人本人の供述であつて、しかも、本来犯罪事実全部を肯認することのできる証明力を有するもの、換言すれば、いわゆる完全な自白のあることを前提とする規定と解するを相当とし、従つて、わが刑訴三一八条（旧刑訴三三七条）で採用している証拠の証明力に対する自由心証主義に対する例外規定としてこれを厳格に解釈すべきであつて、共犯者の自白をいわゆる「本人の自白」と同一視し又はこ

れに準ずるものとすることはできない。けだし共同審理を受けていない単なる共犯者は勿論、共同審理を受けている共犯者（共同被告人）であつても、被告人本人との関係においては、被告人以外の者であつて、被害者その他の純然たる証人とその本質を異にするものではないからである。されぱかかる共犯者又は共同被告人の犯罪事実に関する供述は、憲法三八条二項のごとき証拠能力を有しないものでない限り、自由心証に委かさるべき独立、完全な証明力を有するものといわざるを得ない」（最判昭三三・五・二八刑集一二・八・一七一八）。

## (二) 参考人、証人の供述

(1) 参考人、証人の供述の証明力については、既に、**三**証拠の信用性と狭義の証明力中の二で供述者の性格、年齢、精神疾患等に関連するものについて述べ、またその供述に変化があつたときその何れを信用するかは自由心証に委されることは同じく三、四で概観した。

英米法では被疑者、被告人は取調の対象としないのが原則であり、また住居の不可侵、秘密権の保持の要請から証拠物の集取も著しく制限されるので、事実の認定は多く証言に依存することになる。証人の供述の証明力はその性格の信頼性によつても影響されるが、またその認識、記憶、供述が正確にされているか否かによつても影響される。英米法のように訴訟自身が決闘裁判の伝統をもち証人を尋問するものが自己に有利な証言を得ることを第一次の目的とし、実体的真実の発見は第二次の目的とされているに過ぎない場合に公判廷外の反対尋問の吟味を経ていない供述をとつて証拠とすることが許されるならば、公正な裁判というには程遠いことは勿論実体的真実の発見も不可能である。これに対して大陸法は糺問訴訟から出発して訴訟を公判前の段階と公判後の段階に分け、前者を予審判事に主宰させて職権主義により、後者は当事者主義による建前を採っている。公判前の段階では勿論公判の段階においてさえ被告人の尋問が行われ、また証拠物の集取が広く認められ、証人の尋問はこれらと並んで証拠方法の一つとされているに止まる。その証人尋問に当っても実体的真実発見のために行われると解せられていて、当事者がそれぞれ自己に有利な供述を引き出すために尋問するのではないとされる（青柳・刑訴通論五四一頁以下）。

わが国の刑事訴訟は大陸法的な伝統をもっていたがその上に終戦後英米法的な当事者主義、手続の公正、人権の保障等の理念がとり入れられた。憲法三七条二項の保障する被告人の証人審問権はその母法である英米法の理論からすれば反対尋問による吟味を経た供述のみが証拠能力をもつという原則にまでゆく筈であつて、その例外はまさに必要性と信用性の情況的保障であろう。しかし、わが国民感情は過去に起つた一回限りの事実にできるだけ近い事実の認定即ち実体的真実の発見を裁判官に期待している。国家刑罰権の有無と範囲の認定を決闘裁判に委ねられない以上当然のことである。糺問主義的な伝統の功罪は別として被告人の尋問ないし質問が実体的真実発見に有用であつたことは否定できない。捜索、押収による証拠物の取得は科学時代に欠くことができない。近代の心理学は反対尋問が真実発見のための絶対的な切札でないことを教えてくれている。望ましいことではないけれどもわが国民性と社会環境は宣誓の上公判廷で反対尋問の下に供述したからそれが最良の証拠であるという原則を採用できる程近代化されていない。反対尋問の効果を強調する学説（岸―横川・事実審理六四頁）も反対尋問は証言の信用性をテストする最良の手段であるとはいつても、実体的真実発見のための最良の手段であるとまでは断定していない。従つて反対尋問によつて崩されたかに見える主尋問に対する供述を採用することは英米法の原則からは考えられないが、わが国においては差支えないことなのである。これが可能である以上矛盾する供述が公判廷外のものであつても同様であろう。ここでは証言の証明力についで特に説示した判例を挙げてみよう。

【52】　「本件記録によれば、原審公判廷において被告人佐藤春雄は昭和二七年九月一一日午後八時頃には本件山梨県南巨摩郡富河村福士町屋地内には所在しなかつた旨主張しているのであるが、原判決は証拠によつて、同被告人が本件日時頃右地内に所在していたことはこれを認めたけれども、同被告人が佐野富男、望月国武両被告人と共に前田保之巡査に対し暴行を加えてその公務の執行を妨害したとの公訴事実については、これに照応する望月幸の検察官に対する供述調書中、被告人佐藤春雄の写真を示された上の「お示しの写真のおじさんは前田巡査を佐野富男さん等と引きずつた仲間の一人である」旨の部分は信用するに足らず、他にこれを認めるに足る証拠はないとして被告人佐藤春雄を無罪としているのである。しかし乍ら右望月幸の検察官に対する供述の要点は、自分は昭和二七年九月一一日夕食後七時半頃から自宅の道路に面した六畳で英語の勉強をしていた。八時半頃ポンプ小屋の前にトラックが南西の方に頭を向けて止り、深沢候補の演説が始り、同候補の息子であるという男の演説の後で、深沢候補が演説を始めた。聴衆は路上に三、四十人いたようである。やがてたまる屋という菓子屋さんの方から選挙妨害だという大きな声が聞えて、騒々しくなつたので、私の家の前に出て見ると、旧県道上を私方家の方え前田巡査が両手を二、三人の男に押えられ、その周囲及び背後に二、三人ついて引きずられて来た。どんなことをするのかと見ていると、佐野富男、望月国武の二人が左右に分れて前田巡査の両手を押え、外に白いワイシャツを着た人で村の人でない者や、頭の禿げた四十か五十位のおじさん等もいて、腰を跼めて坐り込もうとしている前田さんを引きずつていたのです。佐野、望月は同村の共産党員で前々から顔を知つている。頭の禿げた四十から五十位のおじさんで茶

褐色の様なワイシャツを着ていた人で背の低いおじさんや、白ランニングの二十歳位の男で、茶色の登山帽で、割合顔の奇麗な男が一緒に前田巡査を引きずつていたのは知つているが、土地の人ではないので顔も覚えておらず、氏名も知つておりません。私は共産党の人達は乱暴などして怖いと思います。裁判所ぇ呼ばれて、この人達の事を尋ねられると本当のことを申上げると後でどんなことをされるか怖いと思いますから、裁判所ぇ呼ばれて、その人達の前でお尋ねしていただかないようお取計い願います。お示しの写真のおじさんは前田巡査を佐野等と引きずつていた仲間の一人です。というに在るのであつて、この供述中被告人佐藤春雄が本件日時頃、現場附近に所在したことに関する部分は、原審が証拠に採用している証人望月義治、同佐野とみ枝の各原審供述に照合しており、又望月幸の裁判官に対する供述も、原審裁判所に対する供述も被告人佐藤春雄が本件日時頃現場附近に所在したという点においては何等根本的には相違していないのである。（中略）さればこそ証人望月幸は当審の尋問に際し、前田巡査を引きずつていた人の中に佐野富男、望月国武両被告人のいたことははつきりしているが、その外の人はよく判らない旨供述し乍ら、頭のはげた背の低い茶褐色のワイシャツを着た男の人（被告人佐藤春雄に該当する。）は自分方勝手の方から出て来て自動車（トラック）の方へ帰つて行つた旨供述しているのであり、しかも望月幸は原審裁判所に対し以前の調書は自分の供述そのまゝが記載されており且つ任意に供述したものである旨証言しているのであつて、同人の右各供述は原判決の認めるようにあいまいで一定しない供述とは到底認められないのである。これらの供述は一連の統一があり、特殊の心理過程と意図の下に為された供述で、何れも供述されたものは真実の供述であるが、裁判官に対する供述以後のものは前田巡査を引きずつていた人の中に被告人佐藤春雄を見かけたという事実をことさらに秘して供述しているものと認めるに十分である。しからば被告人佐藤春雄を前田巡査を引きずつていた人の中に見かけたという点については、望月幸の検察官に対する供述は、その後の供述より特に信用するに足りる供述と認め得るのである」（東京高判昭三〇・八・一八刑集八・八・九七九）。

殊にこの種の事件においては証人の捜査官に対する供述と公判廷における供述が異ることが少くなく、そのような場合証人が捜査官の取締の熱意過剰によつて誘導されたのか、公判廷においては畏怖して虚偽を述べないしは一部事実を秘匿したのかの判断が激しく対立する当事者の主張を背後に行われなければならないことが少なくない。宣誓した供述であるからとか反対尋問による吟味を経た供述であるからという理由で、公判廷の供述を重視できるためには、真実の供述をしたことがその後周囲から白眼視されたりしないで、むしろ賞讃されるという社会的な基盤が必要である。しかも公判廷において公判外の反撃を恐れてとる自信のない証言態度は、捜査官に対するその者の供述の信用性を割引いて考えさせる傾向を生む。検察官の公訴維持の努力が足りないために裁判官を有罪に説得できなければ無罪の判決をすべきであるという当事者主義の原則は、この種の事件の場合には公判外の不当な圧力を増大させ、またこれを排除しようとする捜査官の焦りを生じさせる。また公判廷における余りに詳細な交互尋問は証言の前後不一致を生じさせ、不信用性という誤つた評価を生む嫌いがある。この種の事件の証言の評価は裁判官の重大な責務である。

【53】　「その間（註事件発生から証言まで）二年ないし三年六ケ月の長期間を経過しているのであり、また調書の内容からその都度、尋問時間が長時間に亘つていることも窺われるのであるから、日時の経過や疲労から、あるいは忘却、記憶違い、言い違いということもあり得るし、原審の同証人の供述調書の記載内容から察知される反対尋問当時の雰囲気内において、証人が興奮して感情的な発言をしたり、態度を示したり、また混乱して前後撞着の供述をしたりしたことも認め得るのであるから、すくなくとも本件においては同証人の反対尋問に対する供述の片言隻句に一時的な矛盾、曖昧の点があつたとしても、これを捉えて前後

二回に亘る不動の一貫した前記証言の全部に信用性なしと断定することは、事の本末を顚倒するものであつて正当な証拠価値判断とはいえない」（東京高判昭三七・一一・二三東京高一三・一一刑一六）。

アメリカでも反対尋問の行き過ぎから前科のある証人は証言を避けるともいわれているが、わが国では証拠の関連性について特段の基準がなく弁護人の中には反対尋問を執拗に行つてその間の微細な矛盾を追及し、いかにも証言が信用できないかのような印象を与えようとする者がある。殊に公安事件の場合にその例が少なくない。裁判官は適切な訴訟指揮の行使が困難であるとしても、せめてその評価を誤らないようにしなければならない。

公判外の圧力が部落の封建性の残滓から生じた場合の証言の評価については次のものがある。

【54】　「原判決は松浦幹四郎が公訴事実記載の原因により同記載の日時、場所において死亡するに至つたこと、被告人忠雄外一名は公訴事実記載の便所附近で松浦幹四郎から殴打されその後恒例の花取行事が開始され多数の者が造花を奪おうと激しく揉み合つている際右幹四郎が酩酊して群衆の中に揉まれているのを認めるや被告人忠雄は、にわかに憤激し矢庭に手拳で同人の頭部を殴打し、被告人美代三は群衆に迷惑なとばかりに右幹四郎を三神合祭殿の方に押しやり群衆の勢に流されて合祭殿東側軒下附近に倒れるや右手拳で同人の頭や肩の辺を殴打し、被告人忠雄において再び手拳で幹四郎の胸部等を殴り被告人十二郎においても藁草履を履いたまゝ幹四郎の肩部を足で蹴つて暴行を加えたことを認定したが被告人等が幹四郎に対し暴行を加えるに当り共謀したとの点、同人の死亡が被告人等の暴行によるものであるとの点、その死因につき斎藤栄作作成の鑑定書記載の如きものによつて被告人富弥を除く被告人三名が加えたとの点につき証拠がないとし被告人富弥を除く各被告人の犯行を単純暴行罪と認定して各罰金刑を、被告人富弥に対しては無罪を言渡した。しかし訴訟記録並びに原審及び当審において取り調べた証拠によれば後記自判の際「罪となるべき事

実」として説示のとおり公訴事実のうち原判決が認定しなかつた事実を優に認定し得るのであつて右はひつきよう原審が経験則に反し採証の法則に悖つた結果判決に影響を及ぼす事実誤認を招来したものといわなければならない。以下この点につき論及する、先づ松浦幹四郎の死因は左顱頂部の挫創右硬膜下出血のためであることは鑑定人斎藤栄作の鑑定書の記載により洵に明らかである、なお該創傷は薪、靴底等の凹凸のある鈍器をもつて相当大きな外力が加えられたことによるものと認むべきことは同鑑定書及び原審第四回公判調書中の証人斎藤栄作の供述記載により明らかである。しかして被告人等が右の如き鈍器をもつて松浦幹四郎の頭部に打撃を与えたかの点は後記自判の際摘録の証拠殊に芳賀正、大川鎮、三浦寛の供述記載並に警察技師丸子千代松作成の鑑定書の記載によれば被告人忠雄、同富弥等は革靴のまゝ倒れていた松浦幹四郎の頭部附近を蹴つていたことを確認しうべきところ芳賀正は昭和二十九年十一月十六日の証人尋問の際従来の供述と喰い違つた供述をしている点、大川鎮は検察官に対する供述を原審第十回公判廷で訂正し、その後法廷外で検察官から取調を受け更に検察官の申請で原審第十二回公判廷で検察官調書を確認して前言を翻している点等の経緯が存することは記録により窺い得るところであるが、全記録を通覧するに本件犯行は霊場である月山、湯殿山、羽黒山の三神合祭殿の神域で行われたもので剰え同神社最大の祭礼である五穀豊穣を祈願する「花取行事」の際に敢行されたものであること、右神社と被告人等居住の手向部落は神社の山麓にあつて部落民の多くはこの神社のため生活し祖先以来絶対的崇敬の的となつており神社に不利益を招来するが如きことは部落民の最も禁忌するところである、されば芳賀正が本件に関し捜査当局の取調べを受けそれに基き部落の青年が次々に喚問逮捕されるや同人は学友からつまはじきされ、被疑者の母からは怒鳴り込まれ、部落民からは村八分的態度に出られて母よしゑの塩干魚等の行商に圧迫を加えられて生活の脅威をさえ感ぜしめるに至りこれが為芳賀正は証人として喚問を受け供述することを極度に嫌い当審からの数回の召喚にも応ぜず行方を晦ましている状態であること又同部落で手向村村会議長をしていた山本嘉一郎が村の青年を犯人として密告したとしてそんな奴を公職につけて置いてはならぬと騒ぎ出され村八分となり遂に名誉毀損の告訴問題にまで発展するに至つたこと等の事情が窺われるのであるから芳賀正や部落民が捜査当局（芳賀正の場合は刑訴二二七条による裁判官の尋問調書を含む）に対し供述した後証人として取調べられた際前者と異つた被告人側に有利な供述をするに至るべきことは窺われるところであるから斯る場合その前、後の孰れの供述に信憑力があるやは遽に決定し難いところであつて供述者の年令、心理状態、供述の内容等仔細に検討して決定すべきであろう」（仙台高秋田支判昭三三・一・一四高裁特報五・一・五）。

(2) 証人の供述の信用性の判断についてその者と被告人との関係の有無、被告人と連絡の有無が考慮されなければならない趣旨の判例としては次のものがある。

【55】「訴訟記録及び原裁判所が取調べた証拠を精査するに、原審が、本件犯行が行われたという昭和二七年六月二一日当夜、及び被告人が共犯者と共に賍物たるタングステン鉱を売却処分せんがためこれを大阪市まで運搬したという同月二三日から二五日頃までの期間中の実際の動静に関する被告人の弁解を排斥し、主として証人具成浩（第一、二回）、一海力之助、柳承一の各証言を根拠として、被告人が具成浩等と共謀の上、本件犯行に出でたとの事実を認定したことは所論のとおりである。原審が採用した右各証言は、一応犯罪事実認定の資料としての形式を具備しているけれども、進んで、その内容を仔細に検討するに、犯人の同一性の如き極めて重要な事項に関し、或は明確を欠き、或は必ずしも首尾一貫せるものということができないものがあるのみならず却つて、真の犯人の容貌と被告人のそれとが似ていた為にそれ等の証人が或いは錯覚に基いて、真の犯人と被告人とを混同しているのではないかとの疑惑を挿まざるを得ない点が多々存するのである。而かも原審が、被告人の前記弁解に符合する証人川瀬一正、山崎フミ、山崎保定、山田昌三、山崎秀、古藤正福、山崎国三郎、川島弥生、奥原仲之助の各証言については、いずれも単に措信するに足らないものとしてこれを排斥したことは、原判決の判文によつて明らかである。しかしながらそれ等の証人が、いずれも被告人が勾留されてその身柄拘束期間中喚問されたものであり、且その半数以上が、接見及び

文書の授受禁止決定の取消される以前の証人であることは、記録上明白であるから被告人のいわゆる不在証明に関する右各証言の取捨判断をするに当つてはこの事実を十分念頭に置いて考察すべきであつて、特に顕著な反証がない限り、単にその信憑力が乏しいものとしてこれに眼を蔽うことは、経験則上妥当を欠くものといわなければならない」（広島高松江支判昭二九・五・二四特三一・一一五）。

接見禁止については一般論として右判示のとおりであろうが、被告人と証人の特殊の親密関係から逮捕拘束前の打合せが可能であつたかどうか、刑訴八〇条、八一条は弁護人との接見、交通を禁止できないとしているので、弁護人を通じての連絡が全く不可能とはいえないことを考慮する必要がある。被告人と証人との関係のほか認識の時点から供述の時点までの期間の経過、証人の感情の変化をも信用性の判断に考慮したものとしては次のものがある。

【56】「原審及当審で取調べた証拠中被告人の殴打事実を明瞭に肯定する証拠としては検察官に対する被害者渡辺の供述調書、目撃証人宮崎繁の原審及当審の供述調書があり、これを推定するものとしては原審証人栗本広義（同役場書記）の供述調書がある。これに反しこれを否定するものとしては原審証人林アキノ、同審及当審証人谷本孫太郎の各供述調書がある。よつて両者の証拠価値を判断すると前示宮崎、栗本が本件に付中立的立場にあるものであり、且証言の内容も整然として自然であるに反し、林は自由労組婦人部長、谷本は同組合長で本件当時越年資金要求の為同役場に来ていたものであり本件犯罪の発生に付間接関係ある地位にあつたものである許りでなく、その証言の内容自体徒らに推理推量をこととし、これによつて殴打の事実を間接に否定せんとする形跡が濃厚であつて目撃証人の証言としては甚だ不自然であり且迫力に乏しい、これ等の点を比較考量すると前示宮崎等の証言を正しいとするを相当とする。尤も被害者渡辺はその後原審及当審において殴られたのか、奪取される際書類が当つたのか判明しないと申立て検察官に対する前の供述

を変更してはいるが如何に突嗟の出来事とは云え被害者本人において故意に殴られたのか過つて当つたのかを判別できないと云うのは甚だ首肯できないところであり、既に被告人より謝罪し又事件後相当期間を経過した右証言当時においては被疑者に対する同情四囲の情況等から自然証言があいまいになつたものであつて先きの検察官に対する供述こそ真相を物語つているものであると思われる。従つて原判決のこの点に対する判断もまた正しくないと思われる」（福岡高判昭三〇・二・二高裁特報二・一一、三・三六）。

(3)　認識そのものが確実にされていない場合の証言はその信用性が低い。ところで犯罪中攻撃犯は突発的な犯行が少なくなく、目撃者が特に関心をもつて認識したというのでないとその認識は必ずしも確実なものではない。特にこの点について言及した判例には次のものがある。

【57】　「原判決は公訴事実の如き犯行のあつたことは認められるが、その犯人が被告人であるとなすについては証拠が十分でないとして無罪の言渡をしたものであつて、犯人が被告人であると信ずることのできない理由として第一目撃証人の供述について、第二被告人の公判前における自白についてと題し詳細に説明している。しかしその説明中には首肯し難い点も相当あり又原審及び当審で取調べた証拠中には被告人を犯人なりとする有力な証拠も多々存するのではあるが、当審の判断も結局においては、被告人の犯行を肯定することを得ないとするにあること、原判決とその軌を一にするものである。被告人は司法警察職員及び検察官の取調において犯行を自認したものがあり又使用したという兇器及び逃走経路を図示していること、被告人は本件犯行前日まで毎日通院していた上島医師方へその後同月二十日まで通院を中止していること、被告人が奈良公園において警察署に同行を求められた際にも易々としてこれに従つていること、目撃証人中多くのものが犯人は被告人であるとか被告人に類似しているとかの証言をしていることなどは被告人に不利なもので、被告人の犯行なりと疑い得べき有力な資料である。被告人の司法警察職員、検察官に対する右犯行自認

の供述は取調官の誘導強制等に基くものである疑は認められないし、被告人は犯行後の逃走経路について王子神社の表門を出て西に直進したが袋路のようであつたので引き返したと供述している点は、現地の状況と目撃証人の供述と一致する点などよりすれば措信できるように思はれるけれども、更に犯行の動機、模様につき、原判決も説明するとおり、目撃証人の供述と相当相違する点があるのであるから、これらの事情よりすれば供述全体につき事実に符合する供述なりや否やその断定に迷はざるを得ない。その他いわゆるキメテとなる明確な証拠のない本件においては犯人が被告人又は被告人に類似するとなす目撃証人の供述を如何に解するかが、本件判断の重要なポイントとなつてくる訳である。これらの証人が自己の印象をあえて偽ることなく卒直に供述しているものであろうことは、これを疑うべきものがないから、信じ得るものと思はれるけれども、これらの証人は犯人又は被告人とはすべて初対面のものであり、犯行現場において犯人を目撃したのもほんの瞬間的のものであつたことなどよりすれば、その印象が必ずしも明瞭にして正確不動のものと思はれない点がないでもない。顔かたちの相類似するものは世上に多く、いわゆる他人の空似という諺もあるとおり、初対面の瞬間的印象は往々にして相違することのあることは、経験則の示すところであることによりても、これらの証人の印象が実体的真実に相違することとなきを保し難いものといわれないことはない。かく考えればこれら目撃証人の証言を無条件に受け容れることには躊躇せざるを得ない」（大阪高判昭三一・一一・二八　高裁特報三・二三・一一三九）。

(4)　証人自身が他の事件に関し拘束中であるときはその事件について利益を得る代償として虚偽の供述をするという恐れもあり得る。従つてその証明力についてはこれらの点の考慮が必要になる。

【58】　「所論は、要するに、原判決引用の菅家裁判官の証人遠藤修司に対する尋問調書記載の供述は、同証人が、小島検事の「判事に対しても検事に対して述べたと同様のことを述べればすぐ釈放される」との甘言誘惑に惑わされ、或は「判事が同証人のいうことを受け入れず、選挙の金だらうと責め立てるので、検事と判事との間にはすでに連絡があり、検事に対して述べたことと同様に述べなければ何時までも釈放されな

いと思い、判事の意に逆わないように努めた結果」、或は裁判官の予断に基く誘導尋問にかかつて述べたものであつて、任意性も真実性もないというに帰する。よつて按ずるに、右証人尋問調書の記載によれば、裁判官の同証人に対する尋問中には、誘導尋問の疑のある部分がないわけではない。しかし、わが刑事訴訟法規には誘導尋問を禁止した規定はないのであるから、かりに誘導尋問がなされた場合でも、それに対する供述が直ちに証拠能力を喪うものと解することはできないのであつて、唯証拠価値に関する心証の問題として扱われるに過ぎないのである。（中略）同証人の菅家裁判官に対する供述は任意にされたものであつて、記憶の混同によるものと認められる部分を除いては客観的真相に合致するものと認めるのを相当とし、同証人が右裁判官に対し心境を吐露した右摘録の部分が、所論のように「裁判官に迎合して一日も早く釈放されようと考えた卑屈心の現われ」ないしは「勾留中の者の取調官に対する常套的迎合的言辞」とは認め難く、もとより勾留中の者は必ずや迎合心に基き右のような供述をするという実験則なるものが存在するわけではない」（仙台高判昭三〇・三・九刑集八・二・一四四）。

【59】「原判決は被告人に対する本件窃盗事件の捜査中被告人と同房していた原審証人渡辺盛重、同横尾亮二、同渡辺享の原審公判廷における供述を被告人が逮捕されて以来取調官に対し終始一貫犯行を否認しているだけに徴して措信し難いと判示しているけれども、原審第三回公判調書に現われている原審証人渡辺盛重、同横尾亮二、原審第四回公判調書に現われている原審証人渡辺享の各供述内容を精査すれば、その内容はいずれも具体的であり、被告人の房内の言動を叙述するものとして措信するに足るものと認められ、被告人が犯行を終始否認している事実だけによつてその証拠価値を失うものとは認められないのである」（東京高判昭三一・二・二八東京高時報七・二・刑七五）。

## （三）鑑　定

(1) 鑑定も証拠の一つであるという点からすれば、鑑定の証明力も自由心証に委されるのが当然である。英米法のように当事者主義に徹底して双方が自己に有利な鑑定をすると予想される鑑定人を依頼するという建前の下ではその信用性は事実の認定をする者の判断に一任されるのが当然である。これに反して大陸法のように裁判官が自己の知識の不足を補充させるために公正の立場でこれを依頼するという建前をとると、知識不足の側が知識を十分にもつ者の判断を当否何れかに決するというのは特段の事情があることを必要としよう。わが刑訴における鑑定人が後者の伝統を負うていることを考えると、自然科学の鑑定には原則として拘束され、資料の不十分、鑑定人の資格の欠如等が明らかに認められるか又は他の鑑定と対比して明らかに欠陥をもつというのでなければこれを措信しないことは恐らく困難であろうが、精神科学の鑑定の場合にはこの分野がなお経験と直感の綜合判断を入れる余地の広いことと規範的要素が多いことから考えて証明力の判断の余地はなお広いものと考える（青柳・刑訴通論六四六頁以下）。

【60】「鑑定ハ裁判所ノ有セサル知識ヲ裁判所ニ供スルモノナレハ裁判所ハ鑑定ノ趣旨ヲ参酌シテ判断ノ資料ト為スヘキモ鑑定ノ結果ニ付自由ナル判断ニ依リ其ノ証拠力ヲ決スヘキコト勿論ナリトス」（大判昭一〇・七・二六評論二四刑訴一七四）。

【61】「犯人の犯行当時における精神状態の如何は裁判所が職権をもつて調査すべき事項であり、精神障礙の有無又はその障礙の程度に関して疑がある場合にはこれを判定するために特別の知識経験がある専門家に鑑定させることは妨げないのであるが、鑑定人の鑑定を待つことなく、裁判所が自ら必要な資料を蒐集し、或いは鑑定の結果を措信しないで犯人について精神障礙の有無又はその障礙の程度を判定することができることはいう迄もないところである。それ故、所論のように、鑑定人の鑑定が不正であるとか、非科学的であ

ることを認めるに十分であるほかは、常に鑑定人の科学的判断が裁判所が職権をもつてなした犯人の精神状態の調査の結果に優先するとか、裁判所の調査の結果が鑑定人が為した鑑定の結果に反対である場合には必ず再鑑定を命ずるか、新たに他の専門家に鑑定を命ずるかによつて更に鑑定の結果を得、これと従前の鑑定の結果とを比較考証しなければならないということはなく、また裁判所において鑑定の結果を措信しない場合でも、その措信すべからざる事由を判文上特に説明すべきことを命じた規定はないのである。それ故、原審が前記鑑定書中の本件犯行当時の被告人の精神状態は法家のいわゆる是非の弁別能力の完全ならざる心神耗弱の軽度のものと考えて誤りないと信ずる旨の鑑定人Aの意見を採用しなかつたこと及びこれを採用しなかつたことについて、特に判文上所論のような方法による説明をしなかつたことはまことにそのとおりであるが、かかる原審の措置に不法不当の点がないことは前説明によつて明らかである」(東京高判昭二八・六・三〇特三八・一三六)。

この判例とやや傾向を異にして精神鑑定中事実判断の部分に一応の証明力があると認めたものに次の判例がある。

【62】「所論は、原審が被告人は本件犯行当時心神耗弱の状態にあつたと認定したのは誤りであると言うにある。依つて案ずるに、当裁判所は結論に於て、鑑定人村松常雄の鑑定書並びに原審に於て取り調べた諸証拠により、被告人は本件犯行当時心神耗弱の状態にあつたものと判断するものであつて、此の点について原判決に事実誤認はないとするものであるが、以下検察官の所論に論及しつつ、その理由を説明する。刑法に於て心神耗弱とは精神機能の障礙により是非を弁別し、又はその弁別によつて行動することの著しく困難な精神状態を言い、その心神耗弱の概念は法律上の概念であつて、精神病学的又は心理学的な概念ではない。鑑定人は唯精神病学的、心理学的知識による事実認識を報告するに止まり、その心神耗弱なりや否やの判断は結局裁判官が之等の報告及びその他諸般の事実に基き、法律の理念及び目的に照して判断すべきものである。之は検察官所論の通りであり、異論のないところであろう。勿論、その法律的判断の基礎的資料として

当該被告人の犯行当時に於ける精神病学的、心理学的な診断の結果は重要な地位を占めるものであつて、本件に於て被告人に対し精神病学的、心理学的判断を下した鑑定人村松常雄の鑑定はその結論として被告人は犯行当時身体的及び環境的諸条件に基き精神的感情的原因に因る心因病的反応の状態にあり、意識障礙は甚しく高度であつたとは認められないが、意識の清明度及び意識野の広さに著しい障礙を来して居り、明かに顕著な精神病状態にあつたものと判断している。（中略）村松鑑定人の鑑定書によれば、同鑑定人はかかる客観的諸事実に基いて、被告人の全体的諸症状と全経過を検討し、反覆検診問診を行い、精神病理学的蓋然性を以つて検討した結果、前記の如き結論に到達したものであつて、その医学的判断に対しては、その専門家に非ざる裁判官に於てはその当否を判断するの特別の知識を有しないものであるから、右の如くその資料となつた客観的諸事実について誤りなく、且つ首肯し得る合理的な方法で診断がなされている限りは、右医学的判断の結果を正当とするの外はない。検察官は村松鑑定人の鑑定は殆ど鑑定時に於ける被告人の陳述を以つて犯行当時の精神状態推定の資料として居り、被告人の陳述が総て真実を物語るとの前提の上に立つて推論していると非難するが、右鑑定書によれば、その鑑定は心因反応による意識障碍に於ても、後から追想することが苦痛であり不利であるような場合には、当時の意識状態が清明であつたにも拘らず、後になつてから追想不能となる心因健忘なる現象の存在することをも認めて、此の点についても十分考慮し、又鑑定時に於ける被告人の陳述のみによらず、本件記録により犯行当時の被告人の言動をも詳細に検討して之を資料として前記の如き結論を出したものであるから、所論は採るに足りない」（名古屋高判昭三一・四・二三高裁特報三・九・四三四）。

(2)　数個の鑑定の結果が異ることは自然科学の面においてさえときに起ることであるし、殊に精神科学の面ではそのようなことが少なくない。その場合にどの鑑定を採用するかは裁判官の自由心証に委ねられるのであつて、改めて鑑定による必要はない。

【63】　「数人ノ鑑定人ノ鑑定ノ結果カ各異リタルトキ若シ必要アレハ更ニ鑑定ヲ命シ孰レノ鑑定カ正当ナ

リヤ否ヤハ一ニ裁判官ノ自由心証ニヨリ判定シ得ルモノナルヲ以テ必シモ其ノ結果ヲ不明ナリト観ルヘキモノニ非ス又裁判官ニ鑑定ヲ為スヘキ特別知識ナキ場合ト雖各鑑定人ノ為シタル鑑定及其ノ理由ヲ夫々比照考覈シテ経験常識上孰レノ鑑定ノ正当ナリヤ否ヲ判断スルコトニ何等ノ不合理アルモノニ非ラスサレハ原審ニ於テ所論鑑定書中其ノ一ヲ正当ナリトシテ証拠ニ供スルニ何等ノ違法アルコトナシ」(大判昭八・一〇・一六刑集一二・一七九六)。

(3)　自然科学の面で鑑定の証明力を否定した例は比較的少いが、次のものは鑑定の調査方法に明らかに誤りがあつた場合である。

【64】　「成程、警察技官佐藤好武外一名作成の鑑定書によれば、被害者ふく子の当夜はいていたズロースにつき精液が附着していてその血液型はO型である旨の記載があり、原審は被告人の血液による血液型を取調べていないところ、当審における事実取調の結果によれば、被告人の血液による血液型はA型であることが明かである。しかし、当審鑑定人村上次男作成の鑑定書によれば、前記佐藤鑑定人等の行つた調査方法では本件ズロースの汚斑がO型の人の分泌液に由来するか何うか決めかねる筈であり、被告人はいわゆる非排泄型(更に細分すれば弱排泄型)に属する者であることが認められ、当審証人佐藤好武も、同人等の調査方法は本人の血液やO型の血清を使用しなかつたので、二〇%の誤差の出ることは学問上自明であつて、その鑑定書記載の如くO型であると結論したことは誤りであつた旨証言しているのである(因みに、非排泄型の者の精液による血液型の調査は往々にしてO型と誤られ易いとされる)。従つて、本件ズロース附着の精液が被告人のものであると認定することは何等矛盾しないのである」(仙台高判昭三一・六・二七高裁特報三・一二四・一一五三)。

原判決の認定した紙巻煙草を利用した珍しい放火の方法で発火の可能性があるかどうかについて、発火の可能性があるという鑑定と、極めて少ないがあると思われるという鑑定がある場合に、前者は当夜の温度と湿度について異つた条件を前提している場合の次の判例も鑑定方法の誤りによる証明力の否定というべきであろう。

【65】「柴鑑定(一)の導かれた理由をみると、気象に関する基礎条件を、「当時の天候は下関測候所長久塚清隆の証言（注証言とあるも鑑定書を指すものと解せられる）によつて過去、四日間雨が降らず、その日の気温二五度、湿度七〇パーセントで晩夏の日照によつてよく乾燥した状態にあり発火には申分のない状態であつた。」と措定している（これは、久塚鑑定が、鑑定事項(三)に対する鑑定結果としてそのまま採用している農林省山口統計調査事務所厚狭出張所の毎日午前一〇時における観測値によつたものと推測される）。即ち、気温二五度、湿度七〇パーセントであることを条件の一つとして、発火の可能性「あり」との結果を導いているものと認めざるを得ない。しかし、久塚鑑定は本件発火の日時である昭和二六年九月一三日午後一〇時頃の厚狭町における湿度は八〇パーセント、気温は二〇・五度であると鑑定しているのであるから、その間湿度において一〇パーセント、気温において四・五度の差が存するのであり、柴鑑定はそれだけ燃焼容易な条件の下に結論を導いたこととなる。しかも同鑑定書には湿度八〇パーセント、気温二〇・五度の条件下においてもなお発火の可能性を肯定し得る如き記載の認むべきものは存しないのである。そうとすれば柴鑑定は、鑑定結果に重要な影響があると考えられる湿度及び気温の点につき、与えられた条件とは異なる条件の下に鑑定結果を得たことに帰し、本件放火手段の特殊性と科学的微妙性とにかんがみれば、直ちに発火の可能性鑑定の証拠とすることを得ないものである。一方、永瀬鑑定にはかかる瑕疵は認められないけれども、その鑑定結果(一)は、前示の如く「板壁の一部に燃え上るに至る可能性は極めて少いがあると思われる」という極めて消極的なもので、本件放火手段の特殊性と科学的微妙性とにかんがみれば、柴鑑定を除外してこれだけで発火の可能性を肯定することは到底十分であるとはいえない」（最判昭三二・七・九新聞六四・七）。

(4)　精神科学の鑑定についてはこのような鑑定方法の誤りを指摘できなくても、証明力を否定して差支えないとされている。二つの鑑定が一致して本件犯行当時被告人が心神喪失の状態にあつたとしているのに原判決が被告人の供述内容の理路整然としているという現象面を捉えて鑑定結果を排斥したのは科学の法則を無視し実験則に反するとして上告したのに対する最決に次のものがある。

【66】　「第一審判決が所論精神鑑定の結論の部分を採用せず鑑定書全体の記載内容とその他判決挙示の証拠を綜合して心神耗弱の事実を認定しても経験則に反するというに足りず、これを是認した原判決の証拠説明に所論の違法があるとはいえない」(最決昭三三・二・一一刑集一二・二・一六八)。

いわゆる一過性の精神病に属する病的酩酊については、鑑定人の事実判断それ自体が必ずしも正確とはいえないために、これと規範的判断の余地の広いことが結合して、他の鑑定にくらべて証明力の判断が広く裁判官に委されるものになる。

【67】　「以上検討の結果を綜合すると、被告人は、犯行時酩酊に因る著るしい意識障害はあつたけれども、事理を弁識する能力が全くなかつたのでもなく、またこの弁識に従つて行為する能力を欠いていたとも認められないのである。従つて、当裁判所としては、鑑定書中の「被告人の如く著明なる異常状態（行為後も悠然と漫歩且つ異常行為を行い逃亡傾向認められず又全般的纒りを甚だしく欠く）にあつた場合は責任能力無きものに該当する」との趣旨の結論は、そのまま採用することはできない。しかも右括弧内記載の行為後も悠然と漫歩且つ逃亡傾向が認められないという異常状態は、犯行時犯罪事実の認識をしていたにも拘らず、酩酊に因り良心による抑制機能が麻痺していた者には往々にして看取し得る現象であつて、被告人の場合が格別異例のものとも思えないのである。また全般的纒りを甚だしく欠いていたとしても（かかる断定は、前掲の諸証拠に照し、首肯し得ない）前記の検討によつて明らかなように被告人の精神の統一が或る程度保たれていたと見るべき明白な事跡があるので、被告人の本件所為が被告人本来の人格を全然離れたものであると認めることはできない。これを要するに被告人の本件犯行時の精神状態は、弁護人主張の如く、心神喪失

の状態にあつたものではなく、むしろ事理を弁識し、その弁識に従つて行為し得る能力が著るしく減退していた場合即ち心神耗弱の状態にあつたものと認めるのが相当である」（東京地判昭二九・六・一〇判時二九・二五）。

(5)　このような場合と異つて他の証拠から見ても被告人の心神の正常性が疑われる場合に鑑定を排斥して被告人が犯行当時正常な精神状態にあつたと認めるのは誤りである。

【68】　「原判決が有罪事実認定の資料とした証拠につき順次検討するに、原審は被告人の公判廷における供述と各被害者の被害に関する書面をもつてこの事実を認定しているが、前者については原審第三回公判調書に被告人の被告事件に対する陳述として「公訴事実のうち一、二、六（有罪として認定の事実）は憶えがあり、三、四、五（無罪とした事実）は憶えがない。しかし三、四、五と同様の品物を自分が他に売つているのでそのような品物は何処からも手に入れられないのであるから、それより考えると自分が何処からか盗んできたものだと思う。六の品物は盗つてその場で捕り、直ぐ返しているので記憶がある」というに過ぎない。そこで同期日における被告人の爾余の応答状況を調査するに、原審裁判官の人定質問に対しては氏名・年齢・職業・住居・本籍を正しく答えており、被告事件に対する陳述の趣旨も理解して適切な弁解をしていることが窺われる。従つてその供述当時においては被告人には、事理の弁別力を全く失つている程度の著明な精神障碍があつたものと即断し得ないこともちろんであるが、前記の如く右供述は簡単粗雑で「憶えがない」「憶えがある」というだけで犯罪の動機・態様などにつき合理的な説明供述が存しないのである。よつてこれだけの証拠で後記のような鑑定書の提出があるのであるから、直ちに本件犯行当時における被告人の精神状態を正常なものと認めて爾余の証拠（被害者などの被害に関する証拠）と綜合し、原判決の如く正常の精神状態者の犯罪と認定するのは甚しく経験則に反し、事実誤認を侵したものというべきである。なお被告人の精神状態に関する鑑定人石橋俊美の精神鑑定書によれば「被告人は昭和二十七年八月より同年十一月まで、即ち本件犯行当時、相当高度の麻薬中毒症に罹つており、ために高等感情・倫理道徳的観念が稀薄と

なり、自他の分別も不明瞭となり、生存の目的は麻薬の獲得のみにあるが如き観を呈し、その獲得のためには或いは窃盗を働き、或いは妄言をなすことをなんら意に介さなかつたものと思われ、結論として被告人は犯行当時、事理弁別能力が充分でなかつた状態にあつたものと思料する。」というのである。この鑑定の経過並に結果に関する記載内容を検討するに、特に不合理、不自然と認められる点もないのであるから、同鑑定書は措信するに足るものというべく、鑑定の経過及び結果に関する記載を考察すれば、被告人の右期間における精神状態は正常を欠くものであることは容易に領けるところである」(仙台高判昭二九・二・一五特三六・四二)。

### (6) 鑑定についての狭義の証明力の判例を研究してみると、鑑定結果が断定でなく推定であつても証明力があるとするものに次のものがある。

【69】「本件記録を精査し、原判決を仔細に検討勘案するも原判示事実は、原判決挙示の証拠により優にこれを証明することができ、原判決にはいささかも事実誤認の違法その他法令適用の誤は存しない。所論によれば、原判決挙示の証拠中、被害者に対する医師の鑑定書中本屍の死因についてとあるところによれば、本屍の死因は左右肺気管支炎に因るものである。後気管支肺炎は比較的軽症にして健康人ではこれによつて死亡するに至らないが本屍に於ては高度の全身衰弱に陥つているので容易に死亡したものと推定される。なお本屍の高度全身衰弱は脳機能障碍に因つて又肺炎は脳機能障害に続結する嚥下障碍或は肺循環障碍による血液就下に因つて惹起されたものと推定される。とあつて其の鑑定によると孰れも推定であつて断定ではない。然るに此の推定の事実ある死因を採用して本件を同時傷害致死と認定した事は事実の誤認である旨主張するのである。ところで所論指摘の鑑定人の鑑定の結果が断定に非ずして推定であること洵に所論のとおりであるが、鑑定人の鑑定たるや、当該裁判官の事実認定の補助的作用をなすに止まり、これと他の諸種の証拠を綜合して鑑定人の結果たる推定の事実を認定することは固より妨げなきところであつて、原判決がなした判示死因の認定にはいささかも事実誤認の違法は存しない」(東京高判昭三二・三・二東京高時報八・三刑三八)。

(7)　麻薬又は覚せい剤の所持の罪の場合にその全部の鑑定をしないでも一部の鑑定さえすれば、他の同種のものも同様の性質があると認定してよいということについては次のものがある。

【70】「所論鑑定書は司法警察員が被告人方より押収した二cc入注射液アンプル一包二百十本の中より抽出した一本及び同アンプル一組九本の中より抽出した一本について各反応試験を実施した旨及び右各一本にはいずれもフェニルメチルアミノプロパンの含有が認められた旨を説明していることは所論の通りであり、原審は右鑑定書及びその他の挙示の証拠を綜合して被告人が所持していた本件注射液二cc入アンプル二百十九本全部がフェニルメチルアミノプロパンを含有するものと認定したことは記録に徴し明らかである。論旨は被告人はたまたま一包となつていたアンプル二百十本及び別の一組のアンプル九本を所持していたのであるから、その中の各一本にたまたまフェニルメチルアミノプロパンが含有されていたからといつて、他の全部にも同じものが含有されていたものと認定するのは全く根拠のない単なる臆測に過ぎないのであつて、かかる臆測に基く事実の認定は刑事訴訟法上許されない。裁判所は本件アンプルの製造行程及び入手経路等を更に調査して内容の同一性を確かめるか又は他のアンプルについても鑑定をさせた上判決をなすべきであるのにこれ等の審理を尽さないで右鑑定書に漫然事実を認定したのは審理不尽による事実の誤認であると主張する。しかし原判決挙示の証拠によると被告人に本件注射液を買つてくれと云つた豊川某は、新聞紙に一括して包んだ注射液を手提鞄より取出し、続いてバラバラになつていた注射液九本を手提鞄より取り出し「包の中には二百十本入つているが、こわれた物もあるだろうからこの九本を余分に置いて行く、内容は同じ物だ」と云つたというのであり、容器分量等も同一であることを窺知し得るのであるから、特に数人から別々に買受けたとか、容器分量等が異り一見して製造元が数ケ所であると認められる様な特別の事情がある場合は格別、何等かかる事情の認められない本件においては、裁判官の自由心証により右注射液二百十九本は同一の物と認め、二百十本の包の中より抽出した一本及び他の一組の九本の中より抽出した一本について鑑定

を命じ、右二本について反応試験を実施した結果いずれもフェニルメチルアミノプロパンの含有が認められた旨の鑑定書に基いて、その他の二百十七本を含めた合計二百十九本全部にフェニルメチルアミノプロパンが含有していたと認定しても経験則に反することはない」(東京高判昭二九・二・一六東京高時報五・一・刑三二)。

【71】「原判決がその理由において、判示第一の(2)の(ロ)の事実認定の証拠として、押収にかかる証第一号の注射液五本及び篠田勤作成の鑑定書を挙示していることは所論のとおりである。而して、所論は、右鑑定書において鑑定の資料としたアンプルは、右証第一号の注射液五本中の二本だけであつて、他の三本のアンプルの内容が覚せい剤であることを認定するには、右鑑定書のほかに更に証拠を要するものであるから、原判決がかような証拠もないのに、右鑑定を経ない注射液の存在までも証拠として挙示したのは、鑑定書の記載とくいちがい、従つて理由のそごであると主張するのであるがしかし、同時に同一場所同一状況下に外形を全く同じくする多数のアンプル入注射液が存在したような場合には、その全部につき一々その内容を鑑定しなくても、適宜そのうちの一部につき内容を鑑定した結果が覚せい剤注射液であると認められるときは、その鑑定の結果と残りの右鑑定を経ない分の注射液の存在とをそう合して、右鑑定を経ない分の注射液も亦鑑定を経た分の注射液と同じ覚せい剤注射液であると推認することは、経験則にも採証の法則にも違反せず、適法であるといわなければならない」(東京高判昭二九・八・九高裁特報一・二・一二九)。

## 二　非供述証拠

### (一)　証拠物

非供述証拠の証明力は供述証拠にくらべてはそれ程の問題はない。殊に証拠物の場合にその捜索押収の経路、保存の方法がその物の同一性、性質、形状に不当な影響を与えていないという場合にはその証明力は裁判官の自由心証に委ねられる。麻薬等の所持罪、拳銃等の不法所持罪の場合には、その物を保存して証拠調するのが望ましいことではあるが、既に他に移転する等のためこれが不可能の場合であれば、他の証拠からその存在を認定することは差支えないことである。

【72】「弁護人は本件のような拳銃不法所持を処罰するためにはその物の存在が前提でなければならないのに、原審はその存在を仮定して被告人の不法所持を認定した。原判決挙示の証拠のどこにも現物の示された記載がないから原審の認定は違法であると主張するけれども、拳銃の不法所持を認定するために現実に被告人が拳銃を所持した事実がなければならないのはもとより当然のことではあるが現物を常に公判廷に顕出して被告人に示さなければ有罪の認定ができないというような採証法則はない。適法な証拠によつて右事実が認定できれば十分である」(大阪高判昭二六・一・二九特二三・一〇)。

【73】「原判決には被告人等に対し、無罪の言渡をした理由に付、詳細な説明はないが記録を精査すると原裁判当時本件薬品は既に存在せず(従つて鑑定を命ずること不能)その鑑定書すらもない為、それが果して麻薬取締法規所定の麻薬に該当するかどうか科学的に確定し得ないことを主たる理由とするものであることを推測し得る。よつて先ず麻薬事犯にあつては麻薬である旨の鑑定を待つにあらざれば常に有罪の認定をなし得ないか否かの点に付按ずるに、麻薬事犯においては当該薬品が該取締法規所定の麻薬に該当することが核心であり先決問題であること勿論である。しかるに麻薬なりや否やは専門的知識を待つて始めて判明し素人の推断を許さない科学上の問題である故原則的には専門家の鑑定によるべきこと、また当然と云わねばならない。しかしながらこれはどこまでも原則であつて如何なる場合にも例外を認めないと云う訳ではない。例えば非現行犯であつて検挙当時既に現品が存在しない場合は勿論、検挙当時現品は存在していたがその後滅失し或は稀少であるか変質した為鑑定不能の如き場合にまで右の原則を貫こうとすれば麻薬事犯の如きはその一半の検挙又は処罰を不能ならしめる不合理に陥るであろう。かかる場合には右原則の例外として鑑定以外の証拠によりその麻薬であるか否かを判定するを許し、唯々この場合事柄の性質に鑑みその証拠は特に厳格なる実験則に照し高度の信憑性を客観的に有するものに限るとなすを最も条理に適した解決と信ずる」

（福岡高判昭二九・六・一八刑集七・六・八九五）。

（二）　検証　刑訴における検証は、証拠物の取調として行われる公判廷におけるものは別として、何れも検証調書としてその記載が証拠になるのであり、その意味では非供述証拠ということはできないが、現場の写真、証拠物の写真などはその説明が供述証拠で、写真そのものは非供述証拠という性質を備えるので、ここで一括して検証の証明力についての判例を調べて見よう。検証についての判例はそれが適法にされなかった場合の証拠能力に関するものは少なくないが、証明力に関するものが殆んどない。それは法が検証調書を供述書の一つとして取り扱ってはいるが、数名の者が立ち会い或は検証を補助して五官の作用による認識を確実にし、しかも写真等の補助手段を用いて正確を期してあるからであろう。数回に検証がされている場合にどの検証調書の証明力が高いかについて次の判例がある。

【74】　「司法警察員作成の検証調書は、事件発生の日に近接した二〇日後にされた検証の結果の記載であり、原審の検証は前記のように一年八ケ月以後にされたものであるから、特に原審の検証の際の状況が、事件発生当時の状況と同様であり、司法警察員の検証調書はその当時の状況と相違することを認め得べき資料がない限り、むしろ事件発生の日に近接した日になされた後者の検証の結果が、事件発生当時の状況と同一ないしはこれに近いものと認めるのが条理上当然であろう」（東京高判昭三七・一・二三東京高時報一三・一・刑一六）。

この事件では双方ともに検証であるが、仮に司法警察員の行ったものが任意処分である実況見分であったとしても同一の結論になるであろう。捜査機関の検証に原則として裁判官の令状を必要とするのは人権の保障のためであって、強制処分であるから任意処分よりも証明力が高いとはいえないからである。

## 五　綜合判断

一　事実の認定は個々の証拠の証明力の判断とその積み重ねに尽きるものでなく、これら証拠の証明力相互の比較検討と綜合が必要である。職業裁判官の裁判が陪審の評決にくらべて誤判が少ないといわれるのも個々の証拠の証明力の判断もさることながら、この綜合判断の優越性によることが多い。これは全人格的判断といつてよい（長島・実務講座九巻二〇九四頁以下）。一つの証拠の証明力で作り上げた心証を冷静に検討する能力に優れているからである。尤も職業裁判官であつても当初得た心証が余りに強い場合には、すべての証拠を自己の得た心証に適合するように解釈しようとする傾向は、人間の判断である以上免れ難いところであつて、それだからこそ事後審における事実誤認が心証形成過程の誤りと定義される場合のその誤りの主たるものは、この綜合判断の誤りにあるといつても過言ではないことになる。刑訴三〇一条の自白の取調時期の制限は余りに強烈な証拠を公判の当初に取り調べさせないとの考慮と自白の補強証拠の必要性を手続の上で担保していることによると考えられる（青柳・刑訴通論五一七頁）。どのような証拠を綜合判断に用いたのかは判決の証拠説明に主としてよることになるが、挙示の証拠の一部に判示事実と矛盾し、又は証拠能力を欠くものがあつても、綜合判断の結果捨てられたものと解することができれば違法でないとの意味の判例は多い。殊に証拠説明が証拠の標目で足りることになつたので証拠中一部矛盾するものがあるという場合はいよいよ多くなる。

【75】「原判決ハ被告人カ自動車運転手トシテ停止線ニ達スル以前既ニ自動信号機ハ橙黄色ヲ標示シタルコトヲ第一審第二回公判調書中証人藤村琢也ノ証言ヲ以テ証明シアリテ記録ニ徴スルモ此ノ点ニ付原判決ニ重大ナル事実ノ誤認アルコトヲ疑フニ足ルモノアルヲ認メス尤モ右証人藤村琢也ノ証言中自動車カ中央信号機ノ近クニ来タトキハ既ニ赤色ニナリタリトアリ原判決ニ於テ此ノ部分ヲモ摘録セルハ自動車ノ当時ノ速度ト現場ノ距離トノ関係上首肯スヘカラサルモ之ヲ以テ原判決ニ理由齟齬スル所アリト謂フヘカラス蓋判決ニ理由齟齬アリト云フニハ主文ト理由又ハ判示事実自体前後ニ矛盾スルカ又ハ事実ト法律適用トノ間ニ撞着スルカ如キ場合ニシテ引用証拠中前後相容レサルカ如キハ判決ニ必要ナラサルモノヲ羅列シタルニ止マリ所謂綜合判断ノ結果捨テルヘキモノニ外ナラサレハナリ」(大判昭一四・三・九刑集一八・一〇二)。

【76】「数個の証拠を綜合して事実を認定する場合には、個々の証拠を各別に観察すると、それが事実の如何なる部分の証明に役立つか紛らわしいことがあつても、これら数個の証拠がかれこれ関連して相互に矛盾しない限り、それらを綜合しておのずから特定の事実が認定されるにおいては、このような証拠説示の方法も許さるべきであつて、これを目して違法ということはできない。これを原判決の証拠説明について観ると、判示第一及び第二事実を総括して認定するに当つて数個の証拠を羅列しており、各個の証拠を各別に検討すると、共通のものもあり、第一若しくは第二の右事実のみに関するものもあつて、それが如何なる部分の認定を目指すのか必ずしも明かでないものもあることは所論のとおりであるが、これらの証拠を綜合して判断するとおのずから判示第一及び第二の各事実の全体を認定し得られるのであるから原判決には所論のような違法はない」(最判昭二三・三・九刑集二・三・一六八)。

【77】「同一事実に関するものと認め得られる数多の証拠を綜合認定の資料とする場合、その一部に於て相互に牴触する点があるとしても、論理の法則又は実験則に反しない限り自由心証により、その一を捨て他を採用することはもとより妨げないところである。そして刑事被告人がその犯行につき数度尋問せられる場合、その犯行場所に関し時に誤つて別異の供述をなすことは、必ずしも稀有のことではないのであるからそ

の一を捨て他を採用したからといぅてこの一事を捉えて実験則に背反するものといぅことはできない。まして本件においては原審は自ら直接尋問した場合における被告人藤井の供述を採用しているのであるから、正当な自由裁量の結果とみるべき一層強力な理由が存在するのである。論旨は畢竟事実審である原審の裁定権の範囲に属する証拠の取捨事実認定を非難するに帰着し、上告適法の理由にならない」（最判昭二四・二・二四 刑集三・二・二三八）。

【78】「原判決が証拠とした第一審相被告人大塚寿、同高畑寿信に対する司法警察官の各聴取書には夫々所論のような供述記載があるけれども、記録を精査すると、被告人原田益実及び原審相被告人小松孝は何れも原審公判廷で、司法警察官意見書末尾添附の犯罪表第一号の一の被害品及び数量欄を読み聞かされ、その通り相違ないと述べて居つて、そして右犯罪表第一号の一には被害品として現金四〇〇円と記載されている。従て原判決は右両名の供述と被害者西岡勇の提出にかゝる盗難届書の記載に基いて現金四〇〇円を窃取したものと認定したことが伺はれる。しかし、原判決挙示の右司法警察官の各聴取書及び被害者の盗難届書は、原判決が被告人の原審公判廷における窃盗の事実についての自白と綜合して、犯罪事実認定の資料としたもので、自白にかゝる窃盗の金額と前記書類記載の金額との間に多少の相違があつても、被告人の自白とそれ等の証拠とを綜合して犯行自体を認定するのに毫も妨げとなるものではない。従つて原判決摘示の事実は、その挙示の証拠により十分之を認めることができ又前記各書類も適法に証拠調の手続を経たものであるから、原判決は何等採証法則に違背した点もなく又理由に齟齬あるともいぅことはできない」（最判昭二四・二・一五 刑集三・二・一六九）。

【79】「適法な手続で訊問された証人の証言は法令に別段の定ある場合（例へば刑訴応急措置法第一二条第一項の如き）を除いては其内容の如何を問わず本件に適用ある旧刑事訴訟法上証拠能力があるのであつて、その証人が過去において事件に関与した立場や、証言の内容の如何によつてその証人の証人たる資格や、証言の証拠能力を制限した法則はない、本件において田中貞三郎に対する訊問は法定の手続に従つてなされているのであるから、その証言の内容が所論の様な内容のものであるとの故を以て証拠能力がないといぅことはできない、また所論の様な伝聞や証人の主観的意見（これによつて其証人がそういぅ意見を持つたといふ

事実は立証される）はその証明力は一般的に甚弱いものであるといわなければならないから、他の証拠なく専らこれ等のものだけで事実を認定したようなときは、場合によつては、これ等の証拠に実験則上認めることの出来ない不当に高い証拠価値を附与したものとして採証上の法則に反するものというべき場合もあるかも知れない、しかし此の様な証拠を他の証拠と綜合して事実を認定したときは、これ等の証拠が皆証拠能力のあるものであつて、これを綜合すればその事実を認定することが出来る限り、其中の一部の証拠が右の様な証明力の弱いものであるからといつて、それだけの理由で右認定が実験則に反するということは出来ない、本件において所論中田の証言は他の多数の証拠と綜合して被告人中畑と同西山が三滝清司を斬つた事実を認定するに用いられているのであることは判文上明瞭であつて、これ等原判決挙示の証拠を綜合すれば原審の様な認定が出来るのである」（最判昭二四・七・一二刑集三・八・一二二〇）。

【80】　「原判決において所論知情の点を認定したのは、論旨摘録にかかる(イ)乃至(ニ)の情況証拠のみによつたものでなく、原判決挙示の証拠、殊に被告人の原審公判廷における供述（特に「当時世間には硝子窃盗の多いことは承知して居りました」との部分参照）及び被告人に対する検察事務官の聴取書中の供述記載（特に「私は買受け当時右硝子は絶対正しいものだとの確信の下に買取つたものでなく、商売柄或はどうかしたものではないかと怪しまずには居れませんでしたが、新築した家に硝子を入れることをあせつていたので買取つたものであつて買うとき怪しみながら不安のうちに買つたのは事実であります」との部分参照）を綜合して認定したものであることが明らかである。この原審の綜合認定はその根拠とされた証拠に照らしこれを肯認するに難くないのであり、所論のように経験則に背反するものとは認められないのである。所論の「現在学校等デ盗難予防ノタメ頭文字等ヲ硝子ニ記入スルコトハ普通デアルガ個人ノ家デハソンナ事例ガナイ」というが如きことは現時わが日常生活における実験則に外ならないのであつて、裁判所はこれを裁判の基礎となすことを得るものであり、もとよりその存在につき証拠説明をなす必要はないのである。されば原判決には所論のような違法はなく論旨は結局独自の見地に立つて事実審である原審がその裁量権の範囲において

適法にした事実認定を非難するに帰着し採用の限りでない」（最判昭二四・八・二五刑集三・九・一五一二）。

【81】「原判決の認定した事実の要旨は「被告人は昭和二十四年一月八日午前十一時二十五分頃、東京都省線有楽町駅一番線ホームにおいて折柄到着した電車に乗車しようとした宮内静江から現金五十円を掏取つた」というのであり、これが証拠として挙示するところのものは被告人の当公廷における供述と宮内静江提出に係る盗難被害届書であるが記録を点検すると右被告人の当公廷における供述は判示事実に符合するが、宮内静江の被害届書には被害日時として「昭和二十四年一月八日午前十一時四十分乃至五十分」とあつて時間において十数分の差異がある。又被害の場所としては判示と符合するが被害の状況中の記載は「午前十一時四十分頃有楽町駅より大宮行電車え乗車せんとした時に窃取せられた」とあつて時と場所に多少の相違があること論旨指摘の通りである。而して証拠の内容を掲記せず唯証拠の標目丈けを挙示する現行法の下において挙示した証拠間にくいちがいがある場合に裁判所がそのくいちがいの部分についていずれの証拠を採用したかは直接にこれを知ることはできないけれども、判示の事実と相待つて原審はこれと符合する部分を採用し符合しない部分はこれを採用しなかつたものと解するのが相当である。原審は右くいちがいの部分については被告人の供述の方を採用し、被害者の届出記載を採用しなかつたのである。又一証拠中採用しなかつた部分が証明物体に対し本質的なものであればその証拠は最早や証拠としての価値がなくなるが左様な場合でなければ一部を除いても立派に証拠価値のあるものである。本件で宮田静江の届出記載中採用しなかつた部分は証明物体に対し本質的なものでない」（東京高判昭二四・八・三〇刑集二・二・一〇七）。

【82】「本件記録を調べて見るに、原判決は、証人杉谷はつの原審公判廷における供述を証拠としていて右供述の中には、所論のように「三万円の金は杉野とよみとは全然関係なく、白井さんがチンピラであるので、後のことがこわいと思つて貸しました」との旨の供述があるけれども、原審は、この点を証拠としたのでなく、右証人の供述の中、被告人が本件被害者杉野とよみを判示特殊飲食店杉谷はつの方に連行し給仕婦として、住み込み働かせることにし、被告人が杉谷から金三万円を借り受けた事実のあることを供述して

いる部分を証拠としていることが明らかであるから、原判決は、原判示犯罪事実と反対の事実を認め得る供述を証拠としていないから、採証の法則に違反はない。刑事訴訟法第三百三十五条第一項には、有罪の言渡をするには、証拠の標目を示さねばならない旨を規定し、証拠の内容まで説明することを要しないことになつているので、或る証拠の中に一部は有罪の証拠となる部分があり、又これと反対の部分があつて右両者を切り離して見ても、その証拠の趣旨を歪曲するものと認めることができないときは、裁判所は、自由心証により、何れの部分を採用すると自由であつて、かかる場合には、有罪の証拠となる部分を証拠とする趣旨で、証拠の標目を掲げたものと見るのが正当である」（名古屋高判昭二六・五・一特二七・八七）。

【83】「原審は所論の各証拠その他を援用し、これを綜合して、その判示犯罪事実を認定したものである。これらの証拠のうち所論山谷石次郎の検察官に対する第二回供述調書などと所論被告人の司法警察員に対する第四回供述調書との間に被告人が本件犯行当時携帯した照明用具について差異のあること及び所論成田三丈の供述調書と所論被告人の供述調書との間に被告人の逃亡経路について差異の存することは所論のとおりであるが、この照明用具及び被告人の逃亡経路は原判決の判示しないことであり、また直接に判示犯罪の構成要件には関係のない事項であるばかりでなく、凡そかかる相容れない矛盾する証拠を綜合して特定の犯罪事実を認定するところに、所謂綜合判断の妙味が存するのである。この場合援用した証拠のうちその心証または認定事実と相容れない矛盾する証拠またはその一部は綜合判断における心証形成の過程において除去せられるに至るものであつて、心証の形成され事実の認定された結果から観れば、かかる証拠乃至その一部はその認定に不必要であり寧ろこれを妨げる点がないではないが、綜合判断における心証形成の資料としては、かかる証拠乃至はその一部も必要とする場合があるのであつて、その必要とする場合がいかなる場合であるかは理論上並びに一般経験の法則に従い具体的事案において裁判所が決定すべき判断事項である」（仙台高秋田支判昭二八・一一・二四特三五・九七）。

二　右のように綜合判断の内容となる証拠が、その一部を採り一部を捨てることのできない不可分のものであつたりそのように分断すると全体の意味が違つてくるような場合には綜合判断であるという理由によつて分断が許されることにはならない。また民訴と異つて弁論の全趣旨は事実認定の資料にはならない。弁論の全趣旨は個々の証拠の証明力の判断を強め或は弱めることがあるだけである。

【84】「原判決が犯罪事実の不存在を認定するに当り「弁論の全趣旨及びその後の情報により当裁判所に顕著な事実」により認定した旨判示していることは所論のとおりである。犯罪事実の存在、不存在は厳格な証明の対照となることは刑事訴訟法上明かであるから犯罪事実の不存在を認定するに当つては適法な証拠すなわち証拠能力があり、かつ適法な証拠調を経た証拠によらなければならない。そしてその証拠の証明力は裁判官の自由心証によるものであつて弁論の全趣旨といつても何が証拠となつたものか判明しないし訴訟関係人の意見は証拠とならないものであるから弁論の趣旨が直ちに事実認定の証拠となるものではない。また公知の事実は証明を要しないが裁判所に顕著な事実は必ずしも公知の事実ではないから証明を要することは勿論であるし、裁判官が個人的に知り得た事実を事実認定の資料とすることは証拠法上許されないのであつて、若し裁判官の個人的に知り得た事実を利用する必要があるときは証人として尋問手続をとる外ないのである。しかるに原判決が「弁論の全趣旨及びその後の情報による裁判所に顕著な事実」を事実認定の資料としたのは証拠法則に反するものであつて、訴訟手続に法令の違反がありこの違反は判決に影響を及ぼすことが明かであるからこの点においても原判決は破棄すべきである」(札幌高函館支判昭二九・三・一六特三二・九五)。

三　被告人、証人の供述がその態度と相まつて証明力の判断をさせることは異論がないが、これら主張の時期、証人尋問請求の時期が甚しく遅れてされた場合には特段の理由がなければその証明力を減殺するものである。松川事件の第一次第二審判決は実行行為に参加したとされている被告の身体障害につき次のように判示している。

【85】「高橋被告が原審最終陳述で初めてこの点の主張をしたことについて。原審第一回公判第二日目に大塚弁護人が高橋被告は国鉄勤務中負傷し、尿道を手術し、長時間着席するに苦痛だから座布団の使用を許可され度い旨申立てた事実があることは前に述べた通りである。しかしながら、その公傷による身体障碍の故に高橋被告が本件犯行の実行に参加し得ないものである旨の主張は原審最終陳述で高橋被告が述べる迄何人からもなされなかつたことは記録上明かである。この点につき高橋被告は当審三二回公判でその理由を「公傷を受けた部分が部分で恥しかつたことと、殊に裁判さえ公平にしてくれれば、そこまで述べなくても必ず無罪になることを確信したからである」と述べている。そこでこの高橋被告の弁解を検討すると1、「公傷を受けた部分が部分で恥しかつたこと」だから述べなかつたということは、当時高橋被告が既に満二十五歳を超えた男であつたこと、その事柄が、之によつて無罪となるか、有罪となつて死刑又は無期懲役になるかという如き重大なものであつたことに徴し、到底理解し得ない。のみならず、すでに「尿道を手術し云々」ということは、原審第一回公判第二日目に弁護人を通じ法廷で述べていることで、今更ら恥しがるべき理由はない筈である。2、この点の主張は、当審では殆んど全被告人全弁護人が被告人全員無罪の最も有力な根拠として主張している事柄である。そのような事項を、これを述べなくても無罪になるなどと考えるという如きことは到底考えられない。3、之を要するに、高橋被告のこの点の主張を原審最終陳述で初めてした理由についての弁解は到底措信できない」(仙台高判昭二九・二・二三同二六(う)五八号)。

証拠物の提出についても、その提出時期が証明力の判断に影響を与える場合がある。公職選挙法違反事件において選挙運動のための金員であつたか単純な貸金であつたかという点を証する書面について次の判例がある。

【86】「弁護人は右五千円は立替金の返済であり一万五千円は貸借であると主張するけれども、証人井上勝治の尋問調書によると右金員はいずれも選挙運動のために受け取つた金であり、有田会への立替金はなか

つた事実が認められる。しかして被告人浅香は右計二万円は昭和二十八年五月十五日井上から返してもらつたと弁解しているが、右尋問調書によると井上は返した事実はないと供述しており、被告人浅香も検事に対する第一回供述調書で井上から返還を受けた事実はないと述べているのである。弁護人は被告人井上より被告人浅香宛の書面により右一万五千円は選挙に関係のない個人的な貸借であると主張し、押収に係る右書面によれば右は四月十六日付の井上より浅香宛の手紙で表には葛野に託すと記載されその文面は急に入用だから金一万五千円を融通して葛野に渡してくれ、月末には返還すると記載されているのである。しかして、右書面の証拠価値如何は、弁護人も強調するように、本件の事実認定に重大な影響を有するものといわねばならない。さように重要な証拠であり、しかもそれは被告人にとつて極めて有利な証拠である以上、被告人浅香がその存在を忘却してしまつているということは、通常あり得ないことである。もつとも手紙を受け取つても、現在どこにしまつてあるかを思い出せないことがあるにしても、その手紙を破いて捨てゝしまつたか、それとも自宅のどこかに残つているはずか位のことは、遠い過去の出来事でない限り記憶しているのが通常である。本件書面の授受は昭和二八年四月一六日のことであり、本件犯罪の捜査は四月下旬に始まつているのである。しかるに、被告人浅香は本件の捜査手続中はもちろん、起訴後の冒頭手続においてさえも、右書面の存在については一言も主張していない。もし真に被告人浅香がその主張の経過で本件書面を受領し、且つそれを破棄してしまつた記憶がないならば、捜査手続中においてその書面の存在を主張し、且つそれを発見するために捜査手続を求めるのが当然である。捜査機関が被告人の要請を無視して顧みない場合には、起訴前でも証拠保全の手続によつて自己に有利な証拠を捜索して保全しておくこともできるのである。さような措置を全然とることなく、原審第十回公判（昭和二九年七月一五日）に至つて突如として弁護人を通じ本件書面が提出せられても、その書面に全幅の信用をおくことは到底できないことである。要するに、たとえ右書面が被告人井上の自筆であるにしても、該書面が本件訴訟手続に現われてきた経過に徴して、当裁判所もまたその証拠価値を否定せざるを得ない」（大阪高判昭三一・四・一四高裁特報三・九・四一九）。

四　被告人の弁解が虚偽架空のものであることが証明されることによつて、或いはその弁解が余りに不合理であることによつて、その否認している犯罪事実についてもそれが被告人の所為である旨の心証を与えることが少なくない。盗品を所持している者がそれを所持するに至つた理由を合理的に説明できない場合にその弁解する占有離脱物横領又は贓物故買等の主張を排斥して窃盗を認められるかは間接証拠の綜合判断によることが多い。

【87】「案ずるに、犯罪事実を認定する証拠としては必ずしも直接証拠のみによるを要するものではなく、間接的な情況証拠によつても何ら差支のないところであつて、窃盗犯人として起訴された者が自己の所持する盗難品である財物の入手経緯につき弁解を試みたにかかわらず、その弁解の内容自体に事理に背くものや虚偽等があつて到底首肯し難いものがあつたり、あるいはその盗難品を所持していた理由に関し合理的な証明がされないためその弁解に信を措き難い場合にはその者を窃盗犯人と推認することは差支ないものということができるけれども、盗難品を所持していたという事実だけで直ちにその者が窃取したと認定することはできない。何故ならば、盗難品を所持していたことによつてその者がこれを窃取して所持するに至つたものではないかとの推測をなし得ないわけではないが、この程度の推測を生ぜしめるに止まる証拠を挙示するだけでは法が有罪判決について要求する証拠として十分であるとすることはできないからである。本件において原審は罪となるべき事実として、被告人は昭和三五年二月一五日頃より同年三月三日頃までの間に東京都千代田区丸の内一丁目一番地朝日生命保険相互会社四階診療所長室において同会社所有の書籍「臨床実験の実際」一冊を窃取したものであるとの事実を認定したものであることは所論のとおりであり、右事実認定の資料として原判決が挙示している証拠を検討すると、小出鼎の被害届及び答申書、後藤重弥の司法警察員に対する供述調書、司法警察員作成の昭和三五年七月二九日付実況見分調書、原審第三回及び第四回公判調書

中証人村下邦雄の供述記載によれば、昭和三五年二月一五日頃より同年三月三日までの間に原判示場所において朝日生命保険相互会社所有の原判示書籍一冊が窃取された事実を認めることができ、中潔の質取事実答申書（記録八一丁）、原審第五回、第一二回各公判調書中被告人の供述記載によれば、被告人が同年三月三日頃前示盗難品たる書籍を所持して原判示中屋質店に赴きこれを同質店に入質した事実を認めることができるけれども、被告人が右書籍を窃取したものであることの直接証拠となるべきものは記録全体を調査しても発見できない。又原判決が証拠として挙示引用している原審第一〇回公判調書中証人鈴木貞夫、第七回公判調書中証人渡辺吉男の各供述記載、警視庁科学検査所長の昭和三五年八月二五日付ポリグラフ検査結果回答書その他記録に現われた各証拠を精査しても被告人が判示窃盗の犯行をなしたものであることを認定するには不十分であり、検察事務官作成の前科調書によれば被告人は昭和二四年より昭和二七年までの間に窃盗罪、贓物牙保罪により有罪の判決を受けたことが認められるけれども、右は被告人の前科事実に関するものであつて判示窃盗事実認定の資料とすることができないことはいうまでもない。のみならず記録によれば被告人は逮捕されて以来判示書籍の入手所持の経緯につき昭和三五年三月頃地下鉄東京駅改札口附近のベンチに何人かが置き忘れてあつた判示書籍を拾得しながら所定の届出をなさずこれを中屋質店に入質したものであると弁解しておることが認められ、被告人のこの弁解が架空の事実であると認めるに足る証拠もなく、むしろその弁解するところ（原審公判廷において検察官が申立てた予備的訴因と同一事実）が真実に合致するものと認められるのである（中略）。原判決が所論の右(い)(ろ)各事実認定の資料として掲げた各対応証拠によれば、原判示各日時及び各場所において原判示の各盗難があつたこと並びに被告人が昭和三五年六月三日右(い)の盗難品であるカーテン一一枚を、同月二九日午後一時頃右(ろ)の盗難品のうちワイシャツ生地一着分を、同月三〇日午後二時三〇分頃右(ろ)の盗難品のうち短靴一足をそれぞれ所持して東京都千代田区神田神保町二丁目三番地株式会社中屋質店に至り同質店にこれを質入れしたことを認めるに十分であるけれども、右各窃盗の犯行が被告人の所為であることを直接証明するに足る積極的な証拠が存在しないことは所論の指摘するとおりである。しかしながら、およそ犯罪事実を認定する証拠としては必ずしも直接証拠のみによるを要するものではなく間接的な情況証拠によつても何ら差支のないことはあえて多言を要しないところであつて、窃盗犯人として起訴された者が自己の所持する盗難品である財物の入手経緯につき弁解を試みたにかかわらず、その弁解の内容自体に事理に背くものや虚偽等があつて到底首肯し難いものがあつたり、あるいは所持していた理由に関し合理的な証明がされないためその弁解に信を措き難い場合にはその者を窃盗犯人と推認することは決して不合理ではなく経験則に反するものでもないのである。今これを本件について記録及び証拠によつて見るに、(い)のカーテンについて、所論は、被告人は昭和三五年四月頃新宿の末広亭附近の喫茶店「ゴールド」で偶然知り合つた不動産周旋会社の社員と自称する男に貸事務所借入方の周旋を依頼し、その翌日同人と共に貸事務所の下見のため京橋へ行き、エマンテ磁器バンド会社のあるビルを外部から見た後、附近の大阪商船ビル裏側の喫茶店「らぐうん」で休んだ際、未だ事務所の貸借契約も結ばず手金も打つた訳ではないが、同人から将来借受ける事務所の仕切用に使うようにといつて渡されたものであると弁解するのであるが、記録によれば、被告人の弁解に基いて捜査官が調査して見ても、被告人主張のような喫茶店「ゴールド」「らぐうん」、又はエマンテ磁器バンド会社のあつたという貸ビル等は被告人指示の場所附近には存在しない事実、その当時被告人には新たに事務所を借受ける程の資力がなかつた事実、被告人が貸事務所の借受周旋を依頼したと称する相手方の男はその氏名、住所、勤務先何れも不明の者であつて架空の人物ではないかとの疑が強い事実が認められるのみならず、かような人物から未だ事務所借受の契約も締結されておらず、手金も打つてないのに借室に使用するようにとカーテンを渡されこれを受領するというようなことは社会通念上誠に不可解なことであつて事理に背くものというべきである点等を考え併せると被告人の前示弁解は到底措信し難いものといわなければならない。次に、(ろ)の短靴及びワイシャツ生地について、所論は、被告人は業界新聞の記者で吉祥寺方面に居住すると自称する友人武内某なる男に対しニュースの原稿を渡すことを約し、新橋の喫茶店「エクラ」において右武内より、昭和三五年六月二九日右原稿料の代償としてワイシャツ生地を受領し、翌三〇日原稿料残額支払の担保として短靴を預かつたものであると弁解するのであるが、記録によれば右武内なる男もその名、住所、勤務先は不明であり被告人が同人に対し原稿を渡すことを約しその原稿料の代償又は担保として受領したものであるとの点については被告人の供述を除いてはこれを認めるに足る何等の証拠もないのであつて、この点に関する被告人の弁解も措信し難い。してみると前示(い)(ろ)の盗難品につき被告人がこれを窃取したものと推認することができるのであつて、この推認は前説示に照らし決して不合理又は経験則に反する判断ではない」（東京高判昭三六・九・二〇下級刑集三・九、一〇・八二四）。

## 六　特定の事実の証明

ここで特に整理検討する判例は、その証明について屢々実務上問題となる種類の事項であつて、実体法的事実としては屢々間接証拠で認定される事実であり、また訴訟法的事実としては自白の任意性の証明と伝聞証拠の特信情況についてである。なお自白の任意性については既に本叢書刑訴(1)で取り扱つているので、ここでは任意性の証明の点に限定する。

### 一　故　意

(一)　現行刑法はいうまでもなく過失犯を処罰するのは例外であつて、故意犯を処罰するのが原則である。犯罪構成要件事実の認識と認容というこの内心的状態は犯人の自白がある場合のほか行為事情その他を間接証拠として推認されることになるが、被疑者、被告人を取調の対象とせず、これを当事者の一方又はこれに準じるものとして取り扱うことになると、任意の供述を得ることは供述拒否権の告知、起訴前の勾留の制限、必要的保釈等種々の制限があつて困難になるので、間接証拠による推認が多くなるのは自然の勢いである。殊に実務上問題の多いのは殺意の認定と賍物罪における賍物性の知情の認定であろう。

【88】「論旨は被告人は殺意がなかつたにも拘らず、原判決が被告人の殺意を認定したのは誤認であると謂うのである。しかし被告人は谷岡秀忠の原判示の如き言辞及び態度に憤激して極めて至近距離において自宅より携えて来た鋭利な刺身庖丁で、右秀忠の胸部を相当強く突き刺したことは原判決挙示の各証拠に徴し明かであり、原判決が殺意の点についての証拠説明において説示する如く証拠上窺える諸般の状況より推して被告人は殺意を以つて右秀忠を刺した事実を十分肯認することができる。もとより本件の如く憤激の余り昂奮して相手方に対し攻撃を加える場合において当該兇器で相手の身体の重要な部分を刺せば相手が死ぬかも判らないと冷静に思考する余裕のないことは所論の通りであるけれども、鋭利な兇器で相手方の身体の重要な部分を強く突き刺すが如き行為に出た場合その行為者は相手方の貴重なるべき生命を全然無視しているものであり、刑法上殺意があつたものと謂はなければならない」(高松高判昭二八・七・二七特三六・二一)。

【89】「殺意の点に関し、これを肯認すべき直接証拠の存しないこと、殺意の点に関し、被告人は終始これを否認するのみならず、却つて判示傷害の所為に出るにあたつては大きな傷を与えないように特に下の方を突いた旨述べ、致死の結果を生ぜしめないように積極的な考慮をさえめぐらした趣旨の供述をしていることは論旨指摘のとおりである。しかし、被告人の供述といえども他の証拠に照らして措信するに足りないと判断される場合においては採用されないこともあり得べく、また事実認定の証拠は必ずしも直接証拠のみに限られないことは言を俟たない。本件兇器が刃渡り約一三・五糎の鋭利な匕首であること、鑑定人医師広沢正久の鑑定書の記載によつて明らかであるように、判示野村隆行の受けた創傷の部位程度は、㈠、左耳上方七糎の部より上口唇部に斜走し、骨損傷、左耳翼離断等を伴う長さ一四糎の切創、㈡、股動脈、股静脈の切断を伴う左大腿上部刺創、㈢、幅三糎、深さ一〇糎に及ぶ左大腿下部刺創等である事実、判示野村隆行は右

の創による失血のために受創後約一時間にして死亡した事実、右兇器の性状、創傷の部位程度等から推認される被告人の判示野村隆行に対する攻撃手段の態様は、健全な常識に照らし、一般的に殺人に至る可能性がきわめて強度であると判断されるのが合理的であること、このような攻撃手段が現実に用いられた場合においては、行為者の精神状態に特に正常でないものがあつたとさるべき特段の事由がない以上、行為者には殺害の結果につき少くとも未必的な認識があり、結果の発生を意に介することなくしてその所為に出たものであると認めるのが相当であること、判示所為の当時被告人の精神状態に特に正常でないものがあつたと目すべき特段の事由があるものとは認められないこと等、これら諸般の事情に徴するときは、本件所為の当時被告人には、少くとも未必的の故意があつたものと認めるのが相当であつて、被告人に殺意があつたものとする原判決に所論のような事実誤認の違法があるものと認められないこと、これまたさきに説示したとおりである」（福岡高判昭二九・一〇・一一　二高裁特報一・八・三五八）。

【90】　「論旨は何れも被告人は警察以来殺意は勿論未必的殺意をも否定しているのであつて、これを認めるに足る証拠はないといい事実誤認を主張するものであるが、原判決挙示の証拠を綜合すると、被告人の未必的殺意は十分認められる。およそ、被告人の心理的意思は被告人が告白しないかぎり直接証拠となるものはなく、殺意の点に関し被告人が警察以来終始これを否認していることは所論のとおりであるけれども、原判決も説明しているように、㈠本件兇器は刃渡り約十二糎の甚だ鋭利な匕首であること、㈡医師何川凉作成の鑑定書及び医師浜田利春作成の診断書により明かなとおり被害者朴鐘根の受けた創傷の部位程度は同人の左胸部第五肋間から左肺を傷つけ横隔膜を貫通し、更に胃底部前面を貫通する刺創であつて、深さ約十一糎に達し、殆ど刀身全部が没入されていると見られること、㈢被告人は被害者を発見して憤激し、「今日は貴様によう会うた」といい、起き上ろうとした同人の顔をいきなり平手で殴打し、同人が「何をするか」といいながら中腰になつて両手を前に出した途端、同人を匕首で突いていること、㈣被告人はかねてから被害者に対して相当立腹していたこと、などの各事実及び右兇器の性状、創傷の部位程度から推認される被告人の

被害者に対する攻撃手段の態様は健全な常識に照し、一般的に致死の結果を招来する可能性がきわめて大であると判断され、被告人の精神状態について特に正当でないと認められる点のない本件において、被告人には致死の結果について少くとも未必的の認識があり、本件の行為に出たものと認めるのが相当であつて、原判決には事実の誤認はない」（大阪高判昭三一・一一・二三高裁特報三・二三・一一〇三）。

（二）　逆に死亡の結果を生じても、攻撃が突発的であつて用いた兇器も必ずしも致命的のものといえないときは捜査官に対して殺意を認めていても、その供述は証明力がないものとされる。

【91】　「所論は要するに、被告人が原判示第一の犯行をなした際には殺意がなかつた旨を主張するのである。よつて按ずるに、一件記録に徴すれば、被告人は正業なく、常時刃物を携帯して、事あらば容易に刃物三昧に及ぶ者であつた事実が認められるばかりでなく、押収してあるナイフの刃先（主文掲記のもの）や、被害者仁科信昭の蒙つた創傷の部位並びに程度及び原判決挙示の各証拠を綜合すれば、被告人が原判示第一の犯行を敢てした際には相手方を殺害する意思（少くとも死ぬかも知れないという未必の故意）のあつたことが推認し得られ、従つて原判決の認定は正当であるように見えるのである。けれども原判決挙示の証拠の中、被告人の殺意を認定するについて最も有力な証拠となつたと思われる被告人に対する司法警察員並びに検察官の各供述調書を仔細に検討するといずれも、被告人は相手方から組伏せられたため無我夢中で相手方を刺した旨の供述をして居り、殺意をもつて相手方の腹部を突刺した旨述べているものがないことが明かである。もつとも右供述調書の中（中略　未必の故意を認めた回答部分）刺し処が悪ければ、一突きで相手が死んでしまうかも知れないと思つた旨の記載があるが、これ等は関連している前後の供述からみて、いずれも、被告人が捜査官から理詰めに追究を受けた結果、やむなく供述したものであることが窺われるから、這般の事情を深く検討することなく、前記の各供述によつて、被告人に殺意があつたと即断するのは早計である」（東京高判昭二九・四・二八特四〇・七九）。

(三) 贓物性の知情についても間接証拠で認められる場合が極めて多い。買受人が古物商、質商である場合に帳簿に取引の記載をしないということ自身が屡々贓物性の知情について有力な証拠とされる。

【92】「原審における被告人の供述によるも亦被告人の検察官に対する供述調書の記載によるも、被告人は本件銅線につき盗品の懸念を持ち買受に際しては「盗品ではないか」と問いただしたことになつていて、右疑問が単なる買受に際しての慣用文句でないことが認められる。然るに被告人の弁解は相手方が右質問に対し「盗品でない。人に頼まれたものである」と答えたので、それ以上確めもしないで買受けたというのであるが、右答によつて被告人の疑念が氷解したものとは遽に断定できない。之に加えるに本件買受価格が被告人の知つていたと認められる時価より著しく安いものであつたと認められる如き事情や本件売買の行われた時刻が午前三時半頃であつたという事情を綜合すると、結局被告人は判示銅線が贓物ではないかと疑い、相手に対し之を確めたところ、相手の答によつては明に右疑念をはらすに至らなかつたに拘らず、相手が盗品でないといつたのを幸い後日問題になつた際も一応の申開きができるものと思つて買受けたもので、以上の事情に照せば被告人は未必的にもせよ贓物性の認識を有していたものと推定して差支えないのである。然るに原審は他に特段の見るべき理由もないのにたやすく被告人に犯意がないものと断定したのは事実の認定を誤つたものと認める余地がある。仮に何等かの特別の事由（例え原審で弁護人が主張した被告人は普通人より注意力が低いという如き）があつて前記の如き相手方の言を信用し銅線は真実盗品ではないと考え善意で買受けたものであるとすれば其の間の事情は証拠上顕われていなければならないのであるが、記録を調査するも斯る事情の存在を看取するに足る資料は存在しないのである」（東京高判昭二七・二・一一特二九・三三）。

【93】「贓物故買罪の成立するための故意は、必ずしも買い受けるべき物が贓物であることを確定的に知つていることを必要としない。或は贓物であるかも知れないと思いながら、しかも敢えてこれを買い受ける

意思（いわゆる未必の故意）があれば足り（中略）、贓物たるの知情の点を被告人の自白のみによって認めても違法でないこと検察官所論の通りである。しかしながら、一応はその物が「或は贓物でないか」との疑念を持つたものの、この疑念が解消して、そのような不正品ではないとの信頼が生じたが故に、これを買受けた場合には贓物故買罪の犯意を認めることはできないのである」（高松高判昭二六・四・二七特一七・八）。

（四）　不作為犯殊に不真正不作為犯の場合には作為義務に違反する不作為によって結果の惹起に至らしめる場合であるので、果してその者が結果の発生を認容していたのか又は過失があるに止まるのかが屡々問題になる。殊に放火か失火かという場合には一瞬の間の心理の動きにかかることさえあるのでこの認定が容易でない。その際に熟慮の余地のある場合にはその認定にそれ程の困難はない。

【94】　「放火罪ハ故意ニ積極手段ニ依リ行ハルルヲ普通トスト雖自己ノ故意ニ帰スヘカラサル原因ニ依リ火カ自己ノ家屋ニ燃焼スルコトアルヘキ危険アル場合其ノ危険ノ発生ヲ防止スルコト可能ナルニ拘ラス其ノ危険ヲ利用スル意思ヲ以テ消火ニ必要ナル措置ヲ執ラス因テ家屋ニ延焼セシメタルトキモ亦法律ニ所謂火ヲ放ツノ行為ヲ為シタルモノニ該当スルモノトス故ニ自己ノ所有ニシテ火災保険ニ付サレ而モ自己以外ノ人ノ住居セサル家屋ノ神棚ニ多数ノ神符存在シ其ノ前ニ供セル燭台ノ蠟受カ不完全ニシテ之ニ点火シテ立テタル蠟燭カ神符ノ方ヘ傾斜セルヲ認識シナカラ危険防止ノ措置ヲ為サス却テ該状態ヲ利用シ若シ火災起ラハ保険金ヲ獲得スルヲ得ヘシト思料シテ外出シタル為右燈火ヨリ神符ニ点火シ更ニ家屋ニ延焼スルニ至ラシメタルトキハ刑法第百九条第一項ノ犯罪ヲ構成スルモノトス」（大判昭一三・三・一一刑集一七・二三七）。

【95】　「被告人両名及び呼石重樹の三名は原判決認定の如く原判示人夫宿舎において蒲団衣類等を窃取した際明りを採るため同宿舎内の囲炉裡の一つに焚火をしたが右宿舎を退去するに際し右焚火は尚燃えて居り且つ右囲炉裡には板切れ、莚等を投入してあつたためこれを放置すれば火は床板に燃移り右宿舎を焼燬する

に至ることを予見したに拘らず互に意思連絡の上何等消火の措置を採らずそのまま放置して右宿舎を立出でた事実を充分認めることができ被告人等には尠くとも放火の未必的故意があつたものと謂わなければならない」(高松高判昭二六・五・二五特一七・一二)。

これに反して熟慮の余地のない咄嗟の場合には一般に未必の故意を認めるのは困難である。会社の集金係が火鉢に炭火を起して残業中過熱から火が出たことを知つて狼狽して逃げ去つたものについても未必の故意を認めた最判(最判昭三三・九・九刑集一二・一三・二八八二)は、故意の認定が広過ぎる嫌いがある。

【96】　「原判示第三の事実については、原判決の挙示した関係部分の証拠並びに当審でした検証の結果を綜合すると、被告人は判示日時頃、判示伊藤嘉市方東側に到り、その場で喫煙した際、たばこの火付に使つた燃えているマッチの軸木を、地面に捨てずに誤つて同家東側下屋物置に在つた竹籠の中に投げこんだため、その残火がたまたま竹籠の中に在つた鉋屑に燃え移り、火焔があがつたので驚きと恐ろしさの余りうろたえてそのままそこから逃げ出したため、火は漸次勢を増して遂に判示のとおり人の現在する伊藤嘉市方家屋の一部を焼燬したとの事実が認められる。(中略)被告人が漫然投げ棄てたマッチの燃えている軸木が誤つて軒下の物置の竹籠に入り、その残火が中の鉋屑に燃え移つたのを見て驚きと恐ろしさの余りうろたえて急遽そこから逃げ出したという事実が認められるだけであつて、なるほど、被告人は鉋屑の燃え上るのを見た場合直ちにこれを消し止めねばならなかつたものであり、しかも容易にこれを消し止め得たものであるが、被告人が右軸木の残火が鉋屑に燃え移つたのを見て、故らにこれを放置し、その既発の火力を利用して人の現在する判示伊藤嘉市方家屋を焼燬する意思を以て消火その他の方法を採らず不作為に出たとの事実は毫も認められないので、被告人の右所為が失火罪として論議され得る余地のあることは格別原判決が挙示の証拠により右のとおり不作為による放火罪を認定したのは、虚無の証拠により事実を認定したことになり、事実

と証拠とが、くいちがつていることが明らかであるから、原判決は刑事訴訟法第三百九十七条第一項第三百七十八条第四号に則り破棄を免れない」（福岡高判昭二九・一一・三〇高裁特報一・一一・五〇九）。

【97】「もとよりこの供述でも、「一人で手におえない」と思つたというのであるから、それは、その火が大事に至ること、即ち少くともその便所やそれに接着した厩位が火事になること位は感得していたものであると推論し得ないことはない。しかし、周章狼狽した場合の突嗟の間における右程度の感得は、いわば反射的のもので、犯意の要件たる「認識」とはいい難く、いわんやこのことから「結果の発生の認容」という如き、「認識」から一歩進んだ精神活動があつたと見得ないことは明かで、要するに、右の司法警察員に対する供述は、当時被告人としては、建物焼燬の結果を発生すべきことの認識もなく、いわんやそれを認容する意思はなかつたということを意味するものである。而して、その際の被告人の行動経過は前叙の通りで、周章狼狽していたことは明かであり、かつ当時相当に酩酊していたことをも併せ考え、その際の被告人の心理としては、右司法警察員に対する供述の如き心理（注　家が焼けるということを考えつかなかつたので、ただ逃げるという気持であつたと供述したもの）は十分にあり得ることで、特に偽りとは見られない。又記録を通読するに、被告人の司法警察員に対する第二回供述調書以降の供述記載が、特に自己の責任を軽少ならしめるために虚偽の陳述をしたものとは認められず、却て被告人の検察官に対する供述調書の供述記載（注　火事になると思つたと供述したもの）中には、被告人が取調中に回顧反省をした結果をも混同して供述したかの感を与える点が少からず、同供述調書中前記摘録の部分も措信し難い」（仙台高判昭三〇・四・一二刑集八・三・三〇一）。

不作為による放火の故意については、このように認定の困難があり、改正刑法準備草案一一条一項も結果発生防止義務者が、これを防止することができたのに「ことさらに」防止しなかつたという規定を特に設けている。

## 二　常習性

常習性が行為の特質であるのか行為者の特質であるのかは刑法上争があるが、判例はこれを前科とか行為の反覆累行ということを間接証拠として認定するのが一般である。

【98】「賭博ノ常習トハ反覆シテ賭博行為ヲ為スノ習癖ヲ謂フモノニシテ犯人ニ賭博ノ前科アル事実ハ其ノ習癖ノ成立ヲ認ムルノ一資料タルヲ失ハスト雖前科ノ事実ヲ基礎トシテ犯人ニ賭博ノ常習アルコトヲ推断スルニハ前科タル賭博行為ト現ニ問擬セラルル賭博行為トノ間ニ於テ犯人ニ賭博ノ慣行アリト認ムヘキ時間的牽連関係存在シ之ヲ包括シテ単一ナル賭博習癖ノ発現ナリト視ルコトヲ得ヘキ場合ナラサルヘカラス原判示ニ依レハ被告人ノ本件賭博ヲ為シタルハ大正十五年十二月一日ヨリ同月五日迄ニシテ同人ノ賭博前科ハ大正二年一月二十五日罰金二十円同三年七月罰金五十円同五年五月十日懲役七月ニ処断セラレタルモノナレハ其ノ最後ノ賭博前科ヨリ数フルモ本件犯行ノ時迄十年余ノ星霜ヲ経過シタルヲ知ルヘシ而シテ其ノ間賭博行為ヲ為シタル事跡ノ認ムヘキモノナシトセハ該前科タル賭博犯行当時ニ於ケル被告ノ賭博慣行ノ習癖ハ爾後中断シタリト認ムルヲ妥当トスヘク斯ノ如ク長年月間賭博行為ヲ敢テセサリシニ拘ラス猶且賭博慣行ノ習癖ヲ持続シタリト為スカ如キハ明ニ実験法則ニ違背スルモノト謂ハサルヘカラス」（大判昭二・六・二九刑集六・二三八）。

【99】「所論は賭博前科のない被告人両名を賭博常習者として処断したのは事実を誤認したものと主張する。なるほど被告人李今石は一回の前科もなく、被告人金基柱も昭和十六年六月十八日窃盗罪で処罰されたことがあるのみで、賭博に関する前科があるわけではない。しかし刑法第百八十六条第一項の常習性を認定するには特定の資料殊に賭博の前科あることを要するものではなく、被告人の所為自体に於て賭博の習癖が存するものと認定するを妨げないところである。被告人両名は共謀の上昭和三十年四月十八日頃より同年五月七日頃までの間連日に亘り原判示場所に於て多数の客を相手として賭博行為を反覆したものであり、右行為の態様に於て被告人らに賭博の常習性ありと認定しても違法ではない。原判決がこれと同一見解によって被告人らが常習として本件賭博を為したものと認定したのは相当で、事実の誤認ではない」（東京高判昭三一・一一・一七刑集一〇・

一・）。

## 三　自白の任意性

（一）　自白の任意性は証拠能力の問題であって、その証明力の問題ではないが、自白が任意にされたものであるか否かの証明は自由心証の問題である。この証明は自由な証明でよいとされる訴訟法上の証明の一つであって、その任意性が問題となるような自白は捜査機関に対してされた自白が大多数を占める。そのような場合公判で証言をする捜査官の供述と被告人の供述とが全く対立するという事例も決して少なくないし、任意性は内容の証明力と全く別のものでありながらその内容の合理性の有無、その自白によって捜査機関が何らか新たな事実を知り、新たな証拠を発見集取することができたかということが任意性の証明にも影響を与えることが屡々である。被告人が捜査官に対してした自白が不任意のものであるということを主張しながら、それについて何ら具体的な主張も行わないときは特段の事情がない限りは自白の任意性について自白調書の証拠調の前に特段の調査を必要としない。

【100】　「被告人が供述調書の供述の任意性を否定し乍らその取調官を証人として公判に喚問を請求する等何等の立証を試みないのは自白の強制を主張するものではなく、単なる犯罪事実の否認である」（仙台高判昭二七・二・二六特二二・一〇三）。

自白が不任意であることについて具体的な主張がある場合には、その挙証責任は検察官にあり、その証明ができない場合はその自白は証拠能力を有しない。

【101】　「自白の証拠能力は、刑訴三一九条一項前段の規定する強制、拷問、脅迫、長期拘禁等の事由によ

るものはもとより、更に同項後段の規定により任意になされたものでないことに合理的な疑のあるものについてもまた存しないのである。そして右合理的な疑の存否につき何れとも決し難いときはこれを被告人の不利益に判断すべきでないものと解するを相当とする」(最判昭三二・五・三一刑集一一・五・一五七九)。

## (二)　自白の任意性の証明については多くの判例があるが代表的なものを掲げてみる。

【102】　「以上のように、本件記録中には、被告人の警察署における供述が強制若しくは拷問による自白であることを推認させるような幾多の証人の供述が存在するのである。殊に、直接、取調の衝に当つた警察官自身が被告人の取調は被告人に手錠をはめたままで行われたこと、午前二時頃まで取調べたこと、警察官が四人がかりで被告人を取調べたこと、警察官の一人が被告人を殴つたことのあることを認めていることは前述のとおりである。もとより、これらの証拠をいかに判断して、被告人の警察における自白が任意に出でたものであるかどうか、従つて、その自白に証拠能力があるかどうかを決定することは事実審たる原審の自由裁量に委ねられているところではあるが、その自由裁量たるや、合理的判断にもとずくものでなければならず、経験則に反するものであつてはならないことは勿論である。原審は果して右のごとき警察官の証言をいかに判断したのであろうか。本件において記録を精査しても右各供述の真実性を疑うに足りるような資料は存在しないのであるから、原審が若し右各警察官自身の以上のごとき供述を以て、措信するに足らないものとしたのであるならば、それは原審のいわれなき独断であつて、経験則に反する判断といわなければならない。又、若し、真実、以上のようなことが行われたにしても、それについて何らか斟酌すべき事情があると思われるならば、原審としてこれを証拠にとる以上、その間の事情を十分審理にしなければなるまい(中略)。しかるに、原審がかかる事情について、特段の審理をした形跡もない。特段の事情を斟酌すべきものもなく、以上各証人の供述するようなことが真実行われたものとするならば、かかる状況の下になされた被告人の警察における供述は、強制、拷問によるものであることを思わせる十分の理由があるものといわなければなら

ない」（最判昭二六・八・一刑集五・九・一六八四）。

右の判例はいわゆる島戸事件の第一次上告審の判決であつて、これに対しては証拠の取捨選択は自由心証の範囲内で、自白が任意にされたものであるとの証拠もあるのであるから原判決に何ら違法がないとする少数意見が附せられている。

【103】「原判決はその無罪理由三において被告人の供述調書における自白の任意性を否定する為め多数の紙葉を費しているけれども、帰するところその要点は当初否認していた被告人は一旦警察職員に自白したが検察官に対しては再び否認の態度を示し三転して自白に復帰した捜査過程における経過並に原審公判廷における証人に出廷した警察員間所治左エ門、笠松等、中村嘉十郎三名の供述態度と取調に当り同人らの暴行脅迫を受けたと主張する被告人の糺間の態度とを比較し「後者が極めて大胆率直でその受けた不当な取調をこの際徹底的に糺弾せねばやまぬという、真摯にして旺盛な気慨に満ち堂々たるものであつたのに反し、前者においては動もすると、取調の経過方法を詳細開陳することを回避するような態度に出で当然知つている筈と思われる事項についてもその場逃れの返答をした場合が多かつた」ことに鑑み被告人の自白は任意性を有しないということにある。しかし、一般事件の被疑者が捜査の段階において、犯罪事実を否認した後自白し、又は自白した後否認しその供述を二、三にすることは通例見られるところであり、殊にこれを捜査の段階と公判の段階とに分つて見るときは益々其の傾向は顕著であつて、近来公判に繋属する事件の被告人が捜査段階における自白を覆す供述を行う事はむしろ原則ともいわれる状況である。この場合において、これらの被告人の捜査官に対する自白を凡て強制による不任意の自白と認めなければならない理由はない。同様に同一の捜査階梯において、ある時には否認し、他の時には自白しその供述の態度に変化が起つたところでその変化を強制に基くものと断ずべき理由はない。被告人心理は犯罪の悔悟と自己保存の本能との間、及び理性と感情と真実と虚偽の間を彷徨し動揺する孤児の如きものである。善根と理性に立ち返つて真実を語り、利己

の欲望に繋れるときに虚偽を述ぶるは人間自然の数理である。故に本件被告人の自白が強制に基くものであるか否かは単に被告人の犯行に対する供述の動揺することや、公判廷における証人としての警察官に対し被告人の執つた態度の「堂々たる勇敢さ」をもつて決すべきではなく、其の自白内容の真実に適するかどうか、被告人の性格並に人物はどうであるか、被告人が何う云う動機で自白するに至つたかなどの具体的事情を証拠に照らして観察することによつて決すべきである。しかるに原審は其の取調た諸般の証拠を十分に検討して被告人の自白内容の真実性を発見する努力を傾けた形迹がない上に既に触れた被告人の激越で特異な性格と窃盗を行うような低級の性癖の示す卑屈で虚構に満ちた人格に目を蔽い前記のような判断の下にその自白調書の任意性を否定したのは不当である。しかして当裁判所は原審の取調べた前記警察官笠松等及び間所治左エ門を再度証人として取調べたところ、被告人の主張する暴行脅迫の事実を否定する同証人らに対し、立会の被告人の追及には何ら原審の観察したような「大胆率直で真摯にして旺盛な気慨に満ち堂々たる」様子がなかつたばかりでなく、間所証人によつて、被告人が最初に同証人に自白した動機に関する詳細な陳述を得ることができたのであるが、これによれば被告人は前記製氷会社前の流水に手を洗つた事実の釈明を追及せられ終に犯行を自白するに至つたものであつて、この自白の経路は人間の理性と吾人の経験則に照らし極めて自然の事理に属し何ら強制の観念を容れる余地のないものである。更に同証人二名と被告人立会の下にかねて当審に対し検察官より取調を請求せられていた昭和二十六年十一月二日午後八時五十分より同九時五十分までの間に行われた間所治左エ門の取調に対する被告人の自白の供述状況を採取した録音テープを放送したところ、犯行事実を詳細に供述して行く被告人の音声は頗る穏かに落着いて聴取されたのであつて、右録音は被告人の最初の自白があつた同日の夜、改めて被告人を尋問するに当り、被告人に感知せしめないで施した録音装置によつて採取されたものであるから、その自白の任意性に関する証拠価値は頗る高いものと考えられるのである。そしてこの放送の間の被告人の様子を窺うに椅子に座したまゝ時折面貌を両手に抑え身悶えする風を示したのである。以上諸般の情況に照らし当裁判所は被告人の自白調書の任意性を認容すべきものと判断する」（名古屋高金沢支判昭二九・三・一八特三三・一七〇）。

自白の任意性についての右の判例を詳細に引用したのは、この判例の場合が実務上最もよく起る場合であり、また被告人、証人の供述をその口調、態度とも併せて判断する場合の長所と短所、利益と危険を端的に示しているといえるからである。

## 四　伝聞証拠の特信性

刑訴三二一条一項二、三号には特に信用し得る情況があるとき伝聞証拠が証拠能力を取得すると規定されている。このいわゆる特信情況については学説は外部的附随事情であることを要するとの説（平場・刑訴講義二〇一頁）、外部的附随事情であることを要するが供述内容はその事情の存在を推測させるとの説（田中・証拠法一六一頁）と内容による特信性の判断をも認める説（高田・刑訴二四四頁、青柳・刑訴通論七〇六頁）に分れ、判例は内容によりまた裁判官の自由心証で定められるとしている。

【104】「所論刑訴三二一条一項二号但書の規定は、検察官の面前における供述を録取した書面を証拠とするには、先ず公判準備又は公判期日において刑事被告人に対し該書面の供述者を審問する機会を充分に与えたことを前提とするものであり、現に本件においても第一審裁判所は所論検察官の作成した各供述調書の供述人根本三郎、同川上重之介をその公判廷（被告人両名の出頭している）において訊問し、被告人両名にも同証人等をそれぞれ審問する機会を十分に与えていること、記録上明らかであるから、原判決の説示は何等憲法三七条二項の法意に反するところがない（中略）。また該書面の供述が公判準備又は公判期日における供述よりも信用すべき特別の情況存するか否かは結局事実審裁判所の裁量に任かされているものと解するを相当とするから原判決の説示は正当であるというべく、従つて本件は同四一一条を適用すべきものとは認めら

れない」（最判昭二六・一一・一五刑集五・一二・二三九三）。

【105】「刑訴三二一条一項二号は、伝聞証拠排斥に関する同三二〇条の例外規定の一つであつて、このような供述調書を証拠とする必要性とその証拠について反対尋問を経ないでも充分の信用性ある情況の存在をその理由とするものである。そして証人が検察官の面前調書と異つた供述をしたことによりその必要性は充たされるし、また必ずしも外部的な特別の事情でなくても、その供述の内容自体によつてそれが信用性ある情況の存在を推知せしめる事由となると解すべきものである」（最判昭三〇・一・一一刑集九・一・一四）。

【106】「所論刑訴三二一条一項三号但書の「特に信用すべき情況」については事実審の裁量認定に関する事項であり、また所論供述者が一八歳未満の者であることの一事をもつては、未だ右刑訴同条の「特に信用すべき情況」でないといい得ないことは論ずるまでもないところである」（最判昭二九・九・一一刑集八・九・一四七九）。

## 七　立証趣旨と証明力

一　裁判官の心証は二途たり得ないということから民事訴訟には証拠共通の原則があるが、実体的真実の発見の理想が補充的にせよ職権主義を伴つて行われる場合には、当事者提出の証拠であつてもその立証の趣旨と異つて使用できることが当然になる。刑訴規則一九八条は、証拠調の請求は証明すべき事実との具体的関係を明示してすることを要求し、これに違反すれば却下できるとしているのであるが、この規定は証拠能力の有無殊に伝聞証拠であるかどうかがその証拠によつて何を証明しようとするのかで異る場合があるし、また関連性、重要性について証拠決定の材料を与えるために設けられたもので、証拠能力は立証趣旨に拘束されるが、証明力は拘束されないとするのが通説である（青柳・刑訴通論五一四頁）。これに対して立証テーマを超えた証拠調は証拠申立の拘束性を無視するものであつて違法であり、改めて刑訴二九九条二項の手続を行つて後証拠調をする必要があるとの説がある（鴨・刑事証拠法二九一頁）。

【107】「第一審判決は守屋邦夫の司法警察員に対する第一、二回各供述調書を有罪の証拠としているが、右は所論のとおり被告人において証拠とすることに同意しなかつた書類であつて、検察官は同公判廷における証人守屋邦夫の供述に対しその信憑力を争う為の証拠として刑訴三二八条に基いて提出したものである。従つて第一審判決がこれを有罪判決の直接の証拠としたことは違法であるが、右証拠を除外してその余の第一審判決挙示の証拠のみによつても被告人に対する判示犯罪事実は優にこれを認定し得るのであるから、右の違法は刑訴四一一条に該当しないものというべきである」（最決昭二八・二・一七刑集七・二・二三七）。

この判例が原則的に証拠能力のない書面に関するものであつたのに対し、証拠能力のある書面であつても、立証趣旨が刑訴三二八条の書面として証拠調を請求したものであれば事実認定の証拠にできないとの趣旨のものに次の判例がある。

【108】「刑訴第三二八条所定の目的のみのために同条に則つて提出した証拠によつて被告人の罪状を認定する証拠とすることはできないと解するのが相当である。蓋し新法は強く当事者主義を採用しているから、当事者の立証の趣旨に従うのが相当である。当事者において一定の証拠の証明力を争うために提出したものがたまたま罪となるべき事実認定の証拠とするに適当のものであつても当事者においてこれを犯罪事実認定の証拠として提出若しくは援用しないのに裁判所がこれを採つて犯罪の証拠とすることは許されない。これを許すことは当事者主義に反するのみならず、被告人並びに弁護人にとつては不意打でその防禦権を侵害するおそれもあるからである」（東京高判昭二六・六・七刑集四・六・六三三）。

捜査の経過、被告人、参考人の供述の変化の経過を明らかにするという趣旨で検察官の提出した証拠能力のない書面を、実質的に事実認定の用に供したという意味で論議を免れないものに松川事件の第二回第二審判決がある。

【109】「当裁判所は、検察官提出のこの新証拠群の書面を精査検討し、その新証拠相互に、またはこれと旧証拠と対照吟味することにより（この場合新証拠の書面は物的証拠の性格をもつ）、自白の真実性を確かめ、被告らの法廷供述や証人の証言の真偽をみきわめる上において、「諏訪メモ」とはその性質を異にするが、その重要性においてまさるとも劣らぬ幾多の新証拠を発見した。この場合対照吟味に用いられる新証拠が物的証拠の性格をもつという意味は、例えば、被告が身柄を拘束されて外界との交通を完全に遮断された期間中における被告の供述調書、参考人の供述調書等の供述内容が、ある事柄について合致しているとき、そのような供述内容の合致する供述調書が存在するということ自体が証拠になるという趣旨である。この場合被告と参考人とが事前に打ち合わせた等の作為的事情がないと認められるときには、その合致する供述内容の事柄はお互に体験を共にしたが故に、それに関する供述が合致するものであるとみて通常差し支えない、ということが経験則であるといえよう。だから、そのように供述内容の合致する供述調書が存在するという事実は、その被告の供述調書と同旨の当該被告の法廷供述の真実性、あるいはその参考人の供述調書と同旨の当該参考人の証人としての証言の真実性を強く保障するものといえるのである。そうして、そのように強く真実性の保障せられた被告の法廷供述、あるいは証人の証言であるから、それは動かない証拠、不動の証拠といつても差し支えないわけである。このように動かない証拠、不動の証拠といつても差し支えないほど真実性の豊かな被告の法廷供述や証人の証言が直接の証拠となつて確証されるのであるから、例えば、ある被告のアリバイの成立が殆んど決定的であるといえるという趣旨なのである。その他、これに類した事例が本文説明中随所に出てくるのであるが、このように特別な限定的な場合に証拠としているわけである」（仙台高判昭三六・八・八同三四(う)四四三号）。

二　立証趣旨が証拠能力に関係をもたず、証明力だけの問題に過ぎない場合にはこれに拘束されないとするのが判例の傾向である。

【110】「証拠調の請求をするには、証明すべき事実を表示してこれをしなければならないことは、刑事訴訟規則第百八十九条の定むるところであるが、これは裁判所が証拠調の採否の決定をしたり又は相手方が防禦方法を講ずるにつき、不便又は不利益を来さないために設けられた規定で、この立証趣旨の表示が全くないか又は不明のときは、裁判所はその証拠調の請求を却下し得るに止まるものであつて裁判所が右の如き証拠調請求があつたに拘らず、これを採用して証拠調を為し、相手方も何等異議を申立てなかつたときは立証趣旨が不明であると云うだけの理由で、判決に影響を及ぼすべき違法があるとは言えない。すべて証拠は立証趣旨の範囲内においてのみ証明力があると言うわけのものでなく、裁判所は、立証趣旨に拘束せらるることなく自由心証に基き公訴事実の如何なる点についても証拠の証明力を認め得るものであるから、立証趣旨が不明不備であつても、その証拠に何等の証明力もないと解することはできない従つて本件において証拠調の請求について、立証趣旨が具体的に明示されなかつた違法があつたとしても、それは判決に影響しないこと明らかであるから、論旨は全く理由がない」（名古屋高判昭二四・一〇・二九特一・二八〇）。

【111】「原審に於て検察官は右告発書を本件の起訴要件の立証の為に取調べを要求し弁護人に於て之に同意したものであることは明であるけれども、裁判所は必ずしも、当該証拠の証明力を立証事項の範囲にのみ限定すべき理由はないと解すべきであるから、苟くも証拠能力のある限り、採つて以て他の事実認定に供するも妨げないものと解すべきである」（東京高判昭二五・四・一五特一六・六三）。

このような判例に対して立証趣旨と余りかけ離れておらず、当事者の利益を不当に害しないという条件をつける判例もある。

【112】「刑事訴訟規則は証拠調の請求にあたつては証明すべき事実を表示することを要求し、之に違反してなされた証拠調の請求は之を却下することができる旨を規定し、証人等の申請については更に詳細に規定され、尋問事項書の提出が必要とされている。之は証拠調の適正円滑な進展を所期することからの要請であり、又当事者主義を採用した結果として新設された幾多の規定と相まつて相手方にその防禦権を十分に行使せしめようとするものである。然し乍ら右規定から直ちに一つの公訴事実を証明するために証拠調を請求した証拠を他の公訴事実の証明に供することができないと判定することは正当と考えられない。蓋し刑事訴訟法は事実の認定は証拠によるべき旨を定め所謂証拠裁判主義の原則を明らかにし、証拠能力について種々な制限を設けているが、証拠はその立証趣旨の範囲を超えて証明力がない旨の規定はない。法は当事者主義を採用したがなお職権主義をのこしている。従つて裁判所は証拠能力を有し適法且有効な証拠調の行われた証拠に基いて事案の真相を明らかにし適正な判断をなすべきである。尤も法は当事者主義を採用し当事者をして攻撃防禦を十分に尽さしめることを期しているのであるから、立証の趣旨とあまりにかけはなれた当事者の予想しない様な証拠をもつて事実を認定することは、法の目的に反し不公正な結果を来す場合もあり得べく此の様な場合はその証拠の取調が適法且つ有効に行われていないものをとつて事実を認定したこととなり採証の法則に違反するの結果となるものと解する」（広島高判昭二六・一〇・一〇特二〇・四〇）。

【113】「よつて進んで、右の供述調書を判示第一二の事実認定の証拠としたことの当否について審究するに、そもそも刑訴規則第一八九条第一項に、証拠調の請求は、証拠と証明すべき事実との関係を具体的に明示して、これをしなければならないと規定し、同条第四項に、前各項の規定に違反してされた証拠調の請求は、これを却下することができると定めているのは、証拠調の請求という方法による攻撃防禦の焦点を明白ならしめることによつて、一方においては相手方当事者の訴訟上の利益をはかるとともに、他方においては証拠調の範囲の決定その他裁判所による訴訟進行の円滑適正に資する趣旨をも包含しているものと解せられる。従つて、或る事実立証のために提出された証拠を、他の事実認定の証拠として用いる場合において

は、いやしくも不当に訴訟当事者の利益を害することのないように深甚の配慮を要することは、もとより言をまたないところではあるが、或る事実立証のためとして提出された証拠であつても、当該訴訟における諸般の事情に照らして、不当に訴訟当事者の利益を害するおそれがないと認められる場合においては、これを他の事実認定の証拠として用いることができるものと解するのが正当である」（福岡高判昭二九・九・一六刑集七・九・一四一五）。

併合審理されている一事件の証拠とする趣旨で提出され証拠調のあつた証拠を、他の事件の証拠とすることはできないという厳格な態度をとつたものには次のものがある。

【114】「刑事訴訟規則第百八十九条によると証拠調の請求は証明すべき事実を表示してこれをしなければならない前項の規定に違反してされた証拠調の請求はこれを却下することができる旨規定され各犯罪事実毎に証拠調の請求をすべき旨を明にしている。これは被告人側が相手方から提出された証拠の証明力を争い其の他防禦権の行使に重要な関係があり、例えば或る供述調書は或る事実の証拠に供することには同意するか他の事実の証拠に供することには反対する場合を生ずることが想像されるので一つの事実を証明するため証拠調を請求した証拠は他の事実の証明に供することを禁じられているものと解すべきで今本件について謂うならば窃盗罪を証明するため証拠調を請求された証拠は詐欺罪の証明に供することを禁じられると同時に詐欺罪を証明するため証拠調を請求された証拠は窃盗罪の証明に供することを禁じられているのである」（福岡高判昭二五・七・一二特一一・一四三）。

三　情状の証拠として提出されたものを犯罪事実の認定に供することができるかどうかも判例が一致しない。厳格な証明に用いることのできる証拠能力のあるものについても、立証趣旨で制限され犯罪事実認定の用に供し得ないとするものを次に掲げる。

【115】「右沖佐内、及び河村清久が証人として被告人に対する第二回公判期日においてなした各供述は検

察官が前記の如く情状に関する立証として取調を請求した、一、検察官に対する河村清久の供述調書、一、検察官に対する沖佐内の弁解録取書、一、検察官に対する同人の供述調書中の各供述と被告人の本件贓物についての知情に関する点において実質的に異つていることを看取することができるのであるが、記録上、右沖及び河村の検察官に対する各供述調書について、検察官において、刑事訴訟法第三百条の規定により同法第三百二十一条第一項第二号後段の書面として取調の請求をした形跡は全く認められないのであるから、右各供述調書は前掲公判調書記載のとおり検察官においては被告人及び原審共同被告人沖佐内同河村清久の情状に関する事実の証拠として取調の請求をし、各被告人の弁護人においてその趣旨の下に証拠とすることに同意したものといわなければならない。さすればかような供述調書は情状に関する事実についてのみ証拠能力を附与されたものに過ぎないのであるから、これを以て罪となるべき事実を認定する資料とすることは許容さるべきものではない。けだし、若し、情状に関する事実の証拠とすることに同意した書面又は供述を以て、なお且つ、罪となるべき事実を認定することができるものとせんか、被告人は情状に関する事実の証拠とすることに同意したるの故を以て、刑事訴訟法第三百二十六条により同法第三百二十一条乃至第三百二十五条所定の条件乃至は任意性若しくはその調査につき何等顧慮されることなくして罪となるべき事実を認定されると共に検察官においてこれ等の証拠につき罪となるべき事実のため証拠調の請求をしたとすれば被告人においてなし得べき意見、弁解乃至は異議申立の機会をも剥奪する等被告人に不利益を招来する結果となるからである」（福岡高判昭二七・六・四特一九・九六）。

右の判例は公判調書の記載からする検察官の証拠調請求という訴訟行為の解釈の問題としても厳格に過ぎるし、同意によつてはじめて証拠能力を取得する供述も、本来証拠能力をもつている供述も一括している嫌いがあるが、これを区別している判例には次のものがある。

【116】「論旨は、かくの如く情状を証するための証拠をもつて罪となるべき事実を認定することは違法であると主張し、その一つの論拠として罪となるべき事実についてはいわゆる厳格な証明を必要とするのに反しそれ以外の事実についてはその必要がないということを挙げている。しかしながら、論旨の引用する右の原則は、情状に関する事実のように罪となるべき事実以外の事実については、証拠能力がありかつ適法な証拠調を経た証拠以外のなんらかの証拠によつてもこれを認定することができるということを意味するだけであつて、そのことから直ちに、情状に関して取り調べられた証拠はすべて罪となるべき事実認定の資料としてはならない、という結論は出てこない。かかる証拠であつても、それが証拠能力を有しかつ適法な証拠調を経たものであれば、これによつて罪となるべき事実を認定しても、前述した原則との関係だけからいえば、少しも差支えないのである。次に論旨は、立証趣旨という点からしても右の証拠を罪となるべき事実認定の資料に供することは許されないと主張する。これは、ことばをかえていえば、裁判所は証拠の立証趣旨に拘束されるかという問題にほかならない。そこで、この点につき考究するのに、極端な当事者主義の原則を貫ぬくならばあるいは論旨の結論を正当なりとしなければならないかもしれないが、わが刑訴法は周知のごとく当事者主義をかなり強く採り入れてはいるもののなお職権による証拠調の制度を認めていること等からしても当事者主義のみに徹底しているものとは考えられない。そのような点を併せ考えると、刑訴規則第一八九条が証拠調の請求にあたり証拠と証明すべき事実との関係（立証趣旨）を明らかにすることを要求しているのは、さしあたり裁判所がその請求の採否の決定をするについてその参考とするためであると解すべきであつて（このことは同条四項に立証趣旨を明らかにしない証拠調の請求を却下することができる旨の規定があることからも窺うことができる。）立証趣旨なるものにそれ以上の強い効力を認めることは、法の精神とするところではないと解するのを妥当とする。いいかえれば、ある証拠調を請求した者は、その証拠が立証趣旨に従つて自己の側に有利に判断されることのある反面、いやしくもこれが採用された限り自己の不利益にも使用されることのあるのを予期すべきものなのであつて、この解釈は、あたかも被告人の公判廷に

おける任意の供述が自己の不利益な証拠ともなりうること（刑訴規則第一九七条第一項参照）とも照応するのである。ただ、強いていえば、次の二点には注意する必要があるであろう。第一は、当事者が証拠を刑訴法第三二八条のいわゆる反証として提出した場合で、この場合は証拠調の請求者が自らその証拠能力を限定したことになるから、これをもつて完全な証拠能力あるものとして罪となるべき事実を認定することは許されない。第二には、いわゆる伝聞法則との関係において、立証趣旨のいかんによりその書証に対する同意の意味が異なる場合があり、また証人に対する反対尋問の範囲に相違を生ずることが考えられるので、それらの場合に証明すべき事実との関係で証拠能力の認められないことがありうる」（東京高判昭二七・一一・一五刑集五・一二・二二〇一）。

## 八　証明力に関する証拠説明

自由心証が論理法則に従う判断に尽きるものでなく、その人の経験と直感とによるところが少くないものであるから、狭義の証明力は一応論理的に説明ができるにしても、信用性の有無については説明が十分できないのがむしろ一般である。強いて説明しようとすればその判決を見る第三者に牽強附会ともいえる感をもたせることさえある。民訴一九一条一項三号の判決の理由を学説が証拠の取捨判断の理由とするのに対して判例が証拠の取捨判断さえ示せばよく、その理由の説明まで必要ではないとしているのは、このような全人格的判断について論理的な説明は不可能だとするからである。もちろんこれによつて自由心証が裁判官の恣意を許すものとなり、裁判が裁判官の御託宣になるようなことがないようにしなければならない（三ケ月・民訴四〇二頁）。民訴の訴訟物が主として経済的な合理性を基礎として理解できるのに反して、本来不合理な犯罪現象を審理の対象とする刑訴では証拠の信用性の判断に論理的説明が困難なものがあるし、またそれだけに裁判官の慎重な判断が要請される（青柳・刑訴通論七七六頁）。

## 一　有罪判決

（一）　有罪判決に示すべきものは刑訴三三五条に規定されている。旧刑訴で証拠を示すことになつていた頃においてさえ、判例は証拠の取捨の理由の説明は必要がないとしていた。

【117】　「法律ハ有罪ノ言渡ヲ為スニハ罪ト為ルヘキ事実及証拠ニ依リテ之ヲ認メタルノ理由ヲ説明スヘキコトヲ要求スルト雖其ノ証拠ヲ取捨シタル所以ノ理由ニ至リテハ之ヲ明示スルコトヲ要求セサルナリ」（大判昭一二・三・一〇刑集一六・二九九）。

【118】　「論旨は、被告人等の公判廷における供述と、公判廷外において官憲の録取した書類に表示されている供述とが、相違している場合において、その何れを採るかは、裁判所の自由心証に依るべきであるが、前者を排し後者を信じて採る場合には、その理由を示すべきだと主張するのである。同じ被告人の供述でも、犯行時に近いものが正確で、だんだん時の経つにつれて記憶が薄らぎ供述の正確性を失つていくという事例もあり、また犯行直後には素直に真実を語つているが、事件の進行する過程において、意識的に罪責を逃れ又は軽からしめようとする心理の動くがままに、時として様様に歪曲せられた虚偽の陳述が加わつていくという事例もあり、さらにまたこれらの反対の事例もその他多種多様の事例もあるであろう。これら玉石の混じりあつた供述の中から、その珠玉を拾い出し、その何れをより真実と認め、より多く措信するかは、実に裁判官に課せられた重い任務であつて、裁判官の聡明と苦心とは常にこの点に傾注せられており又傾注せられなければならない。これが真の意味における自由心証主義の精髄であり中核をなすものであると考える。この自由は、飽くまで真実を発見するためどこからも制御を受けない意味における自由であり、かりそめにも専恣や我儘や安易や怠慢を許す自由であつてはならぬことは、言うまでもないところである。されば、自

由心証の形成には、聡明な裁判官の彫琢の努力による具体的の事情に即した極めて高度の評価作用を必要とする。かかる自由心証形成の過程における心理的作用は、まことは複雑多岐であり、極めて繊細微妙な問題である。そこで論旨のいうように所論の場合に自由心証の形成されるに至つた理由を判決に示すべしとすることは、甚だ難きを裁判官に強うる嫌があるばかりでなく、却つて真の自由心証の形成のためにむしろ害があるといわなければならぬ」(最判昭二四・四・一四刑集三・四・五三〇)。

【119】「証拠の取捨判断は、裁判官が法令その他実験則に反せざる限り、良心に従い諸般の事情に応じ独立自由に決定すべきところであつて、その取捨判断の理由は、必要に応じ適宜これを示すことを妨ぐるものではないが常に必ずこれを示さなければならぬものではない。蓋し旧刑訴第三六〇条第一項は、有罪判決において罪となるべき事実を認めた証拠上の理由を示すべきことを命じてはいないからである。所論の刑訴応急措置法並びに新憲法の施行に伴いこれと異る解釈を採らねばならぬ理由は、毫もこれを見出すことはできない」(最判昭二四・五・一八刑集三・六・七三四)。

現行法になつてからも証拠の取捨判断の理由の説示は必要でないとする判例には変更がない。

【120】「或る者の公判廷に於ける供述と検察官に対する供述とが異なる場合に其の孰れを証拠として採用するかは事実承審官たる原審の自由裁量に委ねられるところであること弁護人日比野幸一の論旨第三、第四、第五に対する後段の判断に於て説明した通りであつて本件に於いて原判決が検事作成の被告人の供述調書、宮沢、古屋に対する検事作成の各供述調書、長浜に対する検察事務官作成の供述調書の各記載を証拠として採用したのはこれ等の者の公判廷に於ける供述よりも其の前の供述を信用すべき特別の情況の存するものと認めたが為めに他ならない。而して斯る証拠の取捨判断は原審の専権に属するところであるからこれ等の者の公判廷に於ける供述よりも前の供述を証拠として採用したからと云つて特にこれを採用した理由を判示せなければならないと謂う法則はない。従つてこれを判示しなかつた原審判決には理由不備の違法は存しな

い」（東京高判昭二五・一一・六特一四・九）。

（二）　採用した個々の証拠についてもその措信できる理由の説明が不要であることについては次のものがある。

【121】　「裁判所ハ其ノ措信スヘキモノト認メタル証拠ニ依リ犯罪事実ヲ認定シタル理由ヲ説明スレハ足リ判決ニ援用シタル証拠ニ付一々其ノ信用スヘキ理由ヲ説明スルヲ要スルモノニ非サルヲ以テ原判決カ所論強制処分ニ因ル被告人訊問調書中ノ供述記載ニ付其ノ信用スヘキ理由ヲ説明セサルモ之ヲ違法ナリト謂フヘカラス而シテ右訊問調書中ノ記載其ノ他原判決引用ノ証拠ニ依レハ原判示事実ヲ認ムヘキ証明十分ナレハ所論ノ如ク証拠理由不備ノ違法アルモノニ非ス」（大判昭九・五・二一評論二三刑法一七八）。

刑訴三二一条一項二号但書の特信情況についても、その情況の存在について説明の必要はないものとされている。

【122】　「所論各供述調書謄本の取調請求に付弁護人から異議があつたことは原審第四回公判調書の記載に依り明であるけれども、右書面はいづれも検察官の面前に於ける供述を録取したもので所論証人等の公判廷に於ける供述が該書面に記載した供述内容と一部相反すること及公判期日に於ける供述よりも前の供述を信用すべき特別の情況が存することは一件記録に徴し明であるから、右書面は刑事訴訟法第三百二十一条第一項第二号に該当するものと認むべく裁判所は公判廷に於ける証人の供述の模様態度其の他記録に現はれた総ての資料に徴し前の供述を信用すべきであるとの心証を得たときは之を採つて証拠とすることが出来之を信用すべき特別の情況如何を具体的に判決に説明する要なきものと解するのが相当であるから原判決が右各書面を証拠としたのは毫も違法ではなく論旨は採用出来ない」」（高松高判昭二四・一二・三特九・一八四）。

（三）　証拠調をした証拠の中で措信しないものがある場合その理由を説明する必要はない。

【123】「原審公判廷ニ於ケル所論被告人太助及富三郎ノ弁解ハ原判示第二(一)ノ事実ヲ否認スルニ外ナラサルヲ以テ刑事訴訟法第三百六十条第二項ニ所謂法律上犯罪ノ成立ヲ阻却スヘキ事実上ノ主張ニ該当セサルヲ以テ縦令被告人等ニ於テ証拠ヲ挙ケテ叙上ノ弁解ヲ為スモ之ニ対スル判断ヲ特ニ判文ニ掲記スルノ要ナク又裁判所ハ其ノ採用セサル証拠ニ付措信セサル理由ヲ判示スルノ要ナク同法第三百六十条ハ之カ判示ヲ命シタル規定ニ非サルヲ以テ原判決ハ所論ノ如キ違法アルモノニ非ス」(大判昭七・一一・一七刑集一一・一五八四)。

## 二　無罪判決

(一)　無罪判決については刑訴三三五条のような特別の規定は存しないから、刑訴四四条の限度で理由を付ければよく、検察官提出の証拠を信用しない理由を説明する必要はない。いやしくも検察官が公訴を提起した以上その提出の証拠を措信しさえすれば狭義の証明力は有罪判決を導くに足る場合が大部分である。従つて無罪の判決はそのような証拠の信用性を認めなかつた場合に起ることが多い。そして信用性が論理の法則に従うだけで導き出されず、経験と直感をも加えた全人格的な判断によつて得られるので、この場合信用性のないことの説明を論理的にさせることは極めて困難であるし、事実審裁判官に対する過大な要求となるであろう。判例は三三六条の前段によつたのか後段によつたのか判示すれば足りるとするのが大審院以来の傾向である。

【124】「原判決が、無罪の理由として、被告人に対する公訴事実は云々というにあるも、その証明が充分でないから、刑事訴訟法第三百三十六条に則り、無罪の言渡をする旨の簡単な説明に止めていることは所論のとおりであるが、しかし、右刑事訴訟法第三百三十六条には、「被告事件が罪とならないとき、又は被告事件について犯罪の証明がないときは、判決で無罪の言渡をしなければならない。」と規定しているだけで

あつて、且つ、無罪の言渡をするについては、有罪の言渡をする場合の同法第三百三十五条のような特別の規定が存しないのであるから、無罪判決の理由としては、被告事件が罪とならないか、若しくは、被告事件について犯罪の証明がないかのうちいずれかの一つによつて無罪の言渡をするものであることを示せば足るものと解すべきところ、原判決は、無罪の言渡をする理由として、前示のように、本件の公訴事実を具体的に掲げた上、その証明が充分でないから、刑事訴訟法第三百三十六条に則り、無罪の言渡をする旨を判示しているのであるから、同法の要求する前示の要件を充分に具備するものというべく、従つて、原判決には、所論のような違法があるものということはできない」(東京高判昭二七・一〇・二三刑集五・一二・二一六五)。

(二)　これに対して一応形式的証拠がそろつている場合にはそれらの証拠が措信できない理由を説明しなければ理由不備になるという比較的少数の判例がある。このような場合には端的に事実誤認というべきであつて、理由不備というべきではないと思われる(青柳・刑訴通論七六九頁、反対、江家・教室下巻五九頁)。そのような理由説明の要求は、どうにも説明はつかないがしかも有罪の心証はないような事件につき裁判官をして無罪判決を下すのを躊躇させるようなことになりかねないからである。

【125】　「原判決は、本件公訴事実は、これを認むるに足る証明がないとして、被告人等に無罪の言渡を為しているが、(一)原審第一回公判調書の記載によれば、検察官が朗読した公訴事実に対し、各被告人は、事実はその通りで何も述べることはないと供述して、公訴事実を総て承認していること、(二)被害者石原義定に対する司法警察員の第一、第二回供述調書及び検察官の供述調書によれば、公訴事実第一に照応する被害顛末の供述記載があり、(三)被害者古田儀一に対する司法警察員の供述調書及び検察官の供述調書によれば、公訴事実第二に照応する被害顛末の供述記載があつて、右各供述調書については、被告人等及び弁護人がこれを証拠とすることに同意しているから、本件公訴事実を証明するに足る一応の形式的証拠がそろつていること

になる。然るに原審が公訴事実を証明するに足る証拠がないと断定するには、右各証拠が措信するに足らないもので従って証明力がないことを説明しなければ、判決の理由としては、不備と謂うことになる」（名古屋高判昭二四・一二・二七特六・八三）。

## 九　上訴審による控制

刑訴は控訴審を旧刑訴の覆審から事後審に改めた。控訴審は事実審的な事後審であり、上告は法律審的な事後審である。事後審と民訴の続審との差はいろいろにいわれているが、控訴審が自ら心証を取得して原判決と比較する方式による構造をとる場合を続審といい、控訴審が自ら心証を取得せず原判決の当否の判断に止める原則的な構造をとっている場合を事後審というと考えておきたい（青柳・刑訴通論八二三頁）。

事後審の構造をとる場合にはその事実の取調（刑訴三九三）も一定の制限を受けることになるが、その基本的判例に次のものがある。現実の控訴審の審理は具体的事件に応じていろいろあるが、原則としてこの判例の線は今日でも維持されている。

【126】「新刑訴法による控訴審は事後審であつて、旧刑訴法におけるように覆審ではない。すなわち新法の下における第二審は、第一審判決の事実の認定と量刑が妥当であるか否かを第一審で取り調べた証拠及び訴訟記録によつて判断し、また法令違反の有無又は刑訴法三八三条所定の事由の有無を審査するのであつて、旧法における控訴審が覆審としてすべての事実に亘つて取調を新たにしたのとは異なるのである。もとより、新法の下における控訴裁判所は、純然たる法律審ではないから、事後審としての前記審査をするについて必

要があるときは事実の取調をすることができるし、又これをしなければならない場合もあるが、その取調の限度は第一審判決に存する当事者の主張し又は職権で調査すべき破棄事由の有無の審査に限られるのであつて、旧法の覆審の場合のように新たな事実の認定や量刑を目的として自ら証拠を取り調べるべきものでないことは、前条の調査をするについて必要があるときに事実の取調ができることを規定した新刑訴三九三条一項及び第一審判決を破棄した場合には原則として事件を原裁判所に差し戻し又は他の裁判所に移送すべきであつて、事件につき控訴裁判所自ら判決するのは例外の場合に限られることを規定した新刑訴四〇〇条からも窺い知られるのである」（最判昭二五・一二・二四刑集四・一二・二六二一）。

事実の取調がこのように制限されると、既に個々の証拠の証明力について検討したように証拠の主たる部分を占める供述証拠の信用性は、供述内容の合理性のみによるのでなく、その供述者の供述の際の語調、態度をも綜合したものによつて判断されるので原審の判断に誤りがあるかどうかの判断も必然的に制約される。殊にそれが原審公判期日又は公判準備期日における供述であつた場合には論理性以外の資料が信用性の判断について占める割合は捜査官に対する供述調書の場合にくらべて大きいものがある（青柳・刑訴通論六四二頁）。

最判は先の判例を変更して第一審判決が犯罪事実の存在を確定せず無罪と判決した場合、控訴審が事実の取調をせず、これを破棄して事実を確定し、有罪の判決をすることは許されないとの判例を示しているが、その根拠はトライアルの理論にあるので右の自由心証の控制の限界から来ているのではない。もしそうであれば、事実誤認として有罪を無罪にする場合であつても、破棄差戻、移送する場
231 合であつても同様である筈であるのに、最判はこのような場合には事実の取調を要求していないから

である。

【127】「しかし第一審判決が公訴事実の存在を確定していないのに、原審が何ら事実の取調をすることなく、刑訴四〇〇条但書にもとづき訴訟記録及び第一審裁判所において取り調べた証拠だけで書面審理によつて公訴事実の存在を確定し有罪の判決を言渡すことが適法か否かについて按ずるに、刑訴法における控訴裁判所は当事者の申立により又は職権によつて、第一審判決に、同法三七七条乃至三八二条及び三八三条に規定する事由、即ち破棄事由があるかどうかを調査する事後審査の裁判所であつて、右の調査をするについて必要があるときは、控訴裁判所は自ら事実の取調をすることができるのであり、又同法三九三条一項但書の場合は必ず事実の取調をしなければならないのである。そして右事実の取調を含めた右調査の結果、第一審判決に破棄事由があると思料した場合には、控訴裁判所は、原判決を破棄し、被告事件を管轄裁判所に移送するか若しくは、原裁判所に差し戻し、又は原裁判所と同等の他の裁判所に移送し、第一審裁判所をして被告事件について再審理させるのを原則とするのである。刑訴四〇〇条但書は、この原則に対し、右調査の結果、第一審判決に破棄事由があると思料した場合でも、訴訟記録並びに第一審裁判所において取り調べた証拠のみにより、又は、これと、前記破棄事由が存するか否かを調査するため控訴裁判所が事実の取調をしたときは、その取り調べた証拠と相俟つて、被告事件について判決をするに熟している場合は例外として控訴裁判所自ら被告事件について判決をすることを許した規定と解すべきである。しかるに本件においては、第一審判決は被告人等がそれぞれ判示船舶を輸出しようと企てたとの公訴事実は、確定していないのであり、且つ被告人等には右旧関税法七六条の罪の罪責なしと判決しているのであるから、右判決に対し検察官から控訴の申立があり、事件が控訴審に係属しても被告人等は、憲法三一条、三七条の保障する権利は有しており、その審判は第一審の場合と同様の公判廷における直接主義、口頭弁論主義の適用を受けるものといわなければならない。従つて被告人等は公開の法廷において、その面前で、適法な証拠調の手続が行われ、被告

人等がこれに対する意見弁解を述べる機会を与えられた上でなければ、犯罪事実を確定され有罪の判決を言渡されることのない権利を保有するものといわなければならない」(最判昭三一・七・一八刑集一〇・七・一一四七)。

もっとも最判は刑訴四一一条三号の事実の誤認につき、事実誤認の疑の場合をも含む旨判決するに当って、事実の取調をしない場合には事実誤認という確定的な判断ができない場合もあることを認め上訴審における自由心証の控制の限界を承認している。

【128】「刑訴四一一条は「左の事由があって原判決を破棄しなければ著しく正義に反すると認めるときは、原判決を破棄することができる」として、その三号に「判決に影響を及ぼすべき重大な事実の誤認があること」と規定しているのであって、上告裁判所が同条項により原判決を破棄できるのは、判決に事実の誤認があることを確認したことを要するが如くであるが、公訴事実について自ら事実審理をする権能のない上告裁判所においては、原判決に如何なる事実の誤認があるかを確定することができない場合もあるから、右刑訴四一一条三号の法意は、判決に影響を及ぼすべき重大な事実の誤認があると疑うに足りる顕著な事由があって、もしこの疑の存するにかかわらず原判決を維持しその判決を確定させたとすれば著しく正義に反するときは、原判決に法令の違反はなくても、これを破棄することをも上告裁判所に許したものといわなければならない」(最判昭二八・一一・二七刑集七・一一・二三〇三)。

この見解は旧刑訴の建前であった事実誤認、量刑不当として破棄自判するには必ず事実審理開始決定を行い、自ら覆審として証拠調を行った上でなければ許されなかった原理の伝統を受け継いでいるのであるが、旧刑訴の場合には重罪事件は多く予審調書という形で証拠が保全されていたので形式的な直接主義、口頭主義の要請から出発していたと見られるのに対し、現行法では伝聞証拠が原則として排斥され公判廷の供述を主たる証拠とする建前になつているので、直接主義、口頭主義も一層実質的な意味をもつていることで裏付けられる。もつともこのような場合に上告審に事実誤認の疑として破棄を認めるのは立法者の予定していなかつたところであるし、また一審の証拠調、二審の補充的な事実の取調を経て認定された事実を、上告審が事実の取調を行わないで誤認の疑ということで破棄できるかは根本的な疑問であつて、この権能の発動はよほど慎重に行われなければならないであろう。

事実の取調を行わなければ確定的には事実誤認と判断できない場合があるというこの判例理論は原則として被告人が出頭している控訴審の場合にも妥当する。原審が公判廷における被告人、証人の供述を信用できるとし、又はできないとした場合は控訴審はそれらにつき質問又は尋問を行うことなしに、公判調書の供述記載だけでその信用性の判断を否定できないのを原則とすると考える（青柳「上訴審による自由心証の控制」法曹時報八巻一〇、一一号）。この点は特に判例とはされていないけれども事実上実践されているようである。しかし例外がないわけではない。

## 一〇　再審と自由心証

再審は確定判決に対して事実誤認の不当を救済するために認められた非常救済手続である。再審開始決定があつた後の手続は原審の手続の継続であるから証明力の点についても特段の問題がない。再審開始決定をするかどうかについては刑訴は法的安定性を考慮して厳重な制限を設けている。その中で最も屢々起るものは刑訴四三五条六号の場合である。共犯者につき別個の裁判所が何れかが正しく

129

何れかが誤りであるような相容れない判決をし、何れも確定した場合に次の判例がある。

【129】「所論ノ如キ相容レサル判決ノ確定シタル一事ヲ以テ直ニ有罪ノ言渡ヲ受ケタル者ニ対シテ無罪ヲ言渡スヘキ明確ナル証拠ヲ新ニ発見シタリト做シ再審ノ申立ヲ為スヲ得サルモノト謂ハサルヘカラス然シナカラ等シク国家ノ言渡シタル二箇ノ確定判決カ其ノ内容ニ於テ矛盾シ其ノ何レカ誤レリト謂フカ如キコトハ絶対真実ノ発見ヲ目標トスル刑事訴訟手続ニ於テハ極力避ケサルヘカラサルコトニ属ス思フニ右両箇ノ事件カ併合セラレテ同一裁判所ニヨリ同一ノ証拠材料ニ基キ判断セラレタリトセハ両箇ノ判断ノ間固ヨリ矛盾ノ生スヘキ筈ナシ若シ又両箇ノ事件カ別箇ノ裁判所ニヨリ別々ニ判断セラレタリトスレハ其ノ判断ノ資料タル証拠材料ハ自ラ相異ナレリト謂フヘク斯ル場合其ノ判断ニシテ異ナレリトセハソハ証拠材料ノ異ナレルニ因ルコトアルヘク或ハ又同一ノ証拠材料ニ付之カ証明力ニ対スル判事ノ価値判断ノ異ナレルニ因ルコトアルヘシ此ノ後者ノ場合ニ於テハ判断ノ相違ハ之カ当否ヲ判断スルニ由ナク再審ヲ求ムヘキ理由アルコトナケレハ其ノ処置ハ結局裁判手続以外ノ方法（例ヘハ恩赦ノ如キ）ニ俟タサルヘカラスト雖前者ノ場合即チ判断カ各別ノ証拠材料ニ基ケル為ニ相違ヲ生シタル場合ニ於テハ若シ一ノ判断ヲ為スニ付他ノ判断ノ資料ヲ参酌シタランニハ其ノ判断ヲ異ニシタルヘシト認メラルコトアルヘキカ故ニ斯ノ如キ場合ニ於テ有罪ノ確定判決ヲ受ケタル者カ之ト相容レサル確定判決アリタルヲ知リ其ノ事件ノ証拠材料ヲ検シ其ノ中ニ就キ自己ニ対スル事件ノ証拠材料タラサリシモノニシテ且自己カ無罪ノ言渡ヲ受クルニ足ル明確ナル証拠ヲ発見シタリトスルニ於テハ之ニ基キ再審ノ申立ヲ為スコトヲ得ルモノト謂ハサルヘカラス」（大決昭一四・五・一六刑集一八・三一七）。

235

実体的真実の発見が刑事訴訟の唯一の目的でなく、手続の公正、人権の保障の理想が併せて追及され、そのために証拠能力の制限、当事者主義が強化されることになると敢えて別個の裁判所といわなくても同一の裁判所で共犯者に対する判断が、証拠の提出の技術や証拠能力の関係で異ってくる場合が当然考えられる。手続の公正が前面に押し出される英米法に再審の制度が存在しないことはそれだけの理由があることであるし、民訴の再審事由に刑訴四三五条六号のような広い事由がなく期間もまた制限されているのも当事者主義の投影である。刑訴の場合にも旧刑訴と異る目的が附加された以上再審制度も立法論として検討を要することであろう（青柳「再審制度について」法曹時報一五巻六号）。

刑訴四三五条六号にいう「明らかな証拠」について判例は証拠能力もあり、証明力も高度のものであることを必要とし、紊りに法的安定性を破壊することがないように配慮している。

【130】「再審は確定判決の効果を動かすものであるから、法は厳格な要件の下においてのみその開始を許すのである。刑訴四三五条六号にいう「明らかな証拠」というのは証拠能力もあり、証明力も高度のものを指称すると解すべきであつて、被告人の弁護人宛の事件を否認する書信の如きは証拠能力の点からいつても、また証明力の点からいつても到底「明らかな証拠」ということはできない」（最決昭三三・五・二七刑集一二・八・一六八三）。

【131】「刑事訴訟法第四百三十五条第六号にいう「明らかな証拠」とは証拠能力もあり証明力も高度のものをいうことは論をまたないが、しかしながら、一面それも再審の手続を開始するか否かを判定する前提として一応そのように証拠能力及び証明力があると認められるをもつて足りるというのであつて、爾後再審の審判手続において、右証拠が結局十分な証明力がないという理由によつて排斥されるということがあり得るということもまた明らかであるといわなければならない」（東京高決昭三五・八・三東京高時報一一・八・刑二〇九）。

新しい証拠として被告人の受刑中の態度をも考慮したものにいわゆる日本巌窟王吉田石松の事件がある。

【132】「かように被告人がその逮捕当時から齢すでに八十四歳の現在にいたるまで実に半世紀の永きにわ

たり終始一貫、世のあらゆる苦難と闘いつつ、自己の無罪を叫びつづけてきたという厳然たる事実は、これをどのように理解すべきであろうか。世に真犯人でありながら、無実を叫ぶ者も決して少くない。しかもそのような者は、刑が確定すればいつの間にか口を閉してしまうものである。被告人のように処刑中はもとより出所後にいたるまで、しかも全生涯、全生命をかけて半世紀の永きにわたり、不断に冤罪を叫んでやまなかつた者は絶無といつても過言ではないであろう。このような恐るべき異常な粘りと迫力が、果して燃ゆるような信念に基くことなくして、単なる見栄や、欲得などから生れてくるであろうか。この真摯にしてかつ持続的敢闘の事実に目を蔽うべきではない」(名古屋高判昭三八・二・二八時報三二七・四)。

このような態度証拠(行動証拠)も再審事由のあらたな証拠といえるかどうかにつき、安倍・刑事訴訟における均衡と調和二一一頁は、これを肯定する。このような態度証拠を一概に否定することはできないが、刑訴三二二条一項の被告人に利益な供述の証拠能力の制限との調和をどう考えるか、またこの態度証拠も他のあらゆる証拠と綜合判断すべきものであろうが、数十年を経た場合に殊に供述証拠の保全が可能であるのか等困難な問題がこれに関連する。要するに事後審としての事実誤認の判断さえ明らかに誤っていることを必要とする位であるから、法的安定性の要求が加わった再審開始決定の場合にはより慎重な判断が必要であるということになろう。

## あとがき

自由心証に関する判例の紹介と整理という仕事は、裁判殊に刑事裁判の中心部分でありながら、完全に論理的に説明し尽すことができず、直感と経験の援助を借りなければならないものであるために、判例も委曲を尽して説明したものは少く、学説も余り多くはない。しかしあらゆる刑事の実体裁判は証拠の評価の問題を含んでいるのであって、今後心理学的、社会学的、自然科学的に分析をされ、より合理化されなければならない筈である。本編で取り上げた判例はこれら厖大な資料のほんの一部分であって、整理分類も完全なものであると自負しているのではない。しかし、これだけの簡単な紹介であっても、将来の研究のための資料ともなり、また実務家の参考ともなれば幸甚である。

## 地方裁判所判例

# 判 例 索 引

## 大審院判例



## 最高裁判所判例



## 高等裁判所判例

著 者 紹 介

高田卓爾（たかだ たくじ） 大阪市立大学教授

青柳文雄（あおやぎ ふみお） 上智大学教授



総合判例研究叢書 刑事訴訟法（15）

昭和39年4月25日 初版第1刷印刷
昭和39年4月30日 初版第1刷発行

著作者 高 田 卓 爾
青 柳 文 雄

発行者 江 草 四 郎

東京都千代田区神田神保町2～17
発行所 株式会社 有 斐 閣
電 話 (261) 0323・0344
振替口座東京370番

印刷・印刷局朝陽会 製本・稲村製本所

総合判例研究叢書 刑事訴訟法(15)
(オンデマンド版)

2013年2月15日　発行

著　者　　高田　卓爾・青柳　文雄
発行者　　江草　貞治
発行所　　株式会社 有斐閣
〒101-0051　東京都千代田区神田神保町2-17
TEL　03(3264)1314(編集)　03(3265)6811(営業)
URL　http://www.yuhikaku.co.jp/

印刷・製本　　株式会社 デジタルパブリッシングサービス
URL　http://www.d-pub.co.jp/


AG541

ISBN4-641-91067-7　Printed in Japan